Herausgegeben von
Karl-Hermann Beeck und Johannes Erger

Geschichte heute

7./8. Schuljahr

Bearbeitet von
Karl-Hermann Beeck · Hans-Peter Bülow
Johannes Erger · Otto Kamphues
Gerhard Zehnter

Schroedel Schulbuchverlag
Verlag Ferdinand Schöningh

Geschichte heute
7./8. Schuljahr

Herausgegeben von Karl-Hermann Beeck
und Johannes Erger

bearbeitet von

Karl-Hermann Beeck, Wuppertal
Hans-Peter Bülow, Ennepetal
Johannes Erger, Aachen
Otto Kamphues, Senden
Gerhard Zehnter, Bochum
in Zusammenarbeit mit der Verlagsredaktion

Zu diesem Schülerband gibt es einen Lehrerband, Best.-Nr. 35383

ISBN 3-507-**35384**-9 (Schroedel)
ISBN 3-506-**35384**-5 (Schöningh)

Druck A 6 5 4 3 / Jahr 1994 93 92 91 90

Alle Drucke der Serie A sind im Unterricht parallel verwendbar.
Die letzte Zahl bezeichnet das Jahr dieses Druckes.

Zeichnungen: Ateliergemeinschaft Adrian Raasch, Rudolf Schwanke
Satz: Th. Schäfer Druckerei GmbH, Hannover
Druck: Karl Neef GmbH, Wittingen

Inhaltsverzeichnis

Der Beginn einer neuen Zeit

Die Wendung zum Diesseits

Wie sich in Oberitalien eine neue Zeit ankündigte

Die Schriftsteller und Künstler des Mittelalters schilderten das Leben der Menschen als Vorbereitung auf das Jenseits. Maler, Bildhauer und Architekten schufen ihre Werke zur Verherrlichung Gottes. Aus diesem Geiste waren die romanischen und gotischen Kirchen und Klöster mit ihren Skulpturen und Bildern von Christus und den Heiligen entstanden. Der Mensch stand damals im Hintergrund. Oft wurden nicht einmal die Namen der Baumeister und Künstler überliefert.

Eine neue Sicht des Menschen und der Welt entwickelte sich zuerst in den reichen oberitalienischen Städten. Die Kaufleute in Venedig, Mailand und Florenz waren durch den Orienthandel und durch Geldgeschäfte reiche, mächtige und selbstbewußte Herren geworden. Die herrschende Familie in Florenz waren die Medici. Sie holten Dichter, Maler, Architekten und die berühmtesten Gelehrten Italiens an ihren Hof. Kunst und Wissenschaft blühten in den Städten auf und dienten mehr dem Ruhm der Menschen als der Verherrlichung Gottes. Der Italiener Manetti schrieb 1452, die Welt sei wohl von Gott erschaffen worden, aber der Mensch habe sie danach verwandelt:

Denn alles, was uns umgibt, ist unser eigenes Werk, das Werk des Menschen: alle Wohnstätten, alle Schlösser, alle Gebäude auf der ganzen Welt . . . Von uns sind die Gemälde, die Skulpturen, von uns der Handel und die Wissenschaften . . . Von uns kommen alle Erfindungen und alle Arten von Sprachen und alle Literaturen . . .

(J. R. Hale, Fürsten, Künstler, Humanisten, Reinbek 1973, S. 26)

5.1 *Der Dom von Florenz, erbaut von Filippo Brunelleschi (1376–1446)*

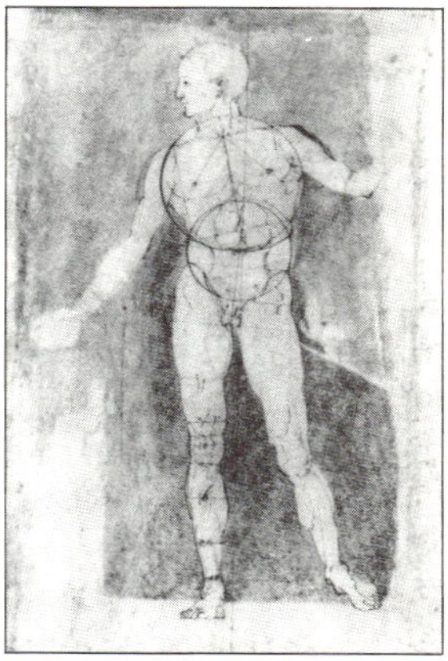

5.2 *Adam und Eva Proportionsstudien von Albrecht Dürer (1473–1523)*

Ein neues Bild des Menschen

Wie Gelehrte und Künstler ein neues Bild des Menschen entwarfen

„Pförtner der Neuzeit" wurde der Gelehrte und spätere Kardinal Nikolaus von Cues (1401–64) genannt. Als Sekretär des päpstlichen Gesandten in Deutschland suchte er für seinen Herrn in Klosterbibliotheken nach Handschriften antiker Schriftsteller und studierte sie. In einer seiner Schriften sagte er über den Menschen:

Der Mensch besitzt eine Stadt mit fünf Toren, den fünf Sinnen. Durch diese treten Boten ein und bringen Berichte aus der ganzen Welt . . . über die Sonne, die Sterne, die Pflanzen, über die Schönheit der Welt . . . die Melodien. Der Mensch zeichnet das Erfahrene . . . geordnet auf. Dann wendet er sich zu sich selbst und vergleicht sich mit Gott, der den Plan der Welt entwarf . . . Er findet in sich die Zeichen Gottes, in ihm leuchtet die Schöpferkraft Gottes mehr als in jedem anderen Lebewesen.

(Zitiert nach: Zeiten und Menschen, B 2, S. 137)

Was Nikolaus von Cues über die Schöpferkraft des Menschen sagte, haben Bildhauer und Maler dargestellt (vgl. Abb. 5.1, 5.2, 6.1).

„Gute Menschen haben den ganz natürlichen Wunsch nach Wissen", schrieb Leonardo da Vinci (1452–1519). Ein unbändiger Wissensdurst erfüllte den aus dem Dorf Vinci in der Toskana stammenden Mann. Wie besessen schrieb er alles auf, was er erkannte, und zeichnete unermüdlich, was er sah. Etwa 5700 Seiten aus Notizbüchern sind erhalten geblieben. Ein Mailänder Maler hat Ende des 16. Jahrhunderts über die Arbeitsweise Leonardo da Vincis berichtet:

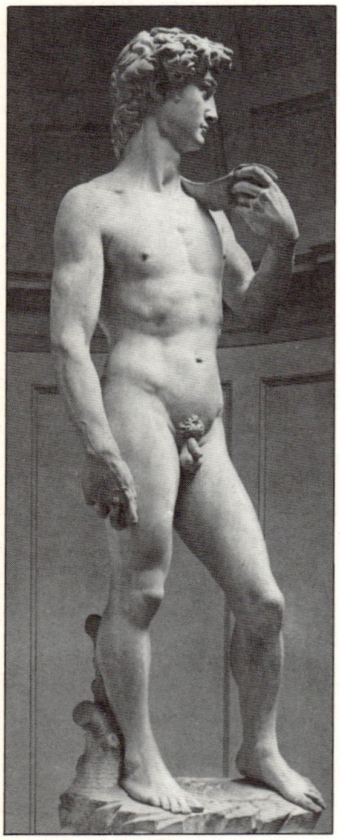

6.1 *David, von Michelangelo (1475–1564)*

Man erzählt von ihm, er habe keine Bewegung einer Figur dargestellt, ohne sie vorher im Leben beobachtet zu haben . . . Einmal wollte er ein Bild mit lachenden Bauern malen. Da wählte er Leute aus, die er für geeignet hielt, machte sie zutraulich und gab ihnen dann mit einigen Freunden ein Essen. Dabei setzte er sie in seine Nähe und erzählte ihnen die größten Schnurren und Lächerlichkeiten von der Welt, so daß sie lachten, bis sie fast die Mundsperre bekamen. Er achtete dabei genau auf alle ihre Bewegungen und prägte sie sich ein. Dann, . . . ging er in seine Kammer und zeichnete sie . . . vollendet . . .

(J. Lehmann/H. Göttling, Quellen zur Kulturgesch., Paderborn 1953, S. 15)

Wie Künstler aus der Beobachtung des Menschen neue Erkenntnisse gewannen, so erforschten nun Gelehrte auch den menschlichen Körper. Bisher hatten gelehrte Mönche, Bader, Kräuterweiber und in den Städten auch Ärzte nach überlieferten Rezepten aus Heilkräutern und Mineralien Arzneimittel hergestellt. Gründliche Kenntnisse über die Anatomie des menschlichen Körpers hatten sie jedoch nicht. Nun aber forschten die Gelehrten nicht nur in den Büchern der arabischen, griechischen und lateinischen Ärzte, sondern begannen mit anatomischen Untersuchungen des Menschen. Für die damalige Zeit war es ein Verbrechen, den Leichnam eines Menschen zu zerschneiden. Er mußte unversehrt bleiben bis zur Auferstehung der Toten am Jüngsten Tag.

Leonardo da Vinci beschreibt in seinen Notizbüchern, daß er deshalb heimlich nachts dreißig Leichen seziert hat, um den „Mechanismus des

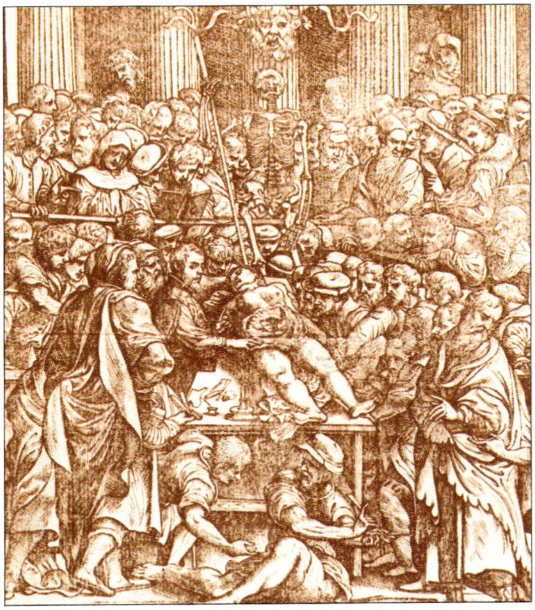

7.1 *Titelbild zu dem Buch von A. Vesalius*

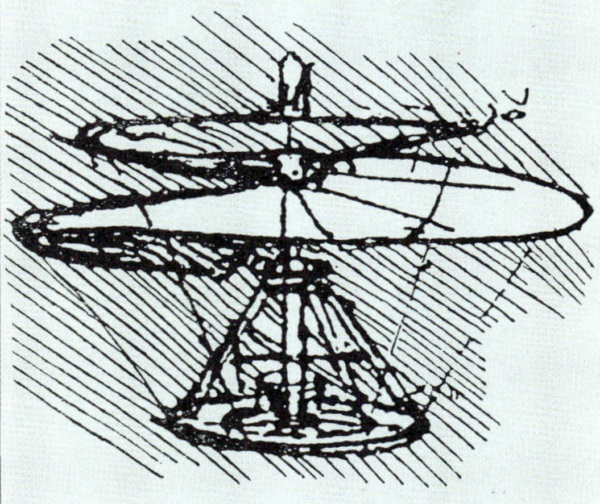

„. . . in schnelle Drehung versetzt, wird sich besagte Schraube in die Luft emporschrauben und hochsteigen."

7.2 *Entwurf für einen Flugkörper, Leonardo da Vinci*

Menschen" zu erkennen. Das Herz erkannte er als einen starken Muskel, der sich zusammenzieht und dadurch die Herzbewegung verursacht. In einem Hospital in Florenz machte er eine anatomische Untersuchung am Körper eines alten Mannes, um die Ursache des Todes zu ergründen. Er fand eine Verkalkung der Arterie, heute bekannt als häufige Krankheit bei älteren Menschen. Andreas Vesalius (1514–1564) beschaffte sich für seine Studien Gerippe von Friedhöfen. Er lehrte an der Universität Padua in Oberitalien. Dort hatte bereits ein naturwissenschaftliches Denken begonnen. Daher konnte er es sich auch erlauben, Dutzende von menschlichen Körpern zu sezieren und seine Studenten in die Anatomie einzuführen. Seine Beoachtungen faßte er in dem Werk „Sieben Bücher über den menschlichen Körper" zusammen.

„Wenn ein Mensch ein Zelt aus Leinwand machen läßt . . ., dann wird er sich aus jeder noch so großen Höhe herabstürzen können . . ."

(da Vinci-Skizzenbücher)

Künstler und Gelehrte an den Höfen der Stadtherren in Oberitalien verband das Ziel: „Zurück zu den Quellen!" Sie forschten an den Ruinen römischer Paläste nach Inschriften, gruben Statuen aus und sammelten alte römische und griechische Schriften. Sie bemühten sich, ein ebenso gutes Latein und Griechisch zu schreiben, wie ihre klassischen Vorbilder. Die Welt der Antike sollte in den Menschen wiedergeboren werden. Deshalb nannte man diesen Prozeß später Renaissance, das heißt Wiedergeburt. Nicht allein die Vorbereitung auf das Jenseits war Ziel des Lebens, sondern das Streben nach Erkenntnis der Welt, des Menschen und seiner Fähigkeiten stand im Mittelpunkt. Deshalb nannten sich die Gelehrten auch Humanisten, abgeleitet von humanus = menschlich.

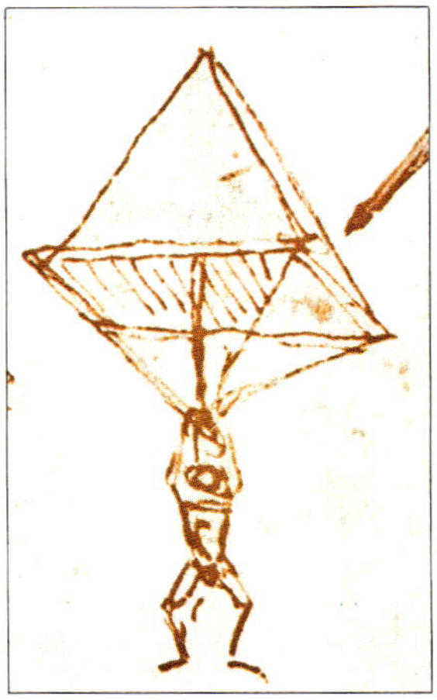

7.3 *Entwurf für einen Fallschirm*

1. Warum können Nikolaus von Cues, Leonardo da Vinci und Andreas Vesalius als Humanisten bezeichnet werden?
2. Wie erforschten sie die Welt? Betrachte auch die Bilder.

Ein neues Bild der Welt

Welches neue Bild der Welt Nikolaus Kopernikus entdeckte

8.1 Nikolaus Kopernikus (1473–1543)

Nikolaus Kopernikus wurde im Jahre 1473 in Thorn an der Weichsel, im Königreich Polen, geboren. Nach dem frühen Tod seines Vaters ließ ihn sein Onkel, der spätere Bischof von Ermland, für den geistlichen Beruf ausbilden. Seit 1491 studierte Nikolaus Kopernikus in Krakau, Wien, Bologna, Ferrara und Padua zwölf Jahre kirchliches und weltliches Recht, vor allem aber Mathematik und Astronomie (Sternenkunde). 1500 erhielt er in Rom eine Professur für Mathematik. Zwischenzeitlich hatte ihn sein Onkel zum Domherrn in Frauenburg in Ostpreußen ernannt. Dorthin kehrte er 1503 zurück. Sein großes Ziel war, die „wahren Bewegungen" der Himmelskörper zu erforschen. Viele Jahre zögerte Nikolaus Kopernikus, seine Untersuchungen „Über die Umdrehungen der Himmelskörper" zu veröffentlichen. Als sein Buch im Jahre 1543 in Nürnberg erschien, war er gerade gestorben. Warum hatte Kopernikus seine Erkenntnisse so lange vor der Welt verborgen gehalten? Weil er nämlich das bisherige Weltbild auf den Kopf gestellt hatte und behauptete: Nicht die Erde steht im Mittelpunkt der Welt, sondern die Sonne. Die Erde aber dreht sich mit anderen Planeten um die Sonne. Seine Behauptungen versetzten, wie Zeitgenossen berichteten, die Menschen in größte Unruhe: Kopernikus hatte die Erde zu einem Trabanten der Sonne gemacht. Aus dem Mittelpunkt hatte er sie an den Rand des Weltalls versetzt. Das widersprach dem, was die Menschen täglich sahen und dem, was die Bibel im Psalm 19, Vers 7 sagt:

Die Sonne geht auf an einem Ende des Himmels und läuft um bis wieder an sein Ende; nichts bleibt vor ihrer Glut verborgen.

Der Künstler hat nachempfunden, was Menschen am Beginn der Neuzeit über das Weltall erfahren wollten:

Ein wagemutiger Wanderer hat die bisher bekannte Welt durchschritten. Mit seinem Kopf hat er das Himmelszelt durchstoßen und schaut in unbekannte Welten. Phantastische Eisgebirge, Wolkenberge und neue Sonnen werden sichtbar.

Wird der Mensch je die Geheimnisse des himmlischen Räderwerks erkennen?

8.2 Aufriß des Weltgebäudes (Holzschnitt 19. Jahrhundert)

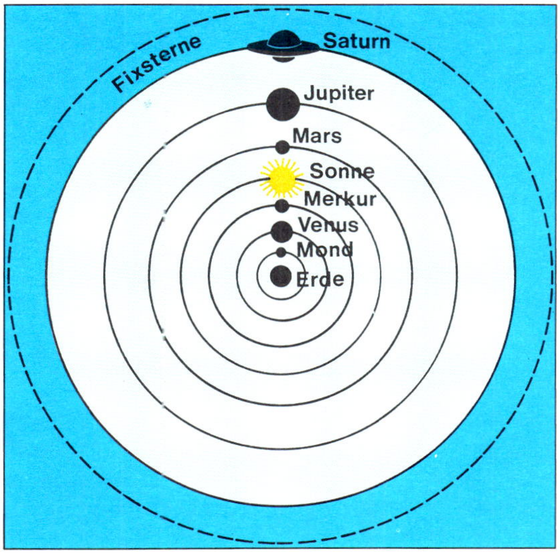

9.1 *Das Weltbild des Ptolemäus*

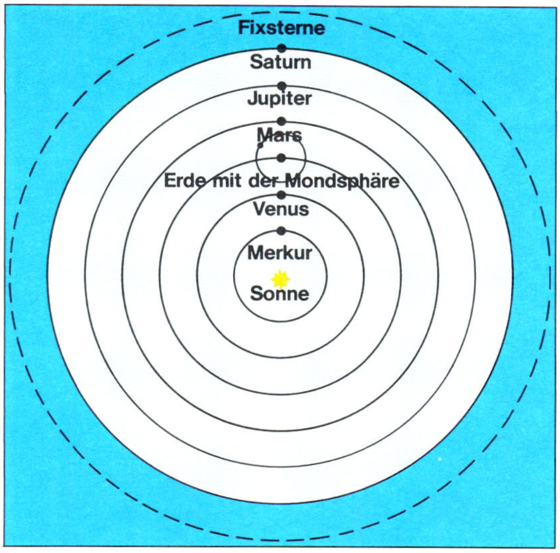

9.2 *Das Weltbild des Kopernikus*

Martin Luther, der große Reformator der Kirche, schimpfte: „Der Narr will die ganze Kunst Astronomie auf den Kopf stellen. Und doch war es, wie die Heilige Schrift sagt; es war die Sonne und nicht die Erde, der Josua befahl stillzustehen." Dabei bezog er sich auf das Buch Josua, Kapitel 10, Vers 12 und 13, im Alten Testament. Dort heißt es:

Da redete Josua mit Gott . . . und sprach . . .: „Sonne, stehe still zu Gibeon, und Mond im Tal Ajalon!" Da standen die Sonne und der Mond still, bis sich das Volk Israel an seinen Feinden rächte. Also stand die Sonne... am Himmel und verzögerte ihren Untergang beinahe einen ganzen Tag.

In Italien baute der Naturforscher Galileo Galilei (1564–1642) eine Generation später ein Fernrohr, mit dem er viele Jahre den Sternenhimmel erforschte. Seine Beobachtungen bestätigten das heliozentrische Weltbild des Kopernikus, nicht das geozentrische des Ptolemäus. Galilei wußte, daß er sich damit gegen die Auffassung der Kirche stellte. Er wurde der Irrlehre bezichtigt. In einem Brief versuchte er den Widerspruch zwischen naturwissenschaftlicher Erkenntnis und biblischer Aussage damit zu erklären, daß sich die Sprache der Bibel nur der Fassungskraft des einfachen Volkes angepaßt habe. 1633 wurde er vom kirchlichen Gericht in Rom gezwungen, den „Irrtümern und Ketzereien" der kopernikanischen Lehre abzuschwören. Nach seiner Verurteilung soll er gesagt haben: „Und sie bewegt sich doch!" Diese Aussage ist jedoch nicht bezeugt.

Helio bedeutet Sonne
Geo bedeutet Erde

1. Vergleiche das Weltbild des Kopernikus mit dem des Ptolemäus.
2. Überlege, warum damals Bibelstellen als Argumente gegen das kopernikanische Weltbild herangezogen wurden.
3. Erkläre, warum wir heute bei großen Veränderungen den Ausdruck „kopernikanische Wende" gebrauchen?
4. Überlege, was die Weltraumforschung Kopernikus verdankt.

Die großen Entdeckungen

Wie die Portugiesen den Seeweg nach Indien entdeckten

Um Afrika ins reiche Indien

Bis zum Ende des Mittelalters wagten sich die Seefahrer kaum über die Sichtweite zur Küste hinaus aufs Meer. Dazu taugten ihre Schiffe und auch ihre Navigationsinstrumente nicht. Eine Karte zeigt, welche Vorstellungen von der Welt in der kirchlichen Lehre und bei den meisten Menschen vorherrschte. Sie hielten die Erde für eine Scheibe, die auf einem Ozean schwimmt. Sie glaubten, wer sich zu weit über den Rand der Erde hinauswage, geriete im Norden in das ewige Eis, nach Westen in die dunklen Nebel voller Meeresungeheuer und nach Süden in die furchtbare Sonnenglut, die selbst das Meer zum Kochen bringe. Daher fuhren sie nicht weit hinaus auf das offene Meer.

Auf dem Landweg gab es aber seit langer Zeit Handelsverbindungen mit dem Orient. Über seine Reise in die reichen Länder des Ostens bis nach China, Südostasien und Indien (1271–1295) hatte schon der Venezianer Marco Polo berichtet. Besonders die Kaufleute Venedigs trieben regen Handel mit den Arabern. Mit Kamelkarawanen und auf Küstenschiffen brachten sie die kostbaren Güter des Orients (Gewürze, Zucker, Baumwolle, Seide, Farbstoffe, Teppiche) auf die Märkte am Mittelmeer. Über das Schwarze Meer hatten die Kaufleute Venedigs direkten Zugang zu Karawanenstraßen, die am islamischen Machtbereich vorbei nach Indien und China führten.

Nachdem die Türken 1453 Konstantinopel erobert hatten, war den italienischen Seestädten der Weg ins Schwarze Meer verschlossen. Jede Ware ging nun durch die Hand arabischer Zwischenhändler im türkischen Reich und in Nordafrika. Der Zwischenhandel verteuerte die begehrten Güter aus den nah- und fernöstlichen Ländern sehr. Arabische Händler aus Nordafrika und Spanien, Mauren genannt,

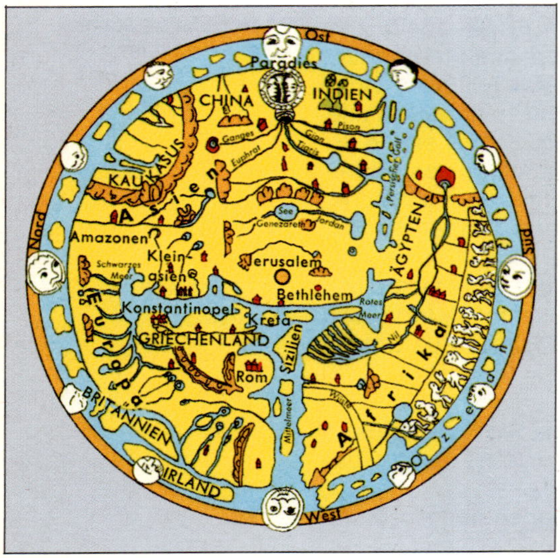

10.1 *Christliche Weltkarte aus London, 13. Jh.*

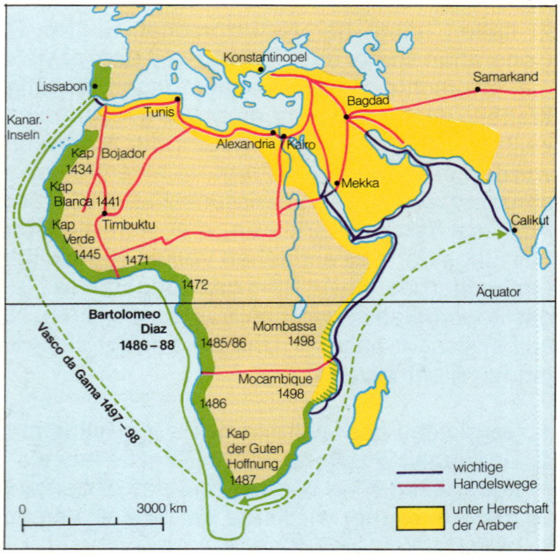

10.2 *Portugiesen entdecken den Seeweg nach Indien*

unterhielten Handelsniederlassungen im ganzen Orient, selbst an der Küste Indiens. Als weltgewandte Fernhändler sprachen sie auch Spanisch und die Sprache der Kaufleute Oberitaliens.

11.1 *Sanduhr (15. bis 17. Jh.)*

Schon vor der Eroberung Konstantinopels hatte der portugiesische Prinz Heinrich (1394–1460), später „der Seefahrer" genannt, die Idee, die arabischen Händler im Norden Afrikas auf einer südlichen Route zu umgehen. In seinem Felsenschloß an der Südwestküste Portugals ließ er eine Sternwarte und eine Schule bauen, in denen junge Männer Geographie, Stern- und Schiffahrtskunde studierten. Auch ein kleiner Hafen mit Schiffswerften fehlte nicht. An der afrikanischen Westküste suchte er eine Flußpassage quer durch Afrika. Schrittweise drangen die Portugiesen nach Süden vor. Von der Umsegelung des Kaps der Guten Hoffnung durch Bartholomeo Diaz 1486 berichtet de Barros:

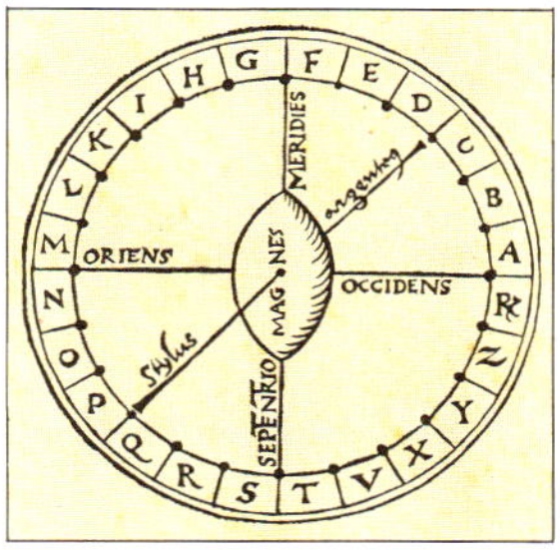

11.2 *Kompaßrose (15. Jh.)*

Als die von da [Westküste Afrikas, 29° Süd] wieder in See gestochen hatten, trieb sie derselbe Sturm drei Tage ... vor sich her, ... Um Land zu finden, schlugen sie eine östliche Richtung ein, indem sie glaubten, daß die Küste noch immer von Nord nach Süd laufe ... Wie sie jedoch merkten, daß sie so einige Tage steuerten, ohne darauf zu stoßen, schlugen sie die nördliche Richtung ein und gelangten so in eine Bucht ... Sie fuhren hierauf [zurück] und bekamen jenes große und merkwürdige Vorgebirge zu Gesicht, daß so viele Jahrhunderte verborgen geblieben war. Diesem gaben Bartholomeo Diaz und seine Mannschaft wegen der Gefahren und Stürme, die sie bei seiner Umschiffung bestanden, den Namen Tormentoso; aber als sie in das Reich zurückkehrten, legte ihm der König ... einen andern schöneren Namen bei, indem er es Cabo de Boa Esperanza [Kap der guten Hoffnung] nannte, weil es die Hoffnung erregte, das so sehr ersehnte und so viele Jahre gesuchte Indien zu entdecken.

(Nach: F. Dickmann, Geschichte in Quellen. Renaissance, München 1982, S. 51/52)

Cabo de Tormentoso: Kap der wilden Stürme

Ein anderer portugiesischer Seefahrer entdeckte Indien. Vasco da Gamas Schiffe ankerten am 20. Mai 1498 im Hafen von Calikut in Indien. Ein Teilnehmer dieser Entdeckungsreise berichtet:

Der Kommandant Vasco da Gama schickte einen nach Calikut ... Man führte ihn hin, wo zwei Mauren von Tunis wohnten, die kastilianisch und genuesich sprechen konnten. Der erste Gruß, den sie ihm zuriefen, war: „Hol dich der Teufel! Wer hat dich hergebracht?" und sie fragten, was wir so weit in der Ferne suchten. Er antwortete ihnen: „Wir kommen Christen und Gewürze suchen."

(Nach: Geschichte in Quellen, Renaissance, S. 53)

kastilianisch: die Hauptsprache in Spanien

genuesisch: eine Sprache in Oberitalien

Die Portugiesen legten an den Küsten Afrikas und Indiens befestigte Plätze an. Seit 1524 beherrschte Vasco da Gama im Auftrag des Königs dieses neue See- und Handelsreich.

1. Warum wagten sich die Seefahrer des Mittelalters nicht weit aufs offene Meer? Siehe auch Abb. 10.1.
2. Warum suchten die Kaufleute Oberitaliens und Portugals nach einem Seeweg nach Indien?
3. Beschreibe die Etappen der Entdeckung des Seewegs nach Indien.
4. Überlege, was diese Entdeckung für das kleine Portugal bedeutete.

Wie Kolumbus einen neuen Erdteil entdeckte

Westwärts nach Indien

Ein Freund des Seefahrers Christoph Kolumbus aus Genua berichtet:

Kolumbus war sicher, daß die gesamte Wasser- und Festlandsmasse der Erde eine Kugel bilde, also von runder Gestalt sei. Es müsse daher möglich sein, sie von Osten nach Westen zu umfahren . . .

(Nach: Geschichte in Quellen, Renaissance, S. 41)

Kolumbus kannte die Seekarte des davon auch überzeugten Florentiners Toscanelli aus dem Jahre 1474. An Hand dieser Karte hatte er berechnet, wie viele Meilen ein Schiff zurücklegen müsse, um zur Insel Cippangu (Japan) zu gelangen und an Catay (China) vorbei nach Indien zu kommen. Er meinte, der Seeweg westwärts nach Indien sei kürzer als der Landweg nach Osten. Darum lohne es sich gewiß, so die fernen Länder aufzusuchen. Toscanelli schrieb 1480 an Kolumbus:

Ich bin überzeugt, daß der Weg [nach Westen] . . . nicht so schwierig ist, wie man denkt. Im Gegenteil, der Weg nach jenen Gegenden ist ganz sicher . . . Und es wird die Könige und Fürsten in jenen entfernten Ländern hoch erfreuen, . . . mit den Christen in Verbindung zu treten . . .

(Nach: Geschichte in Quellen, Renaissance, S. 40)

Kolumbus stand zunächst in portugiesischen Diensten. Weil er am portugiesischen Königshof kein Verständnis für seine Pläne fand, ging er nach Spanien. Nach dem endgültigen Sieg über die Mauren auf dem spanischen Festland ließen Königin Isabella und König Ferdinand drei Segelschiffe für den hartnäckigen Kolumbus ausrüsten.

Das spanische Königspaar bewilligte ihm die folgenden Rechte:
- Kolumbus wird Admiral auf Lebenszeit und Vizekönig und Statthalter über alle Inseln und Festländer, die er entdeckt.

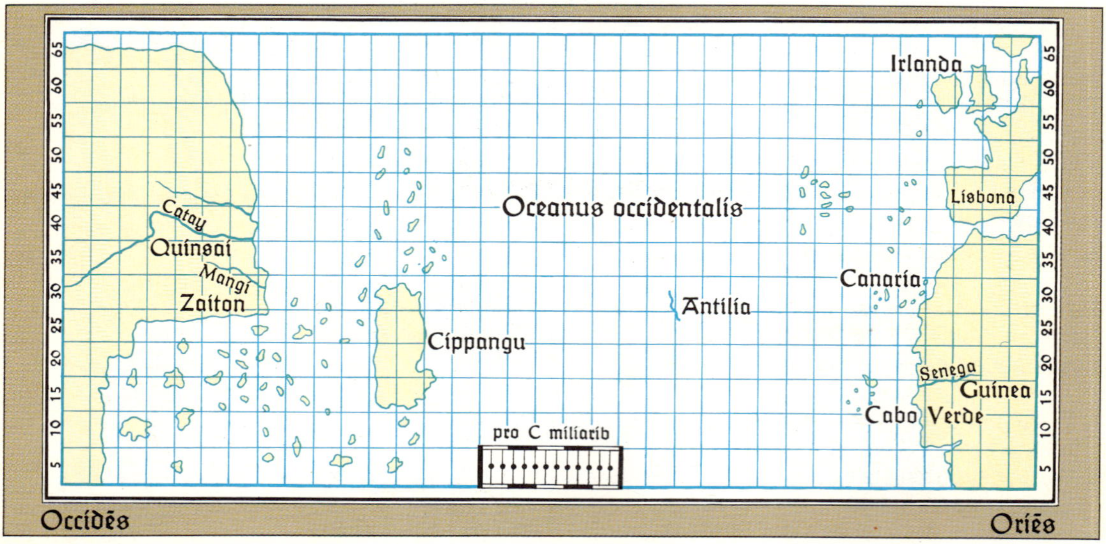

***12.1** Die Erdkarte des Toscanelli, 1474*

– Von allen Waren, seien es Perlen, Edelsteine, Gold, Silber, Gewürze, darf er den zehnten Teil behalten. Die anderen neun Teile gehören dem Königspaar.

Am 3. August 1492 liefen die Schiffe Santa Maria, Nina und Pinta aus dem westspanischen Hafen Palos im Golf von Cadiz aus. Schon am 6. August wurde von dem Matrosen Raseon das Steuerruder der Pinta unbrauchbar gemacht. Er wollte die Weiterfahrt verhindern. Später lagen die Schiffe wegen völliger Flaute tagelang still. Ein Feuerstreifen am Himmel erschreckte die Matrosen. Stürme umtosten die Schiffe. Am 10. Oktober verlangten die Männer umzukehren. Nur die Aussicht auf Reichtümer hielt die Matrosen von offener Meuterei ab. Einen Tag später heißt es im Bordbuch der Santa Maria:

11./12. Oktober 1492: Wir erblickten einige Sturmvögel und ein grünes Schilfrohr und sahen ein kleines Brett. Um 2.00 Uhr morgens kam das Land in Sicht ... Dann warteten wir bis zum Anbruch des Tages ... an welchem wir zu einer Insel gelangten, die in der Indianersprache „Guanahani" hieß ... Ich begab mich an Bord eines mit Waffen versehenen Bootes an Land. Dort entfaltete ich die königliche Flagge ... Ich rief die beiden Kapitäne und ... den Notar der Armada zu mir und sagte ihnen, daß ich im Namen des Königs und der Königin, meiner Herren, von der genannten Insel Besitz ergreife ... Sofort sammelten sich an jener Stelle zahlreiche Eingeborene der Insel an ... Sie erreichten schwimmend unsere Schiffe und brachten uns Papageien, Knäuel von Baumwollfaden, lange Wurfspieße und viele andere Dinge noch, die sie mit dem eintauschten, was wir ihnen gaben, wie Glasperlen und Glöckchen.

Armada: bewaffnete Macht, hier Kriegsflotte

(Nach: Geschichte in Quellen, Renaissance, S. 45/46)

1. Warum wählte Kolumbus den Weg nach Westen?
2. Begründe, warum Kolumbus die Reise in das ferne Land wagte.

***13.1** Christoph Kolumbus*

***13.2** Der erste Globus von Martin Behaim*

Weitere drei Monate erkundete Kolumbus Inseln in „Westindien". Er entdeckte Kuba und Haiti. Am 15. März 1493 landete er mit zwei ihm verbliebenen Schiffen wieder in Palos und wurde mit Triumph empfangen. Noch dreimal reiste er zu den „Westindischen Inseln". Aus Vergleichen mit den Reiseberichten des Marco Polo erkannte er, daß er nicht in China oder auf dem indischen Festland gelandet war. Bis zu seinem Tode (1506) glaubte er jedoch, Inseln am östlichen Ende Indiens entdeckt zu haben.

Schon bald brachen andere wagemutige Seefahrer und Abenteurer auf, um in westlicher Richtung die Küste „Indiens" zu erforschen. Nach und nach erkannten sie, daß das entdeckte Land nicht zu Indien gehörte, sondern ein bisher unbekannter Erdteil war. Der Florentiner Geograph Amerigo Vespucci beschrieb später die Länder und Menschen des neuen Erdteils. Nach Vespuccis Vornamen wurde er Amerika genannt.

Was Magellan mit seiner Seereise bewies

Was Kolumbus nicht erreicht hatte, gelang dem Portugiesen Magellan. Mit fünf Schiffen und 265 Mann Besatzung begann er 1519 im Dienst des spanischen Königs eine abenteuerliche Fahrt. Er wollte entlang der südamerikanischen Küste einen Weg zu den begehrten Gewürzen auf den Molukken in Ostasien erkunden, denn Gewürze wurden in Europa fast mit Gold aufgewogen. Aus dem Tropengebiet des Äquators gelangte er bis zur Südspitze Amerikas. Dort fand er 1520 die ersehnte Durchfahrt in den „Stillen Ozean", die heute Magellanstraße heißt. Weitere vier Monate segelte er westwärts, bis endlich Land in Sicht kam. Ostasien war erreicht.

Preise zwischen 1470 und 1500 in Schilling:

1 Pfd. Pfeffer	*15*
1 Pfd. Zimt	*36*
1 Pfd. Ingwer	*17*
1 Pfd. Zucker	*17*
1 Pfd. Butter	*1*
1 Pfd. Rindfleisch	*1*
1 Paar Schuhe	*6*

1522 erreichte ein Schiff mit 13 Mann wieder den Heimathafen. Nun war bewiesen, daß die Erde eine Kugel ist. Magellan selbst war auf den Philippinen in einem Kampf gegen die Eingeborenen umgekommen. Über die großen Strapazen dieser Entdeckungsfahrt Magellans berichtet ein Teilnehmer:

Auf diesem Meer segelten wir drei Monate und 20 Tage, ohne die geringste frische Nahrung zu genießen. Der Zwieback, den wir aßen, war kein Brot mehr, sondern bloß Staub, der mit Würmern vermischt und überdies durch den Unrat der Mäuse von einem unerträglichen Gestank durchdrungen war. Das Wasser, das wir zu trinken genötigt waren, war ebenfalls faul und übelriechend. Oft kamen wir sogar in die Lage, Sägespäne essen zu müssen, und selbst Mäuse, so widrig sie den Menschen sind, waren eine so gesuchte Speise geworden, daß man bis zu einem halben Dukaten für das Stück bezahlte. Hätten Gott und seine Heilige Mutter uns nicht eine so glückliche Schiffahrt geschenkt, so wären wir alle auf diesem weiten Meer vor Hunger umgekommen. Ich bin überzeugt, daß niemand mehr eine solche Reise unternehmen wird.

(Nach: Zeiten und Menschen, Bd. B 2, S. 153)

1. Was erwarteten die Herrscher von den Entdeckungsreisen?
2. Stelle mit Hilfe der Karte die Reihenfolge der wichtigsten Entdekkungsreisen fest. Von welchen Ländern gingen sie aus?
3. Welche Bedeutung hatte die Erfahrung von der Kugelgestalt der Erde für Handel und Denken der Menschen (vgl. dazu auch S. 10)?

15.1 Die Landung des Kolumbus. Darstellung aus dem Jahre 1594.

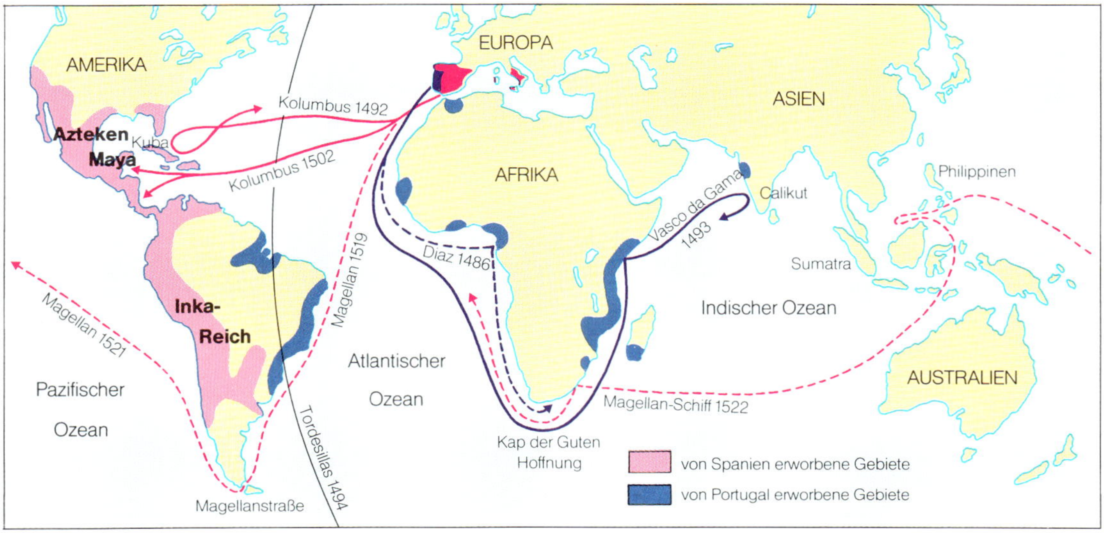

15.2 Die wichtigsten Entdeckungsreisen um 1500 und die ersten Kolonialreiche

Eroberer folgen den Entdeckern

Wie die Reiche der Azteken und Inkas zerstört wurden

Spanier in Mittel- und Südamerika

Spanische Soldaten, Kaufleute und Abenteurer zogen über das Meer und suchten Reichtum, Macht und Ruhm. Sie nahmen Inseln und Gebiete auf dem Festland im heutigen Mexiko und in Peru für die Krone Spaniens in Besitz. Einer von ihnen war Hernan Cortez. Im Jahre 1519 brach er von Kuba mit 10 Schiffen, etwa 100 Seeleuten, 500 Soldaten, 16 Pferden und 11 Kanonen auf, um die reiche Stadt Tenochtitlan auf dem Festland zu erobern. Herrscher der Stadt und über viele unterworfene Indianerstämme war der Priesterkönig Montezuma. Cortez berichtete dem spanischen König 1520:

16.1 *Cortez wird von Montezuma empfangen*

Die Stadt Tenochtitlan hatte vier Zugänge mit vielen Märkten. Sie zählte 300000 Einwohner.

...[Der größte Markt] ist ganz mit Säulengängen umgeben, wo täglich über 60000 Personen kaufen und verkaufen, und wo es alle Arten von Waren gibt: Lebensmittel, Kleinodien aus Gold und Silber, Blech, Messing, Knochen, Hummerschalen und Federn ... Es gibt Apotheken und Barbierstuben, Häuser, wo man für Geld essen und trinken kann. Es gibt dort alle Arten von Gartengewächsen wie Zwiebeln, Knoblauch, Kresse, Artischocken, dazu Früchte wie Kirschen und Pflaumen. Baumwollzeug in allen Farben steht zum Verkauf. Jede Warengattung hat ihre besondere Straße, und es wird darin scharfe Ordnung gehalten. Alles wird nach Zahl und Maß verkauft. Es gibt in dieser Stadt viele Tempel von sehr schöner Bauart ... und viele große Häuser, weil alle Vasallen Montezumas alljährlich eine Zeitlang in Tenochtitlan residieren.

(H. Homann, Hrsg., Die Eroberung Mexikos, Tübingen 1975, S. 91 ff.)

Die Azteken glaubten, die Spanier seien die angekündigten weißen Boten ihres alten Gottes Quetzalcoatl, der nun über das Meer zu ihnen zurückkehre. Montezuma ließ die Eroberer in Tenochtitlan einziehen. Er empfing Cortez und seine Soldaten mit den Worten: „Nimm Besitz von

16.2 *Stadtplan von Tenochtitlan, Rekonstruktion*

16.3 *Platz der drei Kulturen in Mexiko-City, 1985*

deinen königlichen Schlössern. Willkommen in Eurem Land, meine Götter", und zeigte ihnen sein Schatzhaus. Cortez zwang Montezuma, im Quartier der Spanier zu wohnen und alle Gold- und Silberschätze auszuliefern. Da empörten sich die Azteken. Montezuma, der vom Dach des Palastes die Angreifer beruhigen sollte, wurde von Steinwürfen getroffen und starb. Cortez entkam unter großen Verlusten. Ein Jahr später kehrte er zurück, belagerte Tenochtitlan und zerstörte es. Auf den Trümmern entstand eine neue spanische Stadt: das heutige Mexiko-City.

17.1 *Totenmaske eines Herrschers*

1530 rückte Franzisco Pizarro mit etwa 200 Soldaten und Reitern in das Goldland der Inkas, das heutige Peru, vor (siehe Karte 15.2). Der Inka war Alleinherrscher in seinem Reich. Das Volk verehrte ihn als Sohn des Sonnengottes. Unter ihm stand die Herrenschicht der ,,Großohren und Allesseher", meistens Verwandte des Inka. Ihm gehörte alles Land. Er teilte es den Dorfgemeinschaften der Indios zu und bestimmte die Abgaben und Dienste. Die Bevölkerung lebte hauptsächlich von der Landwirtschaft. Kartoffeln und Mais waren die Hauptnahrungsmittel. Große Lamaherden lieferten Wolle. Eine bestimmte Anzahl von Tagen mußten die Indios beim Bau von Straßen, Bewässerungskanälen und öffentlichen Bauten arbeiten. Eine große Anzahl von Aufsehern und Soldaten wachte darüber, daß die Befehle des Inka ausgeführt wurden.

Pizarro lockte den Inka und seine Krieger in einen Hinterhalt und besiegte sie. Den Inka nahm er gefangen. Dieser bot für seine Freilassung einen ganzen Raum voll Gold. Begierig nahm Pizarro an, ließ den Inka jedoch hinrichten.

1. Wodurch gelang es Cortez, das Reich der Azteken zu erobern?
2. Welche Ziele verfolgten die Eroberer?
3. Warum werden Azteken- und Inkareich Hochkulturen genannt? Vergleiche mit den frühen Hochkulturen Mesopotamien und Ägypten.

17.2 *Kampf zwischen Spaniern und Azteken*

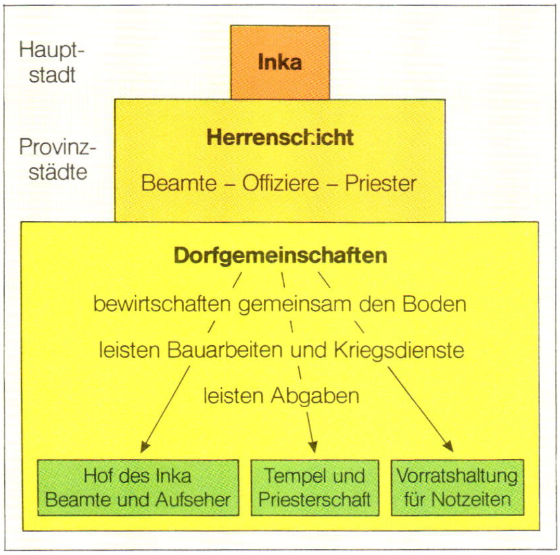

17.3 *Staat und Gesellschaft im Reich der Inkas*

Wie die Spanier das eroberte Land regierten und ausbeuteten

Koloniale Herrschaft in Mittel- und Südamerika

Die spanischen Eroberer fühlten sich als überlegene Herren und behandelten die unterworfenen Indios meistens wie Sklaven. Königin Isabella aber hatte erklärt, daß die Bewohner der eroberten Inseln und Länder freie Untertanen werden sollten. Nach damaliger Auffassung waren die Menschen jedoch erst dann wirklich frei, wenn sie Christen geworden waren. Deshalb mußte der Eroberung die christliche Mission folgen. Als sich der Statthalter Ovando über das Verhalten der Indios beklagte, verfügte Königin Isabella im Jahre 1503:

Ich habe erfahren, daß die Indianer . . . die Christen fliehen, . . . und sich nicht zu unserem heiligen katholischen Glauben bekehren lassen, daß die auf der Insel [Haiti] wohnenden Christen deshalb keine Arbeitskräfte für ihre Farmen und für die Goldgewinnung finden können . . . Ich befehle Euch, Unserem Gouverneur, daß Ihr künftig die Indianer . . . antreibt, mit den Christen Umgang zu pflegen, in ihren Häusern zu arbeiten, Gold und andere Metalle zu schürfen und Landarbeit für die .. . . Christen zu leisten, und daß ihr jedem für den Arbeitstag Lohn und Unterhalt gebt . . . daß Ihr jedem Kaziken [Häuptling] auferlegt, eine bestimmte Anzahl Indianer bereitzuhalten, um sie . . . zur Arbeit einsetzen zu können. An Festtagen sollen sie sich an bestimmten Orten zusammenfinden, um über die Dinge des Glaubens . . . unterrichtet zu werden. Die genannten Verpflichtungen sollen sie als freie Menschen leisten . . ., nicht als Sklaven. Ihr habt dafür Sorge zu tragen, daß diese Indianer gut behandelt werden . . . die Christen . . . besser als die anderen. Ihr dürft nicht dulden, daß irgend jemand ihnen Leid oder Schaden zufügt.

(Nach: Geschichte in Quellen, Renaissance, S. 68)

Die Auswirkungen dieser Verfügung schildert 1552 der Mönch und Vorkämpfer für die Rechte der Indianer Bartolomeo de las Casas:

Indianische Bevölkerung Mittel- und Südamerikas (Schätzungen) insgesamt

1492	*75000000*
1570	*10000000*

Haiti:

1492	*1000000*
1520	*16000*

Mexiko:

1519	*25000000*
1568	*3000000*

Europäische Silbereinfuhr aus Amerika
(Jährliche Durchschnittsmenge in Tonnen)

1521–1544	*9 t*
1545–1560	*80 t*
1561–1580	*120 t*
1581–1600	*270 t*
1601–1618	*250 t*

Etwa neun Jahre lang wurde der Bekehrung dieser Menschen . . . nicht mehr Aufmerksamkeit und Mühe zugewendet, als wenn die Indianer Klötze oder Steine, Hunde oder Katzen gewesen wären . . . Die Vorschrift, daß jeder Kazike eine bestimmte Anzahl von Leuten zu stellen habe, führte der Gouverneur so aus, daß er die zahlreiche Bevölkerung der Insel vernichtete. Er übergab jedem Spanier, der den Wunsch äußerte, 50, 100, auch mehr oder weniger Indianer, je nach Gunst, . . . darunter Kinder und Greise, schwangere Frauen und Wöchnerinnen . . . Er ließ geschehen, daß die Spanier die verheirateten Männer . . . zum Goldgraben wegschleppten und die Frauen . . . auf den Farmen zurückblieben, um dort Feldarbeit zu verrichten . . . So starben die Männer in den Goldminen, die Frauen auf den Farmen vor Erschöpfung und die neugeborenen Kinder, weil sie keine Muttermilch bekamen. Die Geburten hörten auf . . .

(Nach: Geschichte in Quellen, Renaissance, S. 69/70)

Noch verheerender wirkten sich Seuchen aus, die die Spanier einschleppten: Pocken, Typhus, Masern, Grippe. Die Indios starben, weil ihre Körper keine Abwehrstoffe hatten. In den einst dichtbesiedelten spanischen Kolonien sank die Zahl der Bevölkerung. Arbeitskräfte fehlten. Daraus entwickelte sich ein zusätzlicher Handel. Seit 1530 kauften Händler an den Küsten und im Innern Afrikas im Tausch gegen europäische Waren Sklaven. Sie wurden auf Schiffe gepfercht und auf

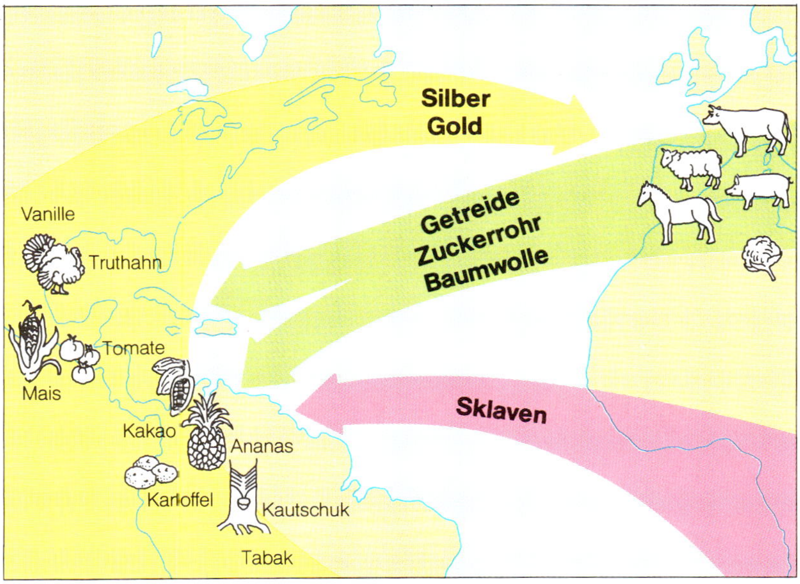

Schon nach den ersten Entdeckungsreisen hatte das spanische Königspaar angeordnet, europäische Nutzpflanzen und Haustiere in die neuen Kolonien zu bringen. Aus Amerika sollten Genußmittel wie Tabak, Kakao und Vanille eingeführt werden.

***19.1** Bleibende Auswirkungen der Kolonialherrschaft*

den Sklavenmärkten Amerikas verkauft. Nach und nach eigneten sich die Spanier und Portugiesen in den neuen Kolonien große Landflächen an. Sie ließen auf riesigen Plantagen Kaffee, Zucker, später auch Baumwolle, Bananen und Ananas anbauen. Indios und Negersklaven waren ihre billigen Arbeitskräfte. 1799, nach fast 300 Jahren Kolonialzeit, schrieb ein Bischof aus Mexiko an den König von Spanien:

Die Bevölkerung besteht aus drei Klassen von Menschen, aus Weißen oder Spaniern, Indianern und Kasten [=Mischlingsgruppen] . . . Ich nehme an, daß die Spanier ein Zehntel ausmachen, und dennoch befinden sich in ihren Händen alles Eigentum und alle Reichtümer des Landes. Die Indianer und die Kasten bauen den Boden. Sie dienen den Wohlhabenden und leben bloß von ihrer Hände Arbeit. Daher stammt auch der gegenseitige Haß zwischen denen, die alles, und denen, die nichts besitzen. Man gebe Mexiko ein Gesetz, kraft dessen der arme Feldarbeiter allen Boden bebauen darf, den die großen Landeigentümer müßig liegenlassen. Man erkläre die farbigen Menschen aller bürgerlichen Ämter für fähig.

(A. von Humboldt Neuspanien, 1. Teil, Stuttgart o. J., S. 81 ff).

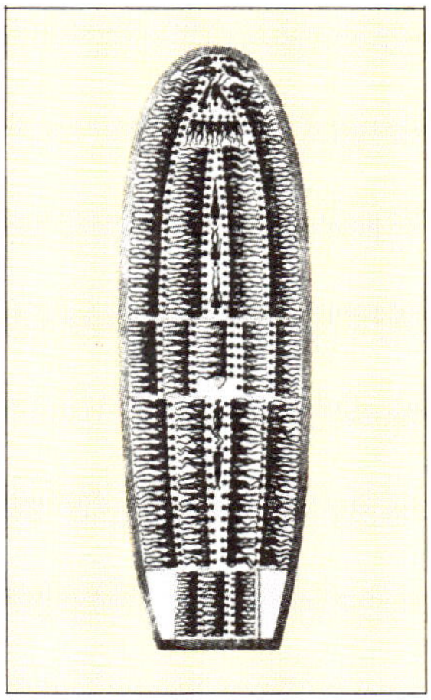

***19.2** Sklavenschiff*

Negersklaven im spanischen Amerika

1570	*40000*
1650	*850000*

Etwa von 1530 bis ins 19. Jahrhundert wurden Hunderttausende von Negern als Sklaven nach Amerika verkauft. Sie arbeiteten auf den Plantagen der weißen Siedler.

Nachdem die Spanier um 1550 in Potosi (heute Bolivien) die reichsten Silberminen der Welt entdeckt hatten, stieg die Silberausfuhr aus Amerika rapide an. Die Folge war, daß der Wert des Silbers, damit auch des Silbergeldes, in Europa sank und die Preise stiegen. Es herrschte eine Inflation in Europa.

1. Vergleicht die königliche Verfügung mit dem Bericht von Las Casas.
2. Welche wirtschaftlichen Folgen hatte die Kolonialherrschaft?
3. Vergleicht die Lebensverhältnisse von 1512 und 1799 mit den heutigen in Mittel- und Südamerika.

Wirtschaft und Gesellschaft im Wandel

Wie die Fugger reich und mächtig wurden

Reichtum und Macht der Fugger

Über Jakob Fugger (1459–1525) berichtet ein Zeitgenosse:

Kaiser, Könige und Fürsten haben zu ihm ihre Botschaft geschickt. Der Papst hat ihn als seinen lieben Sohn begrüßt und empfangen. Die Kardinäle sind vor ihm aufgestanden. Alle Kaufleute der Welt haben ihn einen erlauchten Mann genannt . . . Er ist eine Zierde gewesen des ganzen deutschen Landes.

(Augsburger Chronik, in: Die großen Deutschen, Berlin 1956, S. 331)

In der zweiten Hälfte des 14. Jahrhunderts waren die Fugger in die Stadt Augsburg gezogen. Sie waren zunächst Weber, beteiligten sich aber bald am Tuchhandel. Sie kauften Rohstoffe, belieferten damit Handwerker und nebenberufliche Heimarbeiter auf dem Lande, die in ihrem Auftrag Tuche herstellten, und verkauften diese auf Märkten in ganz Europa. So waren die Fugger „Verleger" geworden. Die Folge war, daß die früher selbständigen Handwerksmeister mehr und mehr vom Markt verdrängt wurden und zudem in Abhängigkeit von den Fuggern gerieten. Diese konnten den Preis der Rohstoffe und auch den der abgelieferten Fertigwaren bestimmen. Die Fugger dehnten ihre Handelsfahrten und Geschäfte aus. Neben Tuchen handelten sie nun auch mit Gold, Silber, Edelsteinen, Perlen, Korallen, Gewürzen und anderen Luxuswaren. Besonders der Handel mit Juwelen brachte die Fugger mit den Fürstenhöfen Europas in Verbindung. Für ihre Hofhaltung und ihre politischen Pläne brauchten die Fürsten ständig Geld. Die reich gewordenen Fugger liehen es ihnen und erhielten dafür Zinsen und von einigen als Pfand die hohen Erträge aus Erzbergwerken. Das Ausbeuten von Metallvorkommen gehörte im Mittelalter zu den Hoheitsrechten der Fürsten. Da viele Fürsten nicht zahlungsfähig waren, erhielt Jakob Fugger für immer neue Kredite weitere Schuldscheine oder Pfänder.

So brachte er als Geldverleiher der habsburgischen Könige und Kaiser fast alle Tiroler und Salzburger Gold-, Silber-, Kupfer- und Salzbergwerke in seine Hand. Als der habsburgische Kaiser Maximilian I. auch die Krone Ungarns für sein Haus erstrebte, lieh er sich Geld von den Fuggern. Als Gegenleistung ließ er zu, daß sie nach und nach die Kupferbergwerke Ungarns und der Slowakei aufkauften. Die Fugger waren jetzt im Besitz fast aller Kupferbergwerke Westeuropas. Zudem verschafften sie sich vom Kaiser das Vorrecht, daß nur sie mit Kupfer handeln durften. Die Münzmeister in weiten Teilen Europas waren dadurch von den Lieferungen aus Fuggerschen Schmelzöfen abhängig geworden. Von Tuchhändlern waren die Fugger zu reichen Handelsherren, Bergwerksbesitzern und Geldverleihern aufgestiegen. Der Hauptsitz des Handelsunternehmens war Augsburg. Niederlassungen, Faktoreien genannt, gab es an den wichtigsten Handelsstraßen und Märkten. Nur die Kaufleute der Hanse, die Kaufmannsfamilien in Nürnberg, Ravensburg und Augsburg waren ernsthafte Konkurrenten.

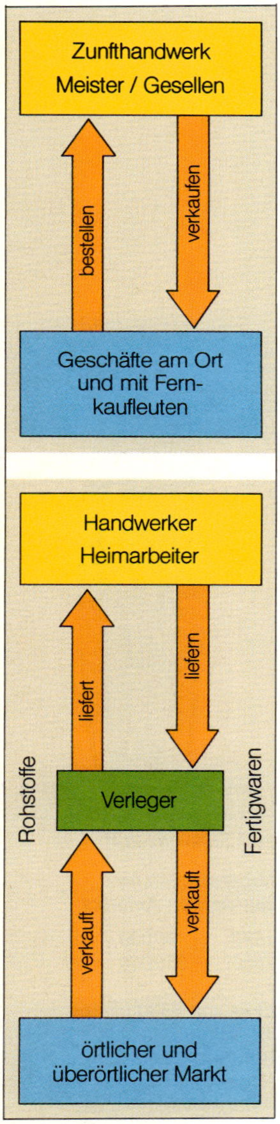

***20.1** Entwicklung zum Verlagssystem*

1. Stelle die Stufen des Aufstiegs der Fugger zusammen.
2. Erkläre das Verlagssystem und seine Folgen.
3. Warum erstrebten die Fugger ein Kupfermonopol in Europa?

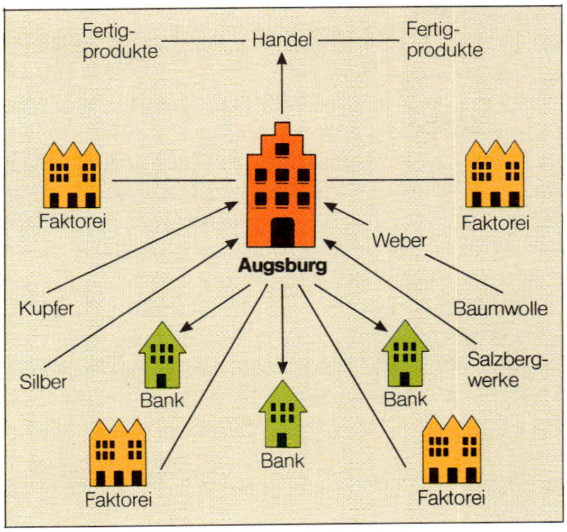

21.1 Verzweigungen des Handelshauses der Fugger

21.2 Jakob Fugger in seinem Büro. (Miniatur, 1518)

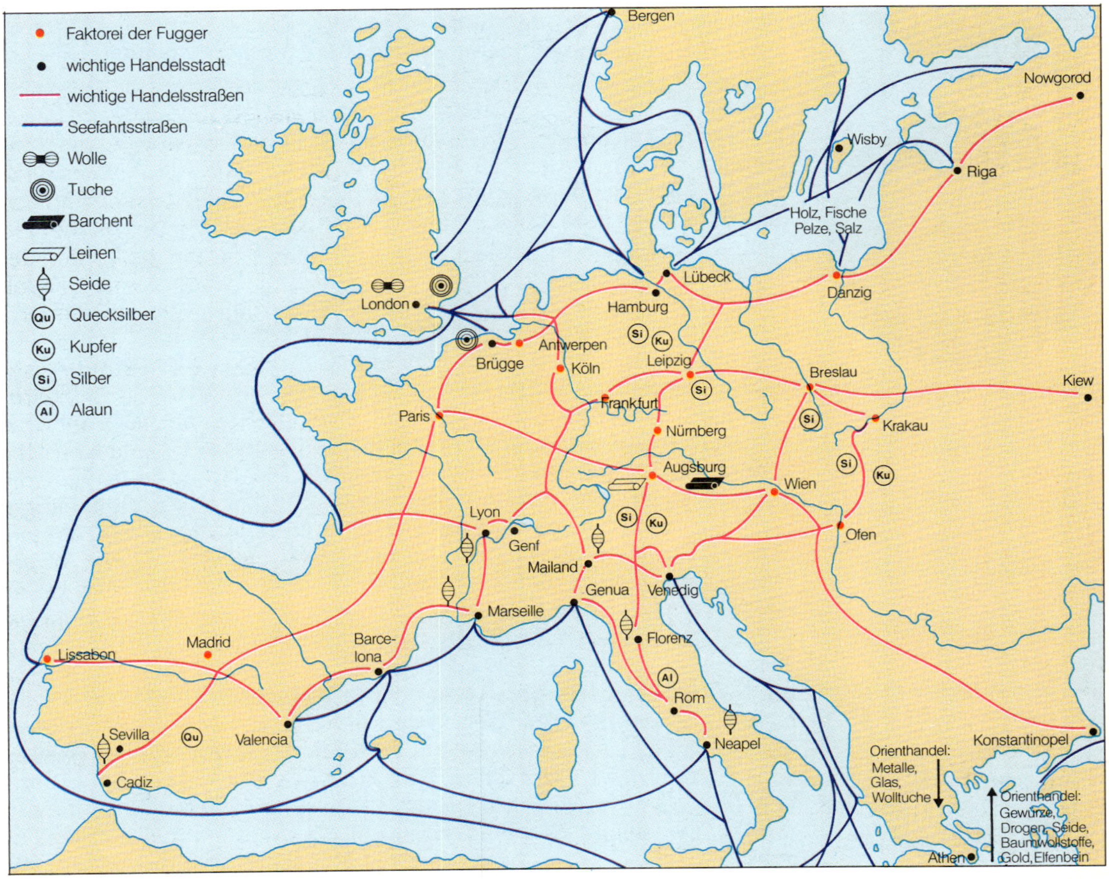

21.3 Europäischer Handel im 15. und 16. Jh.

Was die Fugger als Bankleute bewirkten

Die Bedeutung der Geldwirtschaft

Das weitverzweigte Geschäft der Fugger und der übrigen Kaufleute im Fernhandel brachte regen Geldverkehr mit sich. Es gab jedoch unterschiedliche Währungen in den Ländern und Städten. Deshalb richtete man Wechselstuben ein, in denen Geldwechsler gegen eine Gebühr die Münzen umtauschten. Weil das eingenommene Geld zudem auf ungesicherten Straßen über weite Strecken transportiert werden mußte, richteten die Fugger nach dem Vorbild oberitalienischer Kaufleute Banken ein. Der Händler konnte im Heimatort bei der Bank Geld einzahlen, erhielt dafür ein Bankpapier, das er an einem anderen Bankplatz gegen Geld einwechseln konnte. Auch das Bankgeschäft brachte den Fuggern reiche Gewinne. Um 1520 hatte Jakob Fugger den Gipfel seines Wirkens erreicht. Päpste, Könige und Kaiser waren seine Schuldner. Weil Kaiser Karl V. Monopole der Fugger nicht zulassen wollte, schrieb ihm Jakob Fugger im Jahre 1523 einen Brief:

Eure Kaiserliche Majestät wissen ohne Zweifel, wie ich und meine Vettern bisher dem Hause Österreich [Habsburg] zu dessen Wohlfahrt ... zu dienen geneigt gewesen bin ... Es ist auch bekannt ..., daß Eure Kaiserliche Majestät die Römische Krone [Kaiserkrone] ohne meine Hilfe nicht hätten erlangen können ... Denn wenn ich hätte vom Hause Habsburg absehen und Frankreich fördern wollen, so hätte ich viel Geld und Gut erlangt, wie mir denn auch solches angeboten worden ist.

(B. Bendfeld, Quellen zur Geschichte des 16. u. 17. Jh., Paderborn 1957, S. 64)

22.1 *Dukat und Gulden, Geldstücke*

Die Gesamtkosten der Kaiserwahl Karls V. hatten 852189 Gulden betragen, davon hatten die Kurfürsten, ihre Räte und Diener rund 498000 Gulden als sogenannte Wahlgelder in Form von Ehrengeschenken, Pensionen und Bestechungen erhalten. 534585 Gulden hatten allein die Fugger für die Wahl Karls V. aufgebracht.

Im Mittelalter war es christlichen Kaufleuten verwehrt, Geld zu verleihen und dafür Zinsen zu nehmen. Handel und Gewerbe aber waren am Beginn der Neuzeit ohne Geldwirtschaft kaum denkbar. Sicherlich auch, um ihr Gewissen zu beruhigen und Gnade vor dem Richterstuhl Gottes zu finden, richteten die Fugger auf den Namen des Stadtpatrons St. Ulrich ein Sonderkonto für mildtätige Stiftungen ein. 1521 ließ Jakob Fugger die Fuggerei bauen. Diese Siedlung bestand aus Wohnungen mit zwei oder drei Zimmern mit Küche für 100 arme Augsburger Familien. Jede Familie zahlte nur eine ganz geringe jährliche Miete. Die Einwohner sollten aber täglich für das Seelenheil des Stifters, seiner Vorfahren und Nachkommen beten. Die Fuggerei besteht heute noch. Wie früher zahlen die Mieter als jährliche Miete noch einen Rheinischen Gulden, heute etwa 1,72 DM, an die Familie Fugger.

Was sich in Wirtschaft und Gesellschaft im 16. Jh. veränderte

Um 1470 waren die Bevölkerungsverluste nach den Pestjahren im 14. Jh. wieder ausgeglichen. Seitdem nahm die Zahl der Menschen in ganz Europa stetig zu. Das erforderte mehr Nahrung, Kleidung und gewerbliche Güter für mehr Menschen. Eine Folge war der Anstieg der Preise. Von 1470 bis 1618 stiegen die Getreidepreise um 260 %, die Löhne um 120 %. Etwa sieben Zehntel der Nahrung bestanden aus Getreideprodukten. Deshalb waren besonders die Menschen in den Städten, die überwiegend von Lohneinkommen leben mußten, vom Preisanstieg hart getroffen. Ursache für die Preissteigerung war auch die Vermehrung des Geldes. Die Menge des Silbergeldes soll sich von 1470 bis 1618 von etwa 5000 t auf 20000–25000 t vermehrt haben. Silber kam aus den europäischen Bergwerken, vor allem aber aus den spanischen in Amerika (s. S. 19).

In den wachsenden Städten spezialisierten sich die Handwerker. Der Nürnberger Hans Sachs nennt im Jahre 1568 mehr als 60 Handwerke. Neue Güter kamen auf den Markt, wie z. B. Bücher, Brillen, Uhren, Mikroskope. Wie weit sich die Handwerkergruppen damals in einer Stadt aufteilen konnten, zeigt das Beispiel Zwickau aus dem Jahre 1531. Zwickau hatte zu dieser Zeit etwa 8000 bis 9000 Einwohner:

Tuchgewerbe	53%	Nahrungshandwerk	10%
Lederhandwerk	12%	Bauhandwerk	4%
Metallhandwerk	16%	Holzverarbeitungs-handwerk	3%
Sonstiges Handwerk	2%		

(F.-W. Henning, Das vorindustrielle Dt. 800–1800, Paderborn 1977, S. 207)

Nur manche Handwerker konnten ihren Wohlstand vergrößern. Sie bauten ein stattliches Wohnhaus, erwarben wertvollen Hausrat, stifteten einen Altar oder eine Kapelle. Die Kaufleute und Fernhändler aber wurden reicher und einflußreicher (s. Karte 21.3). Weite Transportwege auf schlechten Straßen, Raubritter und Verluste auf See erhöhten zwar das Risiko; die begehrten Waren aus dem Orient und aus Übersee brachten aber auch hohen Gewinn, für Gewürze und Seide bis zum Zehnfachen des Einkaufspreises. Weil vornehmlich Kaufleute über das notwendige Kapital verfügten und wußten, was auf dem europäischen Markt abzusetzen war, wurden sie Verleger (s. S. 20). Sie ließen Textilien und Metallwaren gegen Stücklohn herstellen. Dadurch wuchs die Zahl der Lohn- und Heimarbeiter in der Stadt und auf dem Land.

Im Erzbergbau erforderte die Anlage neuer Schächte und Stollen immer höhere Kosten. Diese wurden durch die Ausgabe von Anteilscheinen, Kuxen genannt, finanziert. Anfangs konnten die Genossenschaften freier Bergleute und Hüttenarbeiter bei der Vergabe von Anteilen noch mithalten. Als aber die Gruben immer kostspieliger wurden, begannen reiche Kaufleute, wie die Fugger und Welser in Augsburg, die Minen zu finanzieren. Sie bildeten Kapitalgesellschaften. Schließlich erwarben sie die Gruben und kontrollierten den Bergbau vom Abbau über die Verhüttung und Verarbeitung des Erzes bis zum Handel.

Wie die Handwerker durch das Verlagssystem wurden die freien Bergleute durch fremde Kapitalgesellschaften abhängige Lohnarbeiter. Die Zünfte wehrten sich gegen die Übermacht der Kaufleute und lehnten neue Formen der Produktion und des Handels ab. In der Zunftordnung der Stadt Thorn hieß es 1523: „Kein Handwerker soll etwas Neues erdenken oder erfinden oder gebrauchen." Ein Kaufmann ließ an seinem Haus den Spruch einmeißeln: „Schlafen bringt keinen Gewinn!"

1. Wie wirkte sich die wirtschaftliche Macht der Fugger aus?
2. In welchen Bereichen vollzog sich der wirtschaftliche Wandel im 16. Jh.?
3. Diese Zeit wird auch als Frühkapitalismus bezeichnet. Warum?

Bevölkerungsentwicklung in Deutschland

1470	*10 Mio*
1560	*14 Mio*
1618	*17 Mio*

in Europa

1470	*60 Mio*
1618	*90 Mio*

Städte in Deutschland um 1450

0–1000 Einw.:	*2800*
1000–2000 Einw.:	*150*
2000–10000 Einw.:	*25*
10000–20000 Einw.:	*12*
mehr als 20000 Einw.:	*8*

(Köln, Danzig, Lübeck, Nürnberg, Straßburg, Ulm, Hamburg, Magdeburg)

Karl V. und das Weltreich der Habsburger

Wie die Habsburger ihr Reich ausdehnten und Karl V. vergeblich ein christliches Weltreich anstrebte

„Mögen andere Kriege führen, du, glückliches Österreich, heirate!" Diesem Wahlspruch des Hauses Habsburg war auch Kaiser Maximilian I. (1493–1519) gefolgt. Maximilian hatte Maria, die Erbin von Burgund, geheiratet. Burgund war damals das reichste Land Europas. Die heutigen Beneluxstaaten waren Teile von Burgund. Seinen Sohn Philipp hatte er mit Johanna, der Erbin von Spanien, vermählt. Spanien war durch seine Eroberungen in Amerika reich und mächtig geworden. Als Kaiser Maximilian 1519 starb, richteten sich die Augen Europas auf den Gesamterben des Hauses Habsburg, auf Karl, den Enkel des Kaisers. Nach seinen eigenen Aussagen herrschte er über ein Reich, in dem „die Sonne nicht unterging" (s. Abb. 24.2, 25.1).

Der Anspruch Karls auf den Kaiserthron brachte Verwirrung in die europäische Staatenwelt, denn um die Nachfolge des Kaisers im „Heiligen Römischen Reich Deutscher Nation" bewarb sich auch Franz I., der König von Frankreich. Ein Blick auf die Karte läßt erkennen, weshalb Franz I. keinen Habsburger auf dem Kaiserthron dulden wollte. Der Papst war weder an einem zu starken Haus Habsburg noch an einem übermächtigen Frankreich interessiert. Die deutschen Kurfürsten sahen sich von Habsburg und Frankreich eifrig umworben. Trotzdem wählten sie am 28. Juni 1519 einstimmig den Habsburger als Karl V. zum Kaiser. Wahlgeschenke der Habsburger, zu einem großen Teil von Jakob Fugger geborgt, hatten dabei eine große Rolle gespielt (s. S. 22). Der junge Kaiser, Herr über viele Länder und Reiche, war überzeugt, daß seine Kaiserwürde von Gott gewollt war. Im Kaisertum sah er den Weg,

Links der Kaiser, rechts seine Gemahlin Maria, links daneben ihr Sohn Philipp der Schöne, in der Mitte der Enkel Karl (später Kaiser Karl V.). Links Enkel Ferdinand und rechts der Schwiegerenkel Ludwig von Ungarn. Als der Kaiser das Bild in Auftrag gab, waren Maria von Burgund und Philipp der Schöne bereits gestorben. (Gemälde von B. Strigel, 1515).

24.1 *Kaiser Maximilian I. und seine Familie*

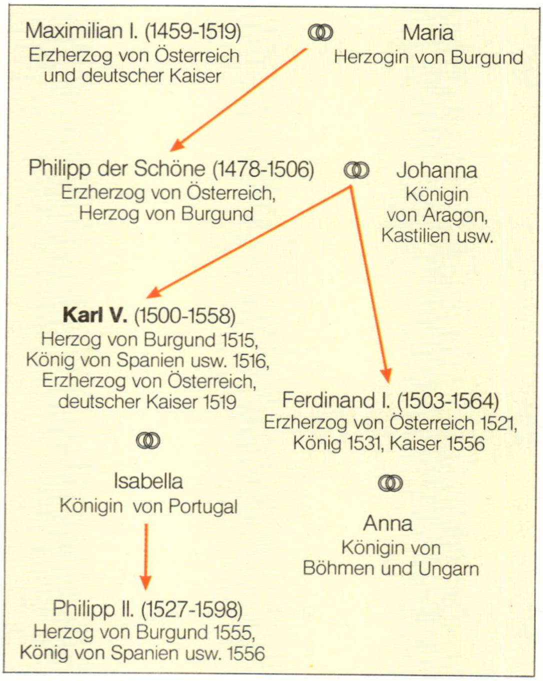

24.2 *Stammtafel des Hauses Habsburg*

eine christliche Weltherrschaft zu errichten. Er wollte Frieden für alle christlichen Länder, die Türken abwehren, den weltweiten Handel fördern und die Einheit des katholischen Glaubens in seinem Reich bewahren. Die deutschen Fürsten aber wollten keinen starken Kaiser, der ihre Rechte als Landesherren schmälern konnte. Bereits vor seiner Wahl mußte Karl den Kurfürsten Zugeständnisse machen. Gemäß Vertrag durfte er:

- Reichsämter nur mit Deutschen besetzen,
- ohne Zustimmung der Kurfürsten keinen Teil des Reiches abtreten, kein Bündnis mit fremden Staaten schließen, kein Heer im Reich halten,
- ohne Zustimmung der Reichsstände keine Steuern erheben,
- die Reichsacht nur mit Zustimmung der Stände verhängen.

In 4 Kriegen suchte sein Widersacher Franz I. die Großmacht Habsburg zu erschüttern, einmal sogar mit Hilfe der Türken. Diese bedrohten Habsburg im Südosten und standen 1529 vor Wien. Ein dauerhafter Frieden zwischen beiden Mächten kam nicht zustande. Auf die Hilfe der Fürsten des Reiches konnte Karl V. nur selten zählen. Oft standen sie gegen ihn. Seine große Idee von der Einheit des Reiches im christlichen Glauben wurde bald durch den Protest des Mönchs Martin Luther gegen die Mißstände in der Kirche erschüttert. 1556 dankte Kaiser Karl V. enttäuscht ab und zog sich in ein spanisches Kloster zurück.

1. Warum bekämpften sich Frankreich und Habsburg? Benutze die Karte.
2. Erkläre: In Karls V. Reich ging die Sonne nicht unter.
3. Vergleiche die Ziele der kaiserlichen Politik mit den Erfolgen.

25.1 Das Reich Karls V. nach der Teilung 1556

Reformation und katholische Erneuerung

Auf dem Weg zur Reformation

Der Mönch und Professor Martin Luther

Was den Mönch Martin Luther im Innersten bewegte

Martin Luther wurde am 10. November 1483 in Eisleben geboren. Ein Jahr später zog die Familie nach Mansfeld. Sein Vater kam dort als Bergmann und Grubenbesitzer zu einigem Wohlstand. Große Erwartungen setzte er in seinen begabten Sohn Martin. Rechtswissenschaften sollte er studieren. Das versprach sozialen Aufstieg und Ansehen, vielleicht sogar Dienst am Hof des Landesherrn, des Kurfüsten von Sachsen. 1501 begann Martin Luther an der Universität Erfurt das Studium der Rechte, das er nach knapp vier Jahren abschloß. Im gleichen Jahr 1505 geriet er in der Nähe von Stotternheim in ein Gewitter. Unmittelbar neben ihm schlug ein Blitz ein. In großer Not gelobte er: „Hilf du, Sankt Anna, ich will ein Mönch werden!" Angst und Furcht, als Sünder sterben zu müssen, hatten ihn ergriffen. Gegen den Willen des Vaters trat er in das Kloster der Augustiner-Eremiten zu Erfurt ein.

1507 wurde er Priester. Als Mönch studierte er weiter Theologie. 1512 erwarb er den Doktorgrad und wurde zugleich Professor der Bibelkunde an der Universität Wittenberg. Er lebte sein einfaches Leben im Kloster weiter: er betete, fastete und beichtete fast täglich seine Sünden. Denn er war überzeugt, daß wir Menschen „allzumal Sünder" sind. So wurde für ihn die entscheidende Frage „Wie bekomme ich einen gnädigen Gott?", d. h. einen Gott, der mich trotz meiner Sünden im Leben und im Tod nicht verläßt. Die Antwort suchte er im eifrigen Studium der Bibel. Als er im Kloster immer wieder den Römerbrief des Apostel Paulus las, kam er zu der Erkenntnis, die er später so übersetzte: „So halten wir es nun, daß der Mensch gerecht werde ohne des Gesetzes Werke, allein durch den Glauben" (Röm. 3, 28).

Wie sich Martin Luther gegen den Ablaß wandte

Angst vor dem strafenden Gott bedrückte und quälte damals die Menschen. Krankheit, Not und Krieg wurden als Strafen für die Sünden der Welt gedeutet. Bilder des Jüngsten Gerichts aus jener Zeit, z. B. von Stefan Lochner, Hieronymus Bosch und Pieter Breughel, zeigen Christus als den Weltenrichter, der die Gerechten belohnt und die Sünder in die ewige Verdammnis hinabstößt. Wer konnte vor diesem Weltenrichter bestehen? In ihrer Angst suchten die Menschen Zuflucht in den Kirchen. Fürsten, Bürger und Bauern wollten durch Bußübungen, Wallfahrten, fromme Werke und Stiftungen den zürnenden Gott gnädig stimmen. So ließ der Kurfürst von Sachsen in der Schloßkirche zu Wittenberg Reliquien ausstellen, 17443 an der Zahl. Wer sie alle betend verehrte, konnte damit 127799 Jahre und 116 Tage Ablaß von seinen Sündenstrafen erwerben, wie damals jemand berechnet hat.

Reliquien: Überreste von Körpern der Heiligen oder von Gegenständen, die sie berührt haben.

In der Beichte wurde dem Sünder, wenn er bereute, die Schuld vergeben. Aber für die begangenen Sünden legte der Priester ihm eine Strafe auf. Er mußte für eine bestimmte Zeit Buße tun, z. B. durch Gebete, Wallfahrten oder gute Werke. Im Mittelalter gewährte der Papst den Erlaß dieser Sündenstrafen, indem er sogenannte Ablaßbriefe

27.1 *Luther als Mönch (L. Cranach d. Ä.)*

27.2 *Ablaßhandel des J. Tetzel (Flugblatt um 1517)*

ausstellte. Er war der Auffassung, daß er als Stellvertreter Christi auf Erden diesen Straferlaß aus dem reichen Schatz der guten Werke von Märtyrern und Heiligen austeilen könne. Oft war der Erwerb eines Ablaßbriefes mit einem Geldopfer für ein gutes Werk verbunden. Die Päpste schrieben immer neue Ablässe aus und mißbrauchten sie auch als bequeme Geldquelle für weltliche Zwecke. Ein anstößiges Geldgeschäft wurde mit den Ablaßbriefen im Jahre 1517 getrieben. Die Einnahmen flossen zur Hälfte für den Bau der neuen Peterskirche nach Rom, zur anderen Hälfte aber an das Bankhaus Fugger. Die Fugger hatten nämlich dem Erzbischof von Magdeburg Geld geborgt, damit dieser vom Papst auch noch das Amt des Erzbischofs von Mainz erhalten konnte. Der Dominikanermönch Tetzel pries in der Nähe von Wittenberg diesen Erlaß marktschreierisch an.

Als nun einige Käufer zu Martin Luther in den Beichtstuhl kamen, zeigten sie ihm ihren Ablaßbrief. Sie glaubten, Reue, Buße und Besserung seien nun nicht mehr nötig, weil sie dafür bereits bezahlt hätten. Da wurde er zornig und sprach sie nicht von ihren Sünden los. Aus Sorge um die wahre christliche Buße veröffentlichte Luther am 31. Oktober 1517 95 Streitsätze oder Thesen in lateinischer Sprache. Er soll sie auch an das Portal der Schloßkirche zu Wittenberg geheftet haben. Damit forderte er die Theologen zu einem Streitgespräch über den Ablaßhandel auf. Die ins Deutsche übersetzten Thesen wurden als Flugblatt schnell in ganz Deutschland verbreitet. Über die Wirkung war Luther selbst verwundert und erschrocken.

1. Auf welche Frage suchte Martin Luther eine Antwort?
2. Erkläre die Antwort, die er in der Bibel fand.
3. Warum kauften viele Menschen Ablaßbriefe?
4. Warum wandte sich Luther gegen den Ablaßhandel?

Aus Luthers 95 Thesen:

1. Wenn unser Herr und Meister Jesus Christus spricht: Tut Buße . . ., so hat er damit sagen wollen, daß das ganze Leben eine Buße sein soll. [. . .]

27. Menschenlehre predigen diejenigen, die sagen: Sobald das Geld im Kasten klingt, die Seele vom Fegefeuer in den Himmel fährt. [. . .]

36. Jeder wahrhaft reuige Christ hat volle Vergebung von Strafe und Schuld auch ohne Ablaß. [. . .]

44. Man lehre die Christen: Wer dem Armen gibt oder dem Bedürftigen hilft, handelt besser als derjenige, der einen Ablaß kauft. [. . .]

66. Der Ablaß ist das Netz, in dem man heute den Reichtum der Menschen fängt.

(Nach: Martin Luthers Werke, Weimar 1883 ff., Bd. 1, S. 233–238)

Wie Martin Luther das Leben der Christen und die Kirche reformieren wollte und wie sich Papst und Kaiser dazu stellten

Der Reformator

Papst Leo X. hielt den von Luther entfachten Streit um den Ablaß für ein deutsches Mönchsgezänk. Weil Luthers Reden aber in Deutschland große Erregung hervorriefen, schickte er den Kardinal Cajetan nach Augsburg. Dessen Versuch, Luther zum Widerruf seiner „Irrtümer" zu bewegen, scheiterte. Darauf fand im Juli 1519 in Leipzig ein öffentliches Streitgespräch mit dem Ingolstädter Theologen Johannes Eck statt. Aufsehen erregte Luthers Aussage, der Papst und selbst Konzilien (= die Versammlung der Bischöfe) könnten irren. Die Heilige Schrift allein sei die Quelle der Wahrheit und des Glaubens. Damit trat er in klaren Widerspruch zur Auffassung der Kirche, die sagte, daß der Glaube auch auf der Überlieferung (z. B. Schriften der Kirchenväter, Beschlüsse der Konzilien) aufbaue. Luther machte wichtige Aussagen in seinen reformatorischen Schriften im Jahre 1520: 1. An den christlichen Adel deutscher Nation; 2. Von der Babylonischen Gefangenschaft der Kirche; 3. Von der Freiheit eines Christenmenschen:

- Alle Christen sind „wahrhaftige Priester". Laien, Priester, Fürsten, Bischöfe, alle müssen sich um die Besserung der Kirche bemühen.
- In 1000 Jahren römischer Gefangenschaft ist die Botschaft Christi verfälscht worden. Es gibt nur zwei Sakramente, Taufe und Abendmahl.
- Der Mensch ist in Glaubensdingen nur dem Evangelium, dem Wort Gottes in der Heiligen Schrift, Gehorsam schuldig.

Die Antwort des Papstes ließ nicht lange auf sich warten. Leo X. verdammte Luthers Schriften und befahl ihre Verbrennung. Er gab Luther sechzig Tage Zeit zu widerrufen, andernfalls werde er exkommuniziert, d.h. aus der Kirche ausgestoßen. Am 10. Dezember 1520 antworteten Luther und seine Studenten in Wittenberg dem Papst: Sie verbrannten die päpstliche Urkunde, die den Kirchenbann androhte. Nach altem Recht war der Kaiser verpflichtet, über einen vom Papst Gebannten

28.1 *Verbrennung der päpstlichen Bannandrohungsbulle, 1520. (Lithographie aus dem 19. Jh.)*

28.2 *Titelblatt der ersten Luther-Bibel, 1534. (Holzschnitt von L. Cranach d. Ä.)*

unverzüglich die Reichsacht zu verhängen. Karl V. aber hatte den Fürsten zugestanden, keinen Deutschen ohne Verhör zu verurteilen. Deshalb lud er Martin Luther 1521 vor den Reichstag zu Worms. Luthers Reise glich einem Triumphzug, denn er hatte viele Anhänger im Volk gefunden. Vor dem Kaiser und den Reichsfürsten verteidigte er seine Lehren. Schließlich wurde er aufgefordert, diese zu widerrufen. Seine Antwort ist uns überliefert. Der Kaiser erklärte den Fürsten:

Ihr wißt, daß ich von den allerchristlichen Kaisern der deutschen Nation . . . abstamme, die alle treue Söhne der Katholischen Kirche gewesen sind. Deshalb bin ich entschlossen, alles zu halten, was meine Vorfahren und ich bis jetzt gehalten haben. Denn es ist sicher, daß ein einzelner Mönch in seiner Meinung irrt, wenn diese gegen die der ganzen Christenheit steht, wie sie seit mehr als tausend Jahren gelehrt wird. An diese Sache will ich meine Reiche und Herrschaften . . . mein Blut und meine Seele setzen.

(Nach: Geschichte in Quellen, Renaissance, S. 126)

Darauf wurde das Wormser Edikt verkündet: Luther wurde geächtet. Niemand durfte seine Schriften kaufen noch verkaufen, sie mußten verbrannt werden. Nach seiner Abreise aus Worms wurde er im Auftrag seines Landesherrn zum Schein überfallen und auf die Wartburg nach Eisenach gebracht, wo er als Junker Jörg lebte. Dort übersetzte er das Neue Testament in die deutsche Volkssprache, 10 Jahre später auch das Alte Testament. 1534 lag die ganze Bibel im Druck vor. Weil sie von vielen Menschen gelesen und Grundlage der Predigt wurde, verbreitete sich die dort gebrauchte Sprache als Schriftsprache in ganz Deutschland.

Edikt: Rechtsverordnung

1. Warum verurteilt Kaiser Karl V. den Mönch Martin Luther?
2. Stelle die Auffassungen der katholischen Kirche und die Martin Luthers in dieser reformatorischen Auseinandersetzung gegenüber.

29.1 *Luther vor Kaiser Karl V. auf dem Reichstag zu Worms, 1521. (Holzschnitt von H. S. Beham)*

Es sei denn, ich werde mit Zeugnissen der Heiligen Schrift überwunden – denn ich glaube weder dem Papst noch den Konzilien allein, da es feststeht, daß sie oft geirrt haben . . . so bin ich also überwunden durch die von mir angeführten Schriftstellen . . . mein Gewissen ist gefangen in Gottes Wort, widerrufen kann und will ich nichts, weil es weder ungefährlich noch ehrenhaft ist, gegen das Gewissen zu handeln. Hier stehe ich, ich kann nicht anders. Gott helfe mir! Amen.

(Nach: Geschichte in Quellen, Renaissance, S. 125)

Unruhen in Deutschland

Warum sich Bauern, Ritter und gemeine Leute gegen ihre Herren erhoben

Empörung der Bauern, Ritter und gemeinen Leute

Die Bauern waren um 1500 nicht ärmer als früher. Die Preise für Getreide und Fleisch stiegen sogar seit etwa 1470 ständig (vgl. S. 23). Manche hatten in den nahe gelegenen Städten feste Abnehmer für ihre Erzeugnisse und brachten es zu bescheidenem Wohlstand. Trotzdem waren sie unzufrieden, denn ihre Herren, denen sie zinspflichtig waren, hatten ihnen alte Rechte beschnitten.

Der Pachtzins war oft willkürlich und unerträglich gesteigert worden. Das Recht auf freien Fischfang, auf Holzeinschlag und die Abwehr von Wildschäden war ihnen genommen. Die Zahl der Tage, an denen die Bauern Frondienste bei ihrem Grundherrn leisten mußten, war vielerorts von ursprünglich 12 auf 72 gestiegen. Besonders in Süddeutschland erhöhten die Grundherren die Abgaben. Deshalb hatten sich die Bauern im Südwesten des Reiches schon seit 1450 zu freien Bünden vereinigt, um ihre Forderungen gemeinsam durchzusetzen. Der „Bundschuh" und der „Arme Konrad" hatten sogar Aufstände gegen ihre Herren gewagt. Diese waren jedoch schnell niedergeschlagen worden.

30.1 *Bauer predigt, 1524*

Luthers Schrift „Von der Freiheit eines Christenmenschen" (1520) erweckte bei den Bauern nicht nur wirtschaftliche, sondern auch politische und religiöse Forderungen. 1525 verbündeten sich die aufständischen Bauern in Oberschwaben zu drei bewaffneten Haufen. Diese bildeten die „Christliche Vereinigung Oberschwabens". Ihr Schreiber Sebastian Lotzer faßte die Forderungen der Bauern im Februar 1525 in „Zwölf Artikeln" (hier stark gekürzt) zusammen:

30.2 *Bauern bedrohen einen Ritter. (Holzschnitt, um 1520)*

1. Jede Gemeinde soll das Recht haben, ihren Pfarrer ... zu wählen.
2. Den Kornzehnten wollen wir gerne geben, da er im Alten Testament begründet ist. Er soll zum Unterhalt des Pfarrers und der Armen dienen.
3. Man hat uns bisher als Leibeigene gehalten. Christus hat alle Menschen erlöst. Deshalb sind wir frei und wollen es sein.
4. Nur die Herren dürfen wilde Tiere, Vögel oder Fische fangen. Gott aber hat allen Menschen Gewalt über die Tiere gegeben.
5. Unsere Herren haben alle Wälder zu ihrem Eigentum erklärt. Sie sollen wieder der Gemeinde gehören; damit jeder Brennholz hat.
6. Wir bitten, Frondienste wieder auf das alte Maß zu beschränken.
7. Zusätzliche Dienste soll der Bauer nur dann leisten, wenn er keinen Nachteil hat und eine Entlohnung erhält.
8. Die Abgaben sollen durch ehrbare Leute neu festgesetzt werden.
9. Vor Gericht werden Strafen oft nach Gunst oder Feindschaft verhängt. Wir bitten, die Strafen nach den alten Gesetzen zu verhängen.
10. Eingezogenes Gemeindeland soll zurückgegeben werden.
11. Der Todfall soll abgeschafft werden.
12. Sollte eine Forderung dem Wort Gottes nicht gemäß sein, dann werden wir sie fallenlassen.

(G. Franz, Hrsg., Quellen des Bauernkrieges, Darmstadt 1963, S. 174–179)

Todfall:
Abgabe, die beim Tod eines Hörigen an den Herrn zu entrichten war, z. B. die beste Kuh oder das beste Kleid

Diese „Zwölf Artikel" der oberschwäbischen Bauern wurden gedruckt und als Programm von den meisten anderen aufständischen Bauern aufgegriffen. Auch arme Handwerker und kleine Leute in den Städten, die „sogenannte Gemeinde", erhoben sich gegen die herrschenden Geschlechter. Sie forderten z. B. in Rothenburg:

Allmende:
Gemeinsamer Besitz von Wald, Weide, Heide und Gewässern und Nutzung durch alteingesessene Familien in Dorf und Stadt

Der Rat der Stadt soll aus 16 Mitgliedern bestehen. Davon sollen acht Räte aus den herrschenden Geschlechtern und acht aus der Gemeinde stammen ... Das Amt des Bürgermeisters soll halbjährlich im Wechsel aus den beiden Parteien im Rat besetzt werden ... Alle Geistlichen, die in der Stadt wohnen und dort ein Einkommen haben, sollen wie alle anderen Bürger Steuern zahlen ... Die jährliche Steuer soll um die Hälfte gesenkt werden ... Die Allmenden der Stadt sollen allen Bürgern offenstehen.

(F. L. Baumann, Hrsg., Quellen des Bauernkrieges, Tübingen 1878, S. 173–182)

Auch Vertreter der Reichsritterschaft erhofften von Luther Hilfe für ihre Sache. Die Ritter waren in ihren schwerfälligen Rüstungen den Söldnerheeren und Kanonen der Landesfürsten unterlegen. Sie verloren daher ihre militärische Bedeutung. Einige wurden Söldnerführer oder Hofbeamte der Fürsten, viele wurden aber als Raubritter eine gefürchtete Landplage. Die Führer der aufständischen Ritter, Franz von Sickingen und Ulrich von Hutten, wollten ein zentral regiertes Reich mit einem Kaiser an der Spitze. Die Ritter sollten als treue Gefolgsleute verwalten und verteidigen. Ein verzweifelter Feldzug Franz von Sickingens gegen Trier wurde 1513 von den Fürsten des Schwäbischen Bundes (vgl. Bd. 1, Karte 181.1) niedergeschlagen.

31.1 *Ulrich von Hutten (1488–1523)*

1. Welche Rechte forderten die Bauern zur Verbesserung ihrer Lage?
2. Welche Forderungen begründeten sie aus der Heiligen Schrift?
3. Welche Bürger erhoben sich in den Städten, und was forderten sie?
4. Warum empörten sich die Ritter?

Wie die Bauernaufstände verliefen und endeten

Was sagte Luther, auf den sich die Bauern beriefen, zu ihren Forderungen? In der Schrift „Ermahnung zum Frieden“ heißt es im Mai 1525:

Ihr [Fürsten und Herren] schindet und schatzt, bis es der gemeine Mann nicht kann noch mag länger ertragen. Das Schwert ist euch auf dem Halse; dennoch meint ihr, ihr sitzt fest im Sattel ... Solche Sicherheit und verstockte Vermessenheit wird euch den Hals brechen, das werdet ihr sehen ... Ihr [Bauern] sprecht: Die Obrigkeit ist zu böse und unleidlich, denn sie will uns das Evangelium nicht lassen und drückt uns allzu hart ... Ich antworte: Daß die Obrigkeit böse und unrecht ist, entschuldigt keine Rotterei noch Aufruhr.

(Nach: Geschichte in Quellen, Renaissance, S. 149–151)

Obwohl Luther zum Frieden mahnte, scheiterten alle Verhandlungen. Es bildeten sich weitere Haufen aufständischer Bauern. Selbst einzelne Ritter und Adlige wie Götz von Berlichingen und Florian Geyer schlossen sich ihnen an. Rotten empörter Bauern zogen, bewaffnet mit Sensen und Heugabeln, Dreschflegeln und Äxten, auch mit Schwertern und Dolchen, sengend und plündernd durch die Lande. Sie besetzten Burgen und Klöster, steckten viele in Brand und zerstörten sie.

In Thüringen schloß sich der Prediger Thomas Müntzer den Bauernaufständen an. Seit 1520 hatte er mit revolutionärem Eifer für eine radikale Erneuerung der Christenheit gekämpft, denn ihm gingen Luthers Reformen nicht weit genug. 1524 gründete er in Mühlhausen den „Bund der Auserwählten des Herrn“ und rief zum Kampf gegen die gottlosen Tyrannen, Heuchler und Habgierigen auf. Sein Ziel war eine radikal erneuerte Christengemeinde, in der allen alles gehörte und alle gleiche

32.1 *Thomas Müntzer*

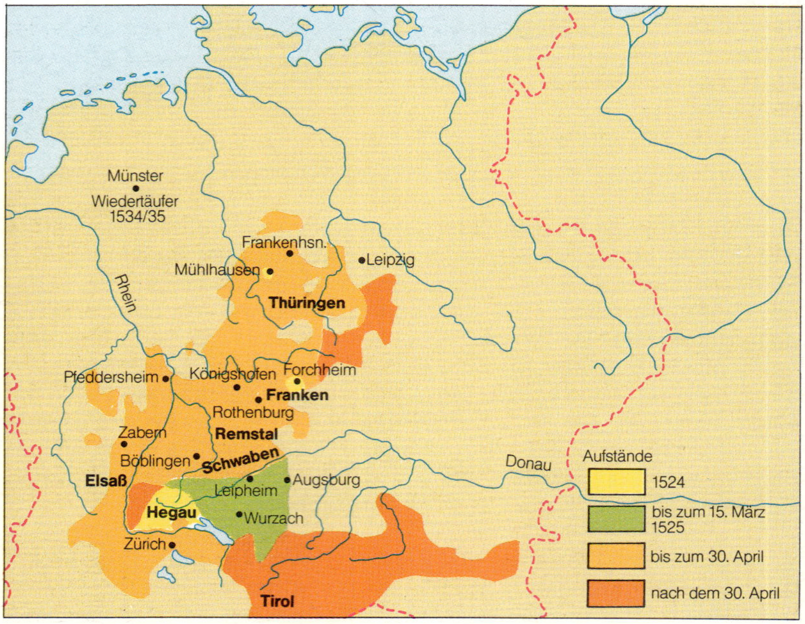

32.2 *Bauernaufstände in Deutschland*

33.1 *Gefangene Bauern werden abgeführt. (Zeitgenössischer Holzschnitt)*

Rechte hatten. Er glaubte damit urchristliche Zustände zu verwirklichen. Den Bauernkrieg gegen die Fürsten deutete er als Signal für das bevorstehende Ende der Welt mit dem göttlichen Endgericht.

Als Kirchen, Klöster und Burgen brannten, stellte sich Luther auf die Seite der Obrigkeit. In seiner Flugschrift „Wieder die räuberischen und mörderischen Rotten der Bauern" ermunterte er die Fürsten, die Aufrührer wie „tolle Hunde zu stechen und zu würgen".

Die Fürsten stellten mehrere Söldnerheere auf. Unter der Führung Georgs Truchseß von Waldburg, „Bauernjörg" genannt, schlug das Fürstenheer des Schwäbischen Bundes die Aufständischen in Schwaben und Franken nieder. Auch in Hessen und im Elsaß (siehe Karte 32.2) unterlagen die schlecht bewaffneten Bauernhaufen den geübten Söldnertruppen der Fürsten. Grausam war das Strafgericht der Fürsten. Etwa 100000 Bauern starben in den Kämpfen oder wurden auf der Flucht erschlagen. Gefangene Aufrührer und auch viele Bauern wurden hingerichtet oder öffentlich grausam bestraft. Ein Zeugnis davon gibt die Henkersrechnung des Meisters Augustin aus Kitzingen. Für 80 Menschen, die er enthauptet, und 69, denen er die Finger abgeschlagen und die Augen ausgestochen hatte, verlangte er 114 und einen halben Florentiner Goldgulden.

Thomas Müntzer fiel nach der Niederlage von Frankenhausen in die Hände seines erbittertsten Feindes, des Grafen von Mansfeld. Nach furchtbaren Folterungen wurde er am 27. Mai 1525 vor Mühlhausen mit dem Schwert hingerichtet.

Die Aufstände der Bauern waren gescheitert. Von neuem mußten die Bauern ihren Herren Gehorsam schwören. Sieger waren aber nicht die adligen Grundherren, sondern die mächtig gewordenen Landesherren. Erst die Söldnerheere dieser Fürsten hatten den Aufstand niedergeschlagen. Die Fürsten schützten zwar die Bauern vor weiteren Übergriffen der Grundherren. Aber auch sie lenkten in Form von Landessteuern Geld der Bauern in ihre Kasse. Noch jahrhundertelang blieben die Bauern in persönlicher und wirtschaftlicher Abhängigkeit.

1. Welche Stellung bezog Luther zum Bauernkrieg?
2. Warum wird Th. Müntzer als radikaler Reformer bezeichnet?

Die Wiedertäufer in Münster

Wie die Wiedertäufer in Münster das „Tausendjährige Reich" gründen wollten

Ihren Ursprung hatten die Wiedertäufer um 1525 in der Stadt Zürich. Sie verwarfen die Kindertaufe als unbiblisch und forderten die Erwachsenentaufe. Für die Menschen damals waren ungetaufte Kinder eine ungeheuerliche und gotteslästerliche Vorstellung. Mit der Taufe trat der Mensch nicht nur in die religiöse, sondern auch in die weltliche Lebensgemeinschaft ein. Wer die Kindertaufe ablehnte, brach damit aus der christlich verfaßten Gesellschaft aus. Die Täufer forderten ferner als „Auserwählte Gottes" Absonderung von der „sündigen Welt". Jeglichen Eid, auch den Treueid auf die Obrigkeit, den Kriegsdienst und alle öffentlichen Verpflichtungen lehnten sie daher ab. Aus beiden Gründen wurden die Wiedertäufer blutig verfolgt, breiteten sich aber bis in die Niederlande und nach Norddeutschland aus.

Einen Höhepunkt erlebte diese Wiedertäuferbewegung in der Stadt Münster. Unter der Führung des Kaplans Bernhard Rothmann war Münster 1533 evangelisch geworden. Nur im Dom und in den Klosterkirchen durften noch katholische Gottesdienste stattfinden. Bald darauf waren der lutherische Rat der Stadt und die Prediger um Bernhard Rothmann unversöhnlich verfeindet. Rothmann predigte wiedertäuferische Lehren. Von Abgesandten des Täuferpropheten Jan Matthys aus Harlem ließen sich Rothmann und seine Anhänger die Erwachsenentaufe spenden. Als Jan Bockelson van Leiden, ein „Apostel" des Jan Matthys, Mitte Januar 1534 in Münster eintraf, gehörten schon 1400 Menschen zur Täufergemeinde, und ihre Zahl wuchs. Der Bischof als Landesherr drohte mit einem Strafgericht über die aufsässige Stadt. Das vermehrte noch den Widerstand der Bürger gegen den Landesherrn und ihr Streben nach religiöser und politischer Freiheit. Nach Monaten innerer Kämpfe zwischen Katholiken, Lutheranern und Täufern war der Rat der Stadt Ende Februar 1534 fest in den Händen der Wiedertäufer.

Ein wahrer Taumel religiöser Verzückung erfaßte große Teile der Bevölkerung. Jan van Leiden und der Kaufmann Bernd Knipperdolling liefen durch die Straßen und riefen klagend: „Betet! Tut Buße, der Tag des Herrn ist nahe!" Johann Matthys, der Prophet, war im Februar 1534 selbst nach Münster gekommen. Gott habe ihm offenbart, er solle das Tausendjährige Reich, das neue Jerusalem, in Münster errichten und die Stadt von allem Gottlosen reinigen: Tagelang verwüsteten sie den Dom, die Kirchen und Klöster mit ihren reichen Kunstschätzen. Wer sich nicht taufen ließ, mußte die Stadt verlassen. Der Bürgereid wurde durch die „Wiedertaufe" ersetzt. Etwa 2000 von rund 8000 Bewohnern flüchteten oder wurden vertrieben. Zur gleichen Zeit aber strömten etwa 2300 Glaubensanhänger in das „Neue Jerusalem". Schließlich verkündeten die Täufer die Gütergemeinschaft für alle Bewohner der Stadt. Der neue Bürgermeister Knipperdolling sagte dazu: „Ein Gott, ein Pott, ein Ei, ein Kuchen." Da rüstete der Bischof endgültig zum Kampf gegen die aufrührerische Stadt und belagerte sie. Ostern 1534 standen die Münsteraner auf dem Befestigungswall am Ludgeritor und beobachteten, wie Jan Matthys mit wenigen Begleitern furchtlos dem Feinde entgegentrat. Er glaubte felsenfest, er werde das Heer der Gottlosen durch Gottes Eingreifen vernichten. Doch die Landsknechte des Bischofs hieben die kleine Schar in Stücke. Das Haupt des Propheten steckten sie auf eine Lanze und stellten diese vor der Stadt aus.

35.1 Jan van Leiden, König der Wiedertäufer in Münster (Kupferstich, 1536)

35.2 Käfige der Wiedertäufer am Turm der Lambertikirche in Münster

Nun übernahm Jan van Leiden die Führung in der belagerten Stadt. „Ein aus Vorzügen und Lastern gemischtes Wundertier", nannte ihn der Chronist Gresbeck. An die Stelle des gewählten Rates setzte er 12 Apostel, durch Gottes Mund von ihm berufen. Schließlich ließ er sich zum König über „das Neue Israel und über die ganze Welt" ausrufen.

Jan van Leiden glaubte, er sei der König, der am Ende der Zeiten über alle Völker herrschen und Recht und Gerechtigkeit aufrichten werde. In Münster sei dieses „Tausendjährige Reich" angebrochen. Tatsächlich aber begann eine Schreckensherrschaft. Wer sich dem prophetischen Wort des Königs widersetzte, wurde vertrieben oder hingerichtet. Das spürten auch diejenigen, die sich der Ehe mit mehreren Frauen, die er in Anlehnung an das Alte Testament im Juli 1534 eingeführt hatte, widersetzten. Der König hüllte sich in Prachtgewänder und bildete einen Hofstaat, dem 16 Nebenfrauen angehörten. Gegen den erbitterten Widerstand der Täufer erstürmten die Landsknechte des Bichofs nach 16monatiger Belagerung am 25. Juni 1535 die Stadt. Die drei Anführer der Wiedertäufer, Jan van Leiden, Knipperdolling und Krechting wurden mit glühenden Zangen gefoltert und dann hingerichtet. Ihre Leichname steckte man in drei Käfige hoch oben am Turm der Lambertikirche und gab sie den Vögeln zum Fraß. Dies sollte eine Warnung für die Bewohner der Stadt Münster sein. Nur eineinhalb Jahre hatte das „Tausendjährige Reich der Wiedertäufer" Bestand.

1. Erkläre, warum die Wiedertäufer verfolgt wurden.
2. Warum zerstörten die Wiedertäufer Kirchen und Kunstschätze?
3. Überlege, wie es zu dieser Schreckensherrschaft kommen konnte?

Fortgang der Reformation in Europa

Wie sich die Reformation in Westeuropa ausbreitete

Kaiser Karl V. hatte 1521 auf dem Reichstag zu Worms den Reformator Luther geächtet und die Ausbreitung seiner Lehre verboten. Er konnte aber das Wormser Edikt im Reich nicht durchsetzen. Bürger in den Städten, Adlige in ihren Gebieten und Bauern in den Dörfern errichteten auf ihre eigene Art reformatorische Gemeinden. Viele folgten dem Reformator Martin Luther, andere dem radikalen Thomas Müntzer, den Wiedertäufern oder religiösen Schwärmern. Aus Sorge um die kirchliche Ordnung schrieb Martin Luther am 30. Nov. 1526 an seinen Landesherrn, den Kurfürsten Johann von Sachsen:

36.1 *Ulrich Zwingli (1484–1531), zeitgenössischer Holzschnitt*

Gnädiger Herr, an fast allen Orten klagen die Pfarrherren ... Da wollen die Bauern einfach nichts mehr geben ... Da ist keine Gottesfurcht oder Zucht mehr und jedermann tut, was er nur will. Es ist aber uns allen und besonders der Obrigkeit geboten, die Jugend zu erziehen und zu Gottesfurcht und Zucht anzuhalten; deshalb muß man Schulen, Prediger und Pfarrer haben.
Nun ist in Eurem Fürstentum die päpstliche Ordnung weg; alle Klöster und Stifte sind Euch als dem obersten Haupt in die Hände gefallen. Damit habt Ihr auch die Pflicht und die Aufgabe, diese Dinge zu ordnen. Deshalb wird es notwendig sein, aufs baldigste ... vier Personen das Land visitieren [besichtigen] zu lassen; zwei, die sich auf Zinsen und Güter, und zwei, die sich auf die Lehre und die Person [des Geistlichen] verstehen. Wo nun ein Ort in der Lage ist, Schulen und Pfarreien zu unterhalten, soll man die Klostergüter dafür verwenden ...

(Luthers Werke, Briefe, Bd. 4, Weimar 1933, S. 133 f.)

Jetzt nahmen die Fürsten und Landesherren die Durchführung der Reformation in die Hand. Sie ordneten die Pfarreien, errichteten Schulen und Universitäten. Damit fiel ihnen neuer Besitz und größere Macht zu.

Als der Kaiser gegen die äußeren Feinde des Reiches Siege errungen hatte, versuchte er 1529 die Ausbreitung reformatorischer Lehren zu verbieten. Dagegen protestierten die lutherischen Fürsten und Reichsstädte. In Glaubens- und Gewissensfragen erkannten sie einen Mehrheitsbeschluß des Reichstages nicht an. Auf dem Reichstag zu Augsburg (1530) legten sie dem Kaiser eine Bekenntnisschrift, „Das Augsburger Bekenntnis", vor. Der Kaiser aber verlangte Rückkehr zum alten Glauben und Unterwerfung binnen Jahresfrist. Da schlossen die lutherischen Fürsten einen Bund zu gegenseitiger Hilfe. Es kam schließlich zu Kämpfen zwischen Kaiser und Fürsten. Keine Seite aber konnte sich durchsetzen. Erst 1555 schlossen Katholiken und Lutheraner (die Anhänger der Augsburger Konfession von 1530) in Augsburg Frieden. Kaiser Karl V. nahm am Augsburger Reichstag nicht mehr teil, sein Bruder Ferdinand leitete ihn.

36.2 *Johann Calvin (1509–1564), zeitgenössischer Holzschnitt*

Wichtige Bestimmungen des Augsburger Religionsfriedens:
- Reichsfürsten, Reichsritter und Reichsstädte versprechen, niemanden wegen seines Glaubens anzugreifen oder zu verklagen.
- Die protestantischen Landesherren dürfen die Kirchengüter, die sie vor dem Jahre 1552 eingezogen haben, behalten.

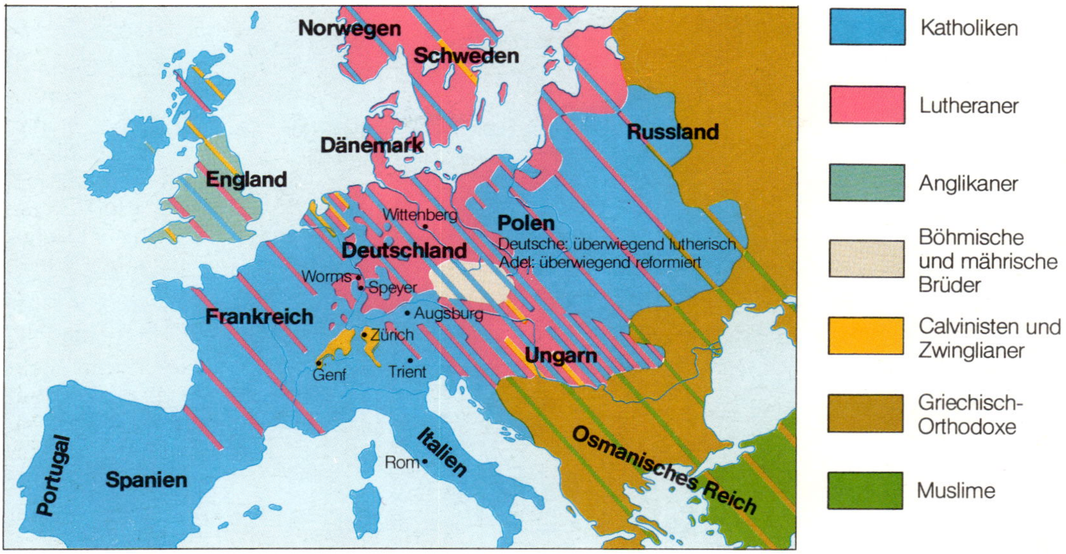

37.1 Konfessionen in Europa um 1570

- Wenn ein geistlicher Herr seine alte Religion aufgeben will, darf er dies tun. Er muß aber auf sein Amt und die Herrschaft verzichten (geistlicher Vorbehalt).
- In vielen Städten leben Anhänger der katholischen und der Augsburger Konfession zusammen. Sie sollen friedlich beieinander wohnen.
- Die Untertanen sollen den Glauben des Landesherrn annehmen. (Wer herrscht, darf die Religion bestimmen.) Wer sich nicht fügen mag, darf auswandern.
- Andere Konfessionen sind vom Religionsfrieden ausgeschlossen.

Außer dem evangelisch-lutherischen Bekenntnis bildeten sich in der Schweiz noch zwei andere Formen der Reformation. Ihre Begründer waren der Züricher Stadtpfarrer Ulrich Zwingli und Johann Calvin, der in Genf eine strenge Kirchenordnung durchsetzte. Im Gegensatz zu den Anhängern Luthers, den „Evangelischen" oder „Protestanten", nannten sie sich „Reformierte". Die calvinistische Form der Reformation verbreitete sich besonders in den Niederlanden, in England, Schottland, Frankreich, Ungarn und einigen Gebieten Deutschlands.

König Heinrich VIII. (1509–47) löste 1534 die katholische Kirche Englands von Rom, weil der Papst sich weigerte, die Ehe des Königs für ungültig zu erklären. Durch Parlamentsgesetz wurde daraufhin die erste Ehe des Königs geschieden. Der König ernannte sich selbst zum Oberhaupt der Kirche in England (Suprematsakte). Eine romfreie Staatskirche war entstanden, später Anglikanische Kirche genannt.

Supremat: höchste Gewalt

1. Was fordert Luther im Brief an seinen Landesherrn?
1. Beschreibe mit der Karte 37.1 die Ausbreitung der Reformation.
3. Vergleiche die Bestimmungen des Augsburger Religionsfriedens mit den Grundrechten unserer Verfassung.

Im weiten Halbrund sitzen die stimmberechtigten Bischöfe und die Leiter der kirchlichen Orden, auf der erhöhten Bank die Beauftragten des Papstes, vor ihnen Gesandte der katholischen Regierungen. Die Taube über ihnen ist ein Symbol des Heiligen Geistes. In der Mitte steht das Kreuz, davor sieht man den Protokollführer und den Vertreter des Kaisers.

38.1 *Konzil von Trient. (Gemälde aus dem Kloster St. Klara in Stans)*

Katholische Erneuerung

Was das Konzil von Trient bewirkte und die Gesellschaft Jesu für die katholische Erneuerung bedeutete

Schon bald nach Luthers Protest gegen die Mißstände in der Kirche erscholl der Ruf nach einem allgemeinen Konzil. So forderte es auch Kaiser Karl V. immer wieder von den Päpsten. Dort sollten führende Kirchenmänner aus ganz Europa über die Erneuerung der Kirche an Haupt und Gliedern beraten. Doch erst 1545, als sich bereits große Teile Europas für die neue Lehre entschieden hatten, trat es in Trient zusammen. Es tagte unter dem Vorsitz von päpstlichen Gesandten. Die protestantischen Reichsstände erklärten es deshalb für unfrei und zogen ihre Abgesandten zurück. Eine Wiedervereinigung der getrennten Christenheit war von diesem Konzil kaum zu erwarten. Als Ziele des Konzils nannte der Vertreter des Papstes, Kardinal Pole, die Ausrottung der kirchlichen Irrlehren, die Reform der kirchlichen Disziplin und Sitten und den ewigen Frieden der ganzen Kirche. Nach jahrelangen Beratungen stimmten die Konzilsväter am 4. Dezember 1563 über alle Beschlüsse ab. Dann erklärten sie diese als Glauben des heiligen Petrus, der Apostel, der Kirchenväter und aller Rechtgläubigen. Sie stellten damit die katholische Reform der protestantischen Reformation gegenüber.
Die wichtigsten Bestimmungen des Konzils waren:
- Die Heilige Schrift und die überlieferte kirchliche Lehre (Tradition) bilden die Quellen des Glaubens.
- Die Auslegung der Bibel ist Aufgabe der Kirche.
- Es gibt sieben Sakramente: Taufe, Firmung, Eucharistie, Buße, Krankensalbung, Priesterweihe, Ehe.
- Mißstände im Ablaßwesen und in der Ämterbesetzung werden abgeschafft.
- Die Priester sollen nach den Lehrsätzen des Konzils ausgebildet werden, eifrig predigen und die Jugend unterweisen.
- Die Bischöfe sollen die Durchführung der Reformen überwachen.

Ein neuer Orden widmete sich besonders der katholischen Erneuerung im Sinne des Konzils. Er wurde von dem spanischen Adligen Ignatius von Loyola gegründet. Dieser war zunächst Offizier im Dienst Karls V. Nach langem Krankenlager und der Lektüre der „Nachfolge Christi" des Thomas von Kempen änderte er sein Leben von Grund auf. Mit gleichgesinnten Freunden gründete er 1534 den Orden der „Gesellschaft Jesu". 1537 bestätigte der Papst diesen. Seine Mitglieder bezeichneten sich als Soldaten Christi. Ignatius war ihr erster „General".

Wer in den Orden der „Jesuiten" eintreten wollte, wurde sorgfältig ausgewählt, mußte strenge geistliche Übungen halten und erhielt eine vielseitige Ausbildung. Sie dauert heute noch in der Regel über 12 Jahre. Zudem mußte er feierlich versprechen, zu jeder Zeit und an jedem Ort den Dienst zu leisten, den ihm der Ordensgeneral befohlen hatte. Der Orden stellte sich ganz in den Dienst des Papstes. Schon bald nach 1540 kamen die ersten Jesuiten auch nach Deutschland, das zu großen Teilen evangelisch geworden war. Ihre hervorragende Ausbildung machte sie zu gefragten Volkspredigern und angesehenen Beichtvätern. Sie unterrichteten an Latein- und Hochschulen. Überall im Land wurden Jesuitenkollegs (Schulen mit Internaten) gegründet: 1555 in Ingolstadt, 1556 in Köln, 1560 in Trier und Mainz, 1561 in Innsbruck, 1562 in Prag, 1588 in Münster. Als Ignatius 1566 starb, zählte der Orden rund 1000 Mitglieder, um 1600 schon 8250. Die Jesuiten bemühten sich nicht nur um die katholische Erneuerung in Europa, sondern auch um die Ausbreitung des Glaubens in Amerika und in Ostasien.

1. Welche Beschlüsse stellten sich gegen Luthers Reformation?
2. Warum legten die Jesuiten großen Wert auf Schule und Bildung?
3. Beschreibe die Auswirkungen der katholischen Reform sowie der gegenreformatorischen Aktivitäten (vgl. 37.1 und 39.1 miteinander).

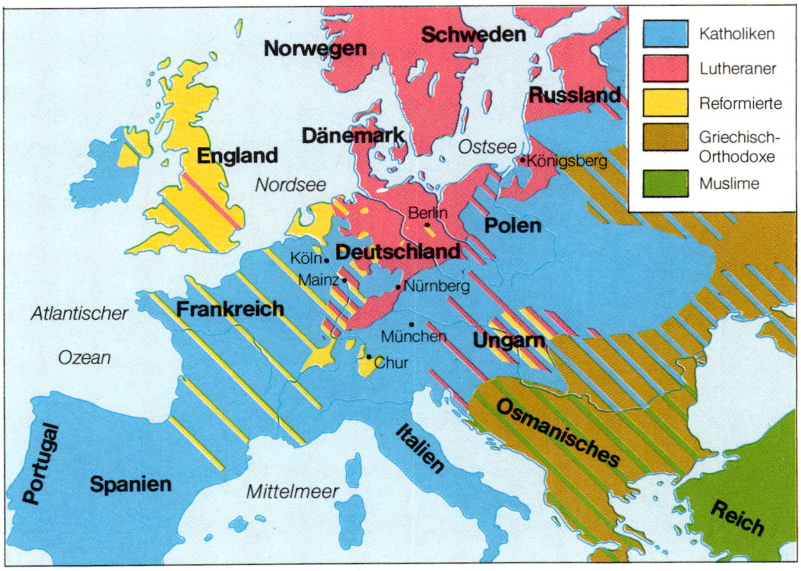

39.1 Konfessionen in Europa im 17./18. Jh.

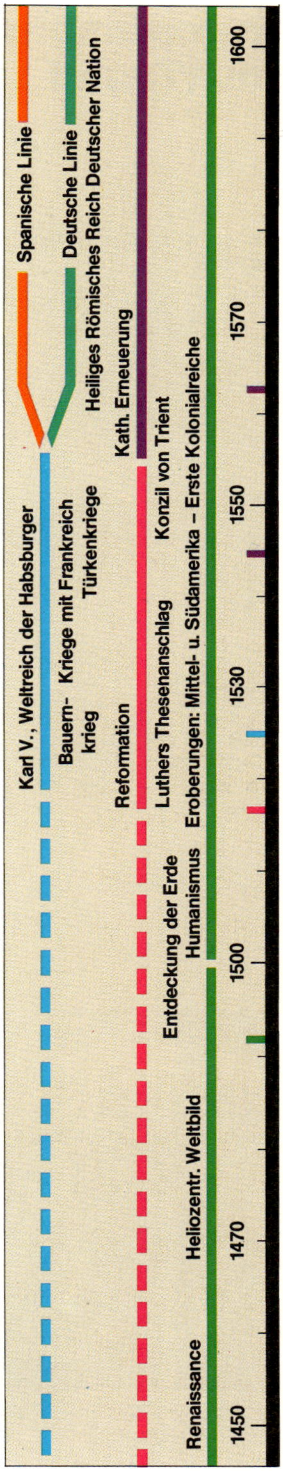

Europäische Staatengeschichte im 17. und 18. Jahrhundert

Der Dreißigjährige Krieg und die Ordnung Europas 1648

Wie der Krieg Deutschland zerstörte

Die Spannungen zwischen den unterschiedlichen religiösen Bekenntnissen arteten oft in blutige Verfolgungen aus. In England war dies zum Beispiel der Fall, als König Heinrich VIII. sich 1534 von Rom losgesagt hatte, die anglikanische Kirche begründete und die Klöster auflöste. In Frankreich brach 1562 ein mörderischer Krieg zwischen den calvinistischen Hugenotten und den Katholiken aus, den erst König Heinrich IV. 1598 durch das Edikt von Nantes beenden konnte. Achtzig Jahre (1568–1648) mußten die Niederländer gegen die Spanier kämpfen, bis sie ihre Unabhängigkeit und religiöse Freiheit erhielten.

Im deutschen Reich führten die religiösen Auseinandersetzungen 1618 zum Ausbruch eines 30jährigen Krieges. Sein unmittelbarer Anlaß war ein Streit um die Herrschaft in Böhmen zwischen den dortigen Ständen und ihrem Landesherrn. Dieser, ein österreichischer Habsburger, war zugleich deutscher Kaiser. Diese politischen Unruhen verbanden sich mit den religiösen Gegensätzen zwischen Katholiken und Protestanten. Nach und nach weiteten sie sich zum mitteleuropäischen Religionskrieg aus, in den viele europäische Staaten eingriffen: Spanien, Dänemark, Schweden und Frankreich. Schließlich ging es zwischen den Mächten nur noch darum, die Vorrangstellung in Europa zu gewinnen. Das deutsche Reich war europäisches Schlachtfeld geworden. Ein Zeitgenosse schildert das Leid, das der Krieg brachte:

Das erste, das diese Reuter taten, war, daß sie ihre Pferd einstelleten, hernach ... [fingen] etliche [an] zu metzgen, zu sieden und zu braten, ... andere machten von Tuch, Kleidungen und allerlei Hausrat große Päck zusammen, ..., was sie aber nicht mitzunehmen gedachten, wurde zerschlagen, ... etliche schütteten die Federn aus den Betten und fülleten hingegen Speck, andere dürr Fleisch und sonst Gerät hinein, ... andere schlugen Ofen und Fenster ein, ... Kupfer und Zinngeschirr schlugen sie zusammen und packten die gebogenen ... Stück ein, Bettladen, Tisch, Stühl und Bänk verbrannten sie, ... Häfen und Schüsseln mußten endlich alles entzwei, ... den Knecht legten sie gebunden auf die Erd, stecketen ihm ein Sperrholz ins Maul und schütteten ihm ... Mistlachenwasser in Leib, das nannten sie ein Schwedischen Trunk, wodurch sie ihn zwangen, eine Partei anderwärts zu führen, allda sie Menschen und Vieh hinwegnahmen und in unseren Hof brachten. Da fing man erst an, ... die armen Schelmen ... zu foltern, ... Allein mein Knan [Vater] war meinem damaligen Bedünken nach der glückseligste, weil er mit lachendem Mund bekannte, was andere mit Schmerzen sagen mußten, ... sie ... banden ihn ... und rieben seine Fußsohlen mit angefeuchtetem Salz, welches ihm unsere alte Geiß wieder ablecken und dadurch ... kitzeln mußte, ... Von den ... Weibern, Mägden und Töchtern ... man ... in den Winkeln erbärmlich schreien hörte, ...

(Grimmelshausen, Der abenteuerliche Simplicissimus, Kap. 4)

***40.1** Landung Gustav Adolfs von Schweden an der deutschen Küste 1630*

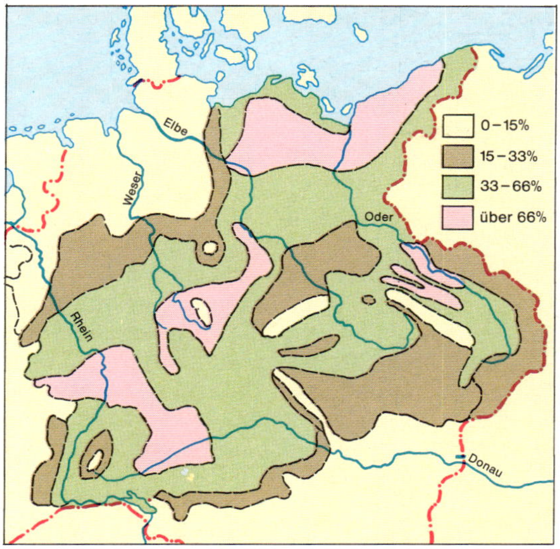

41.1 Bevölkerungsverluste im 30jährigen Krieg

41.2 Deutschland nach 1648

Am Ende des Krieges waren ungefähr 1500 Städte und weit über 18000 Dörfer zerstört. Ein Zeitgenosse berichtet:

Viel hundert Städt, ja viel tausend Flecken und Dörffer wurden dergestalt verwüstet, daß nicht ein Hund, geschweige ein Mensch sich darin aufhalten können.... Das Land wurde nicht bebaut. Wo Korn, Frucht oder ander Ackerfeld gewesen war, da wuchsen Dornen und Sträuch.

(Erkunden und erkennen, Geschichte 2, Hannover 1969, S. 27)

In den Friedensverträgen zu Münster und Osnabrück, dem sogenannten Westfälischen Frieden von 1648, wurde unter anderem festgelegt,

1. daß neben dem katholischen und lutherischen auch das reformierte Bekenntnis im Reich gleichberechtigt sein solle,
2. daß die deutschen Fürsten das Recht haben sollten, beliebig Verträge untereinander und auch mit auswärtigen Mächten – außer gegen Kaiser und Reich – zu schließen,
3. daß die Schweiz und die Niederlande nicht mehr zum deutschen Reich gehören, sondern selbständige Staaten sein sollten,
4. daß Schweden große Teile der Ostseeküste und Stützpunkte an den Mündungen von Weser und Elbe, Frankreich die bisherigen Rechte des Hauses Habsburg im Elsaß erhalten sollten,
5. daß Frankreich und Schweden als Garantiemächte für die Einhaltung der Bestimmungen sorgen sollten.

***41.3** Die Zerstörung Magdeburgs 1631 durch Truppen Tillys*

1. Welche Auswirkungen hatte dieser Krieg auf die Bevölkerung?
2. Welches Ergebnis brachte der Friede für Kaiser, Reich und deutsche Fürsten? Beachte Punkt 2 und 3 sowie die Karte.
3. Welche Folgen hatte der Frieden für Europa? Beachte die Punkte 3 und 4. Ziehe auch die Karte heran.
4. Nenne gewaltsame Auseinandersetzungen der Gegenwart, die aus religiösen Gründen geführt werden.

Die Neuordnung Europas 1713 und 1721

Wie Ludwig XIV. nach der Vorherrschaft Frankreichs in Europa strebte

Ludwig XIV. wurde 1643 mit 5 Jahren französischer König und übernahm 1661, mit 23 Jahren, die Regierung. Er starb 1715 im Alter von 77 Jahren. Sein außenpolitisches Hauptziel war es, die Macht des Herrscherhauses Habsburg, aus dem die deutschen Kaiser und die spanischen Könige stammten, zurückzudrängen und statt dessen die Vorherrschaft Frankreichs in Europa zu erkämpfen. Zwischen 1667 und 1713 führte er zu diesem Zweck vier Kriege, die insgesamt 28 Jahre dauerten. Es wurde aber nicht ununterbrochen gekämpft, sondern jeder Krieg bestand aus einzelnen Feldzügen. Zugleich fand Ludwig Mittel und Wege, mitten im Frieden viele Städte und Dörfer im Elsaß und in Lothringen zu besetzen, darunter auch Straßburg. Schließlich mußte er aber vor den vereinten Kräften Großbritanniens, Spaniens, der Niederlande und des deutschen Reiches zurückweichen. 1713 mußte er im Frieden von Utrecht seine weiteren Eroberungspläne aufgeben.

Großbritannien war der große Gewinner. Es gewann den französischen Besitz im heutigen Kanada, zerstörte die französische Festung Dünkirchen an der Kanalküste und stärkte die Macht der Niederlande an Frankreichs Grenze. Großbritannien wollte ein Gleichgewicht der Mächte in Europa, eine „balance of power". Kein Staat sollte die Vorherrschaft gewinnen können.

1. Frankreich begründete sein Streben unter anderem mit der Notwendigkeit „natürlicher Grenzen". Erkläre das anhand der Karte.
2. Warum war Großbritannien so stark an einer Begrenzung der französischen Macht interessiert?

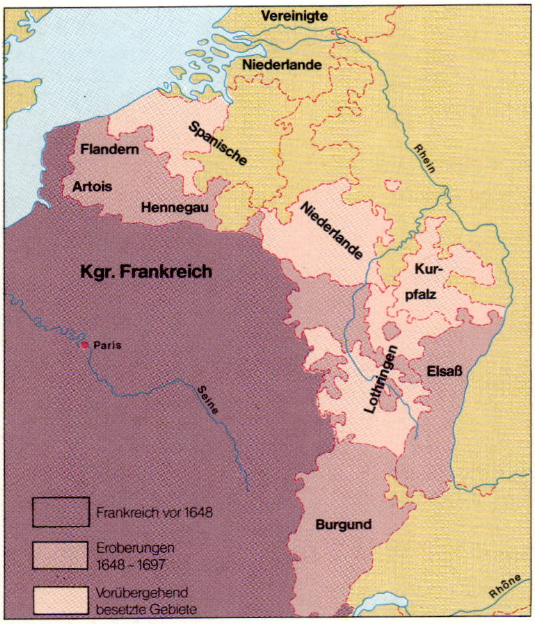

42.1 *Eroberungen Ludwig XIV.*

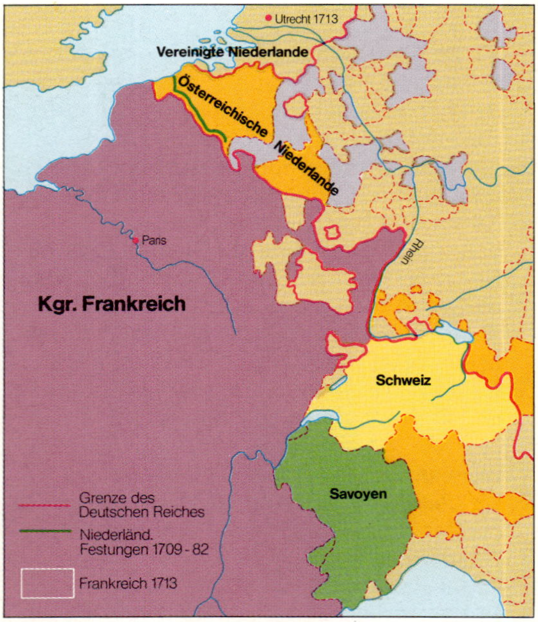

42.2 *Frankreich und seine Nachbarn, nach 1713*

Wie Rußland zur europäischen Großmacht wurde

Rußland entwickelte sich seit dem 15. Jahrhundert allmählich zur europäischen Großmacht. Sein Kern war das Großfürstentum Moskau, dessen Herren im 14. Jahrhundert mit der ,,Sammlung der russischen Erde" begonnen hatten. Damit war zunächst die Unterwerfung der anderen russischen Fürstentümer gemeint. Aber erst unter Iwan III. (1462–1505) wurde der entscheidende Schritt getan. Er nannte sich als erster ,,Zar von Rußland". Aufgrund seiner Heirat mit Zoë, der Nichte des letzten byzantinischen Kaisers, erhob Moskau seit 1472 auch den Anspruch, der neue Hort der griechisch-orthodoxen Christenheit zu sein. Ab 1510 wird es darum auch oft das ,,Dritte Rom" genannt. Byzanz, das ,,Zweite Rom", war 1453 von den Türken erobert worden. Ein viertes, so hieß es, werde es nicht geben.

Aber erst mit Peter I., dem Großen (1689–1725), trat Rußland wirklich in den Kreis der alten europäischen Mächte ein. Dies konnte Peter dadurch erreichen, daß er im Großen Nordischen Krieg (1700–1721) gegenüber Schweden siegreich blieb. Dieser Krieg richtete sich gegen die 1648 gewonnene Vormachtstellung Schwedens im Ostseeraum. Dänemark und Polen waren Bundesgenossen Rußlands. Nach großen Erfolgen der Schweden siegte Peter und konnte 1721 im Frieden von Nystad weite Gebiete an der Ostsee gewinnen.

3. Erläutere, wie Peter der Große Rußland zu einer europäischen Macht erhob.

4. Zar Peter der Große verlegte seine Residenz von Moskau nach Petersburg (heute Leningrad). Erkläre, warum diese Stadt das ,,Fenster nach Europa" genannt wurde. Beantworte die Frage mit Hilfe der Karte 43.1.

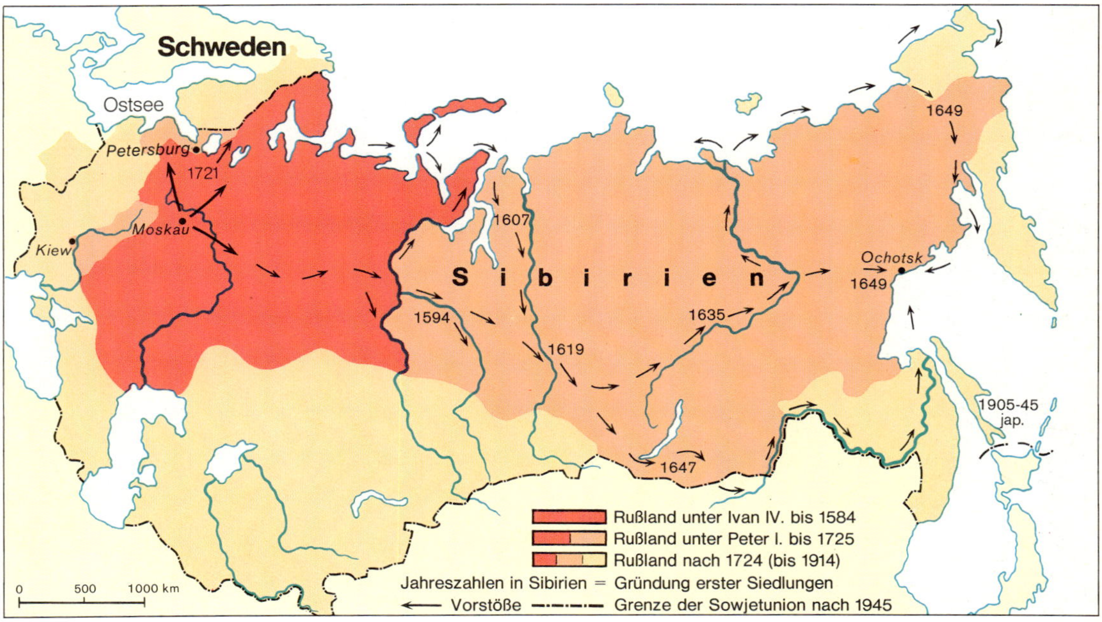

43.1 Das russische Reich zur Zeit Peters des Großen

Ausbau der preußischen und der britischen Macht

Wie aus dem Kurfürstentum Brandenburg ein mächtiges Königreich Preußen wurde

Im 17. und 18. Jahrhundert gelang es dem Herrscherhaus der Hohenzollern, den deutschen Teilstaat Brandenburg zur europäischen Macht Preußen zu erheben. Ein erster Schritt war der Erwerb von Cleve, Mark und Ravensberg unmittelbar vor dem Dreißigjährigen Krieg durch Kurfürst Johann Sigismund. Beim Westfälischen Frieden und in den Jahrzehnten danach kamen kleinere Gebiete im Westen, vor allem aber Hinterpommern jenseits der Oder, und das Herzogtum Preußen hinzu. Dies war das Verdienst der Politik des Kurfürsten Friedrich Wilhelm, eines Enkels von Johann Sigismund. Er wird auch der „Große Kurfürst" genannt, weil er in besonderer Weise Brandenburgs Macht stärkte. Sein Sohn Friedrich erhob sich selbst 1701 in Königsberg zum König in Preußen. Aber erst dessen Enkel Friedrich II., der Große, tat den entscheidenden Schritt, durch den Preußen zu einer europäischen Macht wurde. Er eroberte Schlesien, das damals zu Österreich gehörte. Im Siebenjährigen Krieg (1756–1763) gelang es ihm allerdings nur mit knapper Not, diese Eroberung und die neugewonnene Machtstellung Preußens gegen eine Koalition von Österreich, Rußland, Frankreich, Schweden und der Mehrzahl der Reichsfürsten zu behaupten. Seit 1757 wurde er dabei von Großbritannien mit Geldzahlungen unterstützt. Am Niederrhein verhinderte Friedrich der Große auch, daß ein neues Großterritorium aus Jülich, Berg und dem heutigen Belgien entstand. Der damalige Herr von Jülich und Berg wollte von Österreich das heutige Belgien erwerben, indem er es gegen Bayern eintauschte, das ihm 1777 zugefallen war.

44.1 Friedrich der Große, preußischer König (1740–1786), Gemälde von Anton Graff

1. Wohin dehnte sich Brandenburg/Preußen im 17. und 18. Jh. aus?
2. Warum verhinderte Friedrich II. die Bildung eines großen Territoriums am Niederrhein? Betrachte die Karten 44.2, 49.1 und achte besonders auf Österreich.

44.2 Entwicklung Brandenburg-Preußens im 17. und 18. Jahrhundert

Wie Großbritannien zur führenden Welthandelsmacht wurde

England, das im 16. Jahrhundert seine Seemacht im Kampf gegen Spanien aufgebaut und behauptet hatte, konnte im 17. Jahrhundert Holland als ernsthaften Rivalen auf den Weltmeeren ausschalten. Im 18. Jahrhundert schwang sich Großbritannien gegen Frankreich zur führenden Welthandelsmacht auf. Weil England und Schottland 1707 zu einem Staat vereinigt worden waren, müssen wir im 18. Jahrhundert von Großbritannien und nicht mehr von England reden.

Der Krieg Großbritanniens mit Frankreich begann wegen Feindseligkeiten zwischen britischen und französischen Kolonisten 1754/55 im Ohiobecken in Nordamerika. Zunächst brach ein Seekrieg zwischen beiden Mächten aus. Der britische König, der zugleich als Kurfürst von Hannover deutscher Reichsfürst war, fürchtete nun, Frankreich könne auf dem Kontinent zum Schlag gegen sein deutsches Territorium Hannover ausholen. Deshalb suchte er Bundesgenossen und fand einen solchen in Friedrich dem Großen. Dieser seinerseits suchte Unterstützung gegen Österreich, das bemüht war, eine Koalition mit Frankreich gegen Preußen zustande zu bringen, um Schlesien wiederzugewinnen. So wurde der Siebenjährige Krieg, der 1756 in Europa ausbrach, zugleich ein weltweiter Krieg zwischen Frankreich und Großbritannien. Er wurde auf allen Weltmeeren und überall dort geführt, wo beide Mächte Besitzungen hatten. 1763 hatte Großbritannien seine wesentlichen Ziele erreicht: Ausbau seiner Position in Nordamerika, Bodengewinne in der Karibik (Inselwelt vor Mittelamerika), Erhaltung wichtiger Stützpunkte an der Westküste Afrikas und Ausweitung seiner Stellung in Indien.

3. Wie kam es 1756 dazu, daß sich der kontinentale Krieg zu einem weltweiten ausdehnte?
4. Was erreichte Großbritannien 1763? Zeige es an der Karte.
5. Worin beruhte die Macht Großbritanniens?

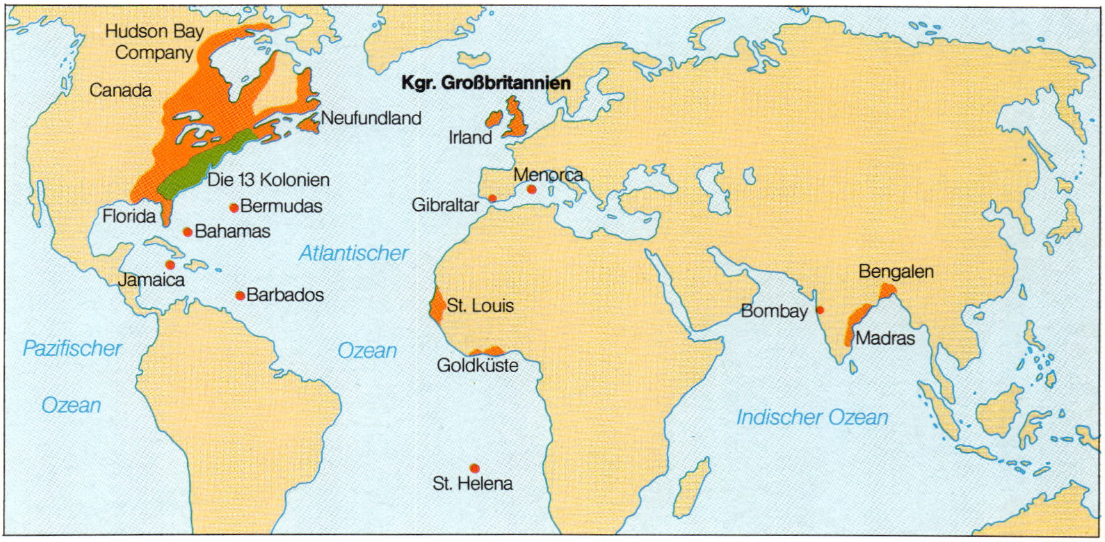

45.1 Britisches Empire 1763

Aufstieg und Untergang des Königreichs Polen

Warum das Königreich Polen im 18. Jh. aufgeteilt werden konnte

Um 900, also zur gleichen Zeit, als das deutsche Reich entstand, gelang es dem Adelsgeschlecht der Piasten, die slawischen Stämme zwischen Weichsel und Oder zu einem polnischen Reich zusammenzufassen. Am Ende des 14. Jahrhunderts, im Jahre 1386, entstand durch Vertrag und Heirat zwischen den Herrscherhäusern der Polen und Litauer ein polnisch-litauisches Großreich. Die einzelnen Reiche blieben dabei zwar selbständig, aber sie hatten einen gemeinsamen Herrscher. Sogleich danach erfolgte der Angriff auf den Besitz des Deutschen Ordens. Dieser Orden war als Ritterorden während der Kreuzzüge in Palästina entstanden und hatte sich dann im Land der damaligen Pruzzen, im heutigen West- und Ostpreußen, sowie in Kurland und Livland einen selbständigen Herrschaftsbereich geschaffen. Das polnische Reich gewann zwischen 1410 und 1561 die Oberhoheit über das Ordensgebiet. Seitdem mußte sich Polen-Litauen im Norden mit Schweden auseinandersetzen. Im Osten kam es zu ständigen Kämpfen mit dem nach Westen drängenden Rußland. Im Süden drohten die Türken. Diese hatten seit dem 14. Jahrhundert allmählich den ganzen Balkan unterworfen. 1529 und erneut 1683 konnten sie sogar bis Wien vordringen, wurden dann aber Schritt für Schritt wieder zurückgedrängt. Das Oberkommando über die österreichischen, bayrischen, sächsischen, polnischen und Reichstruppen, die 1683 vor Wien die Türken zurückschlugen, hatte der damalige polnische König Johann III. Sobieski.

Im 18. Jahrhundert aber sank die Macht des polnisch-litauischen Reiches wegen der Uneinigkeit des Adels, der allein im polnischen Reichstag saß, schnell dahin. Seit 1505 hatte diese Adelsversammlung allein das Gesetzgebungsrecht und wählte den König, bei dem nur die ausführende Gewalt und die Leitung des Heeres lagen. Darum bezeichnete man Polen als eine Adelsrepublik mit gewähltem

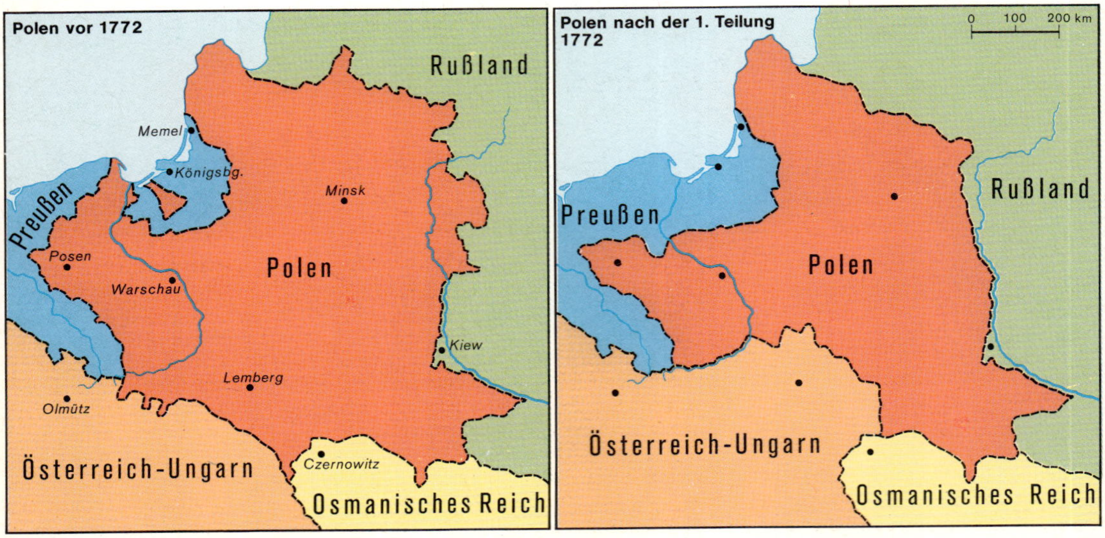

46.1 *Polens Aufteilung im 18. Jh., 1772*

und gekröntem Oberhaupt. Die Macht des Adels wurde so groß, daß er 1573 sogar das Recht erhielt, sich königlichen Anordnungen widersetzen zu dürfen. Die Rechte des Adels waren schließlich so umfangreich, daß er sich in Adelsbünden zusammenschließen und sogar gegen den Reichstag seine Ziele durchsetzen konnte. Daher setzte sich von 1652 an die Regel durch, daß Reichstagsbeschlüsse einstimmig gefaßt werden mußten. Wenn ein Mitglied sein Veto (= ich verbiete) gegen einen Beschluß einlegte, war dieser damit gefallen. Das behinderte natürlich die polnische Gesetzgebung außerordentlich.

Schließlich wurde Polen zum Spielball des Adels, der sich allein als die polnische Nation verstand. Nur die Adligen waren freie und gleiche Staatsbürger, die große Zahl der anderen Polen aber nicht. Polen wurde ein ständiger Unruheherd in Europa und zugleich ein machtloser Staat. Es bildete darum eine ständige Herausforderung für die Nachbarstaaten, ihren Einflußbereich dorthin auszudehnen und sich polnische Gebiete einzuverleiben.

Die aufstrebenden Staaten Preußen, Österreich und Rußland waren mächtige europäische Staaten geworden. Sie teilten Polen zuerst 1772, dann 1793 und endgültig 1795 untereinander auf, wobei der Anstoß stets von Rußland ausging. Die Wiederherstellung eines selbständigen polnischen Staates gelang erst nach dem 1. Weltkrieg (1914–1918).

1. Zeige auf der Karte das Ursprungsgebiet des polnischen Reiches.
2. Erkläre mit Hilfe der Karten, warum insbesondere Preußen und Rußland an einer Auflösung Polens interessiert waren.
3. Wie erklärst du die zunehmende Schwäche des polnischen Königreichs?
4. Wie würden wir heute derartige Aufteilungen beurteilen? Bedenke die Folgen und begründe deine Auffassung.

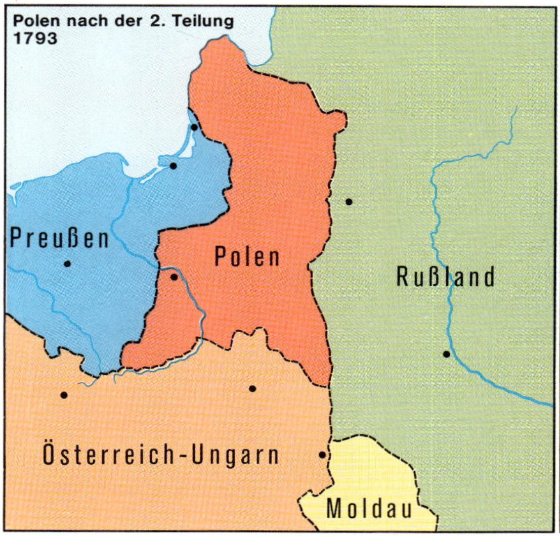

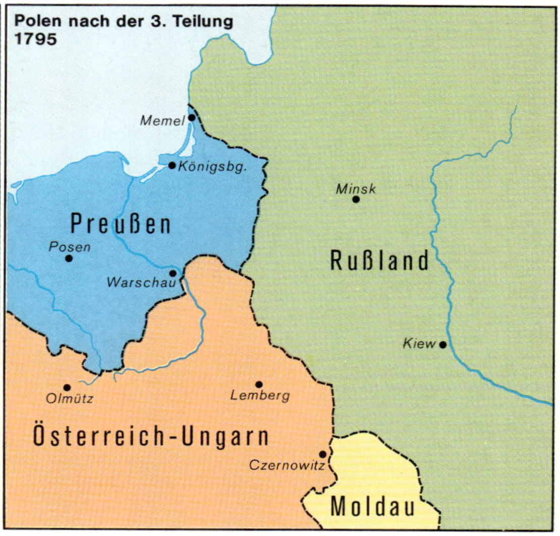

47.1 Polens Aufteilung im 18. Jh., 1793 und 1795

Der Absolutismus

Ein deutscher Territorialstaat am Niederrhein

Wie sich ein niederrheinischer Territorialstaat entwickelte

Im Jahre 1609 starb das Geschlecht der Herren von Jülich-Berg-Kleve-Mark in männlicher Linie aus. Johann Sigismund von Brandenburg aus dem Haus Hohenzollern und Wolfgang Wilhelm von Pfalz-Neuburg aus dem Haus Wittelsbach meldeten ihr Erbrecht nicht nur an, sondern rückten gleich ein. Sie bemächtigten sich dieser Gebiete und übernahmen die Regierung. Sie kümmerten sich nicht um die Ansprüche und Proteste anderer Fürsten, nicht einmal um den Einspruch des deutschen Kaisers. Beide waren damals noch Lutheraner, gewährten aber allen Freiheit der Religion und der Ausübung des Gottesdienstes.

Es kam jedoch zu Spannungen zwischen beiden Fürsten, weil beide das gesamte Erbe beanspruchten. 1613 trat Wolfgang Wilhelm zum Katholizismus über. Dies sollte ihm die Unterstützung der katholischen Fürsten und der Spanier sichern. Johann Sigismund reagierte darauf, indem er 1614 einen lange gehegten Plan verwirklichte. Er sagte dem Luthertum ab und wurde zusammen mit seinem Sohn Calvinist. So stärkte er seine Beziehungen zu den damals sehr mächtigen nördlichen Niederlanden. Diese hatten sich ihre Freiheit von Spanien erstritten und sie in ständigem Kampf nun schon seit 35 Jahren behauptet. Fast wäre es jetzt schon zum großen Krieg gekommen, der dann 4 Jahre später ausbrach. Aber die Spannungen zwischen Wolfgang Wilhelm und Johann Sigismund konnten doch noch durch einen Vertrag beseitigt werden. Im Vergleich zu Xanten von 1614 einigte man sich darauf, daß Jülich, Berg und Ravenstein von Neuburg, Kleve, Mark und Ravensberg von Brandenburg verwaltet wurden. Den Anspruch auf das gesamte Erbe gaben beide Fürsten aber noch nicht auf. Die damalige Teilung wurde schließlich endgültig.

Durch einen Vertrag wurde auch festgelegt, daß Brandenburg im gesamten Gebiet den Schutz der Protestanten, also der Lutheraner und Calvinisten, Pfalz-Neuburg denjenigen der Katholiken übernahm. Darüber heißt es im Religionsvergleich zu Cölln an der Spree (heute ein Teil Berlins) von 1672 in Artikel 11, § 1 sinngemäß:

Wenn einer der beiden Herrscher die nicht seiner Konfession angehörenden Gemeinden bedrückt, soll zunächst versucht werden, die Angelegenheit durch Verhandlungen zu regeln. Falls dies nicht gelingt, hat der andere das Recht, genauso zu verfahren, d. h. in seinem Gebiet entsprechende Maßnahmen gegen die Konfessionsangehörigen des ersteren zu ergreifen, bis der Mißstand abgestellt worden ist.

1. Wie einigen sich die Fürsten in der Besitz- und Religionsfrage?
2. Beschreibe, wie sich das neuburgische Herrschaftsgebiet im Laufe des 17. und 18. Jh. verändert. Ermittle die Antwort aus der Karte.
3. Warum war der Religionsvergleich damals für die Menschen so wichtig? Vergleiche demgegenüber Grundgesetz, Artikel 4, Abs. 1,2.

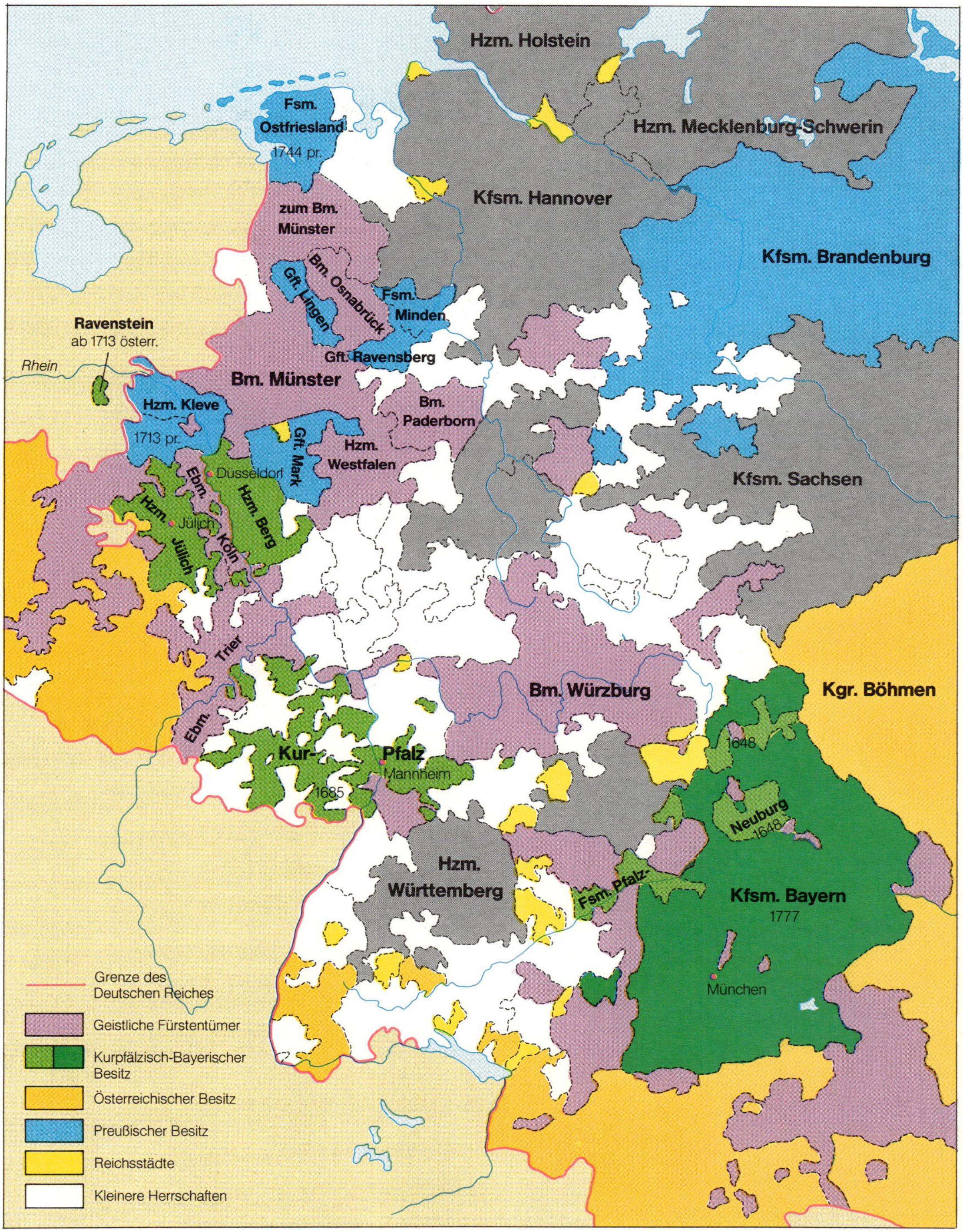

49.1 *Die niederrheinischen Territorien in der Auseinandersetzung zwischen Wittelsbachern und Hohenzollern und die Entwicklung der Wittelsbacher Lande*

Wie die Territorialstaaten regiert wurden

Seit dem 13. Jahrhundert bildete sich neben der fürstlichen Landesherrschaft eine Mitbestimmung des Adels und der Städte, Landstände genannt, als eine Art Gegengewicht gegen den Landesherrn heraus. So geschah es auch in den vier Ländern Jülich, Berg, Kleve und Mark am Niederrhein. Die Fürsten hatten für diese Länder eine allen gemeinsame fürstliche Verwaltung geschaffen. In jedem Teilgebiet aber, in Jülich, in Berg, in Kleve und in Mark, gab es auch eigene Stände und Ständeversammlungen mit eigenen ständischen Rechten.

Die Bergischen Landstände setzten sich – ebenso wie die Jülichschen – aus zwei Gruppen, Kurien genannt, zusammen. Die eine dieser Kurien umfaßte die Vertreter des Adels, die andere diejenigen der Städte. Im 17. Jahrhundert gab es in Berg rund 150 Adelige, die berechtigt waren, im Landtag mitzubestimmen. Meist nahmen aber nur 10 bis 15 von ihnen an den Sitzungen teil. Die Bergischen Städte wurden zu jener Zeit durch je zwei Abgesandte aus Lennep, Wipperfürth, Ratingen und Düsseldorf, den sogenannten Hauptstädten, vertreten.

Auf diesen Landtagen berieten die Landstände zunächst nach Kurien getrennt und dann gemeinsam Vorschläge des Fürsten. Es galt nicht etwa das Mehrheitsprinzip, sondern jede Kurie erarbeitete zunächst ihre eigene Stellungnahme und dann zusammen mit der anderen Kurie die gemeinsame. Schließlich wurde darüber mit den Räten des Fürsten (seinen Beamten) so lange verhandelt, bis eine Einigung zustande gekommen war.

Die Stände hatten vor allem das Recht, die Steuern zu bewilligen. Dagegen konnten sie auf die Landesverteidigung und bei der Gesetzgebung nur geringfügig Einfluß nehmen. Insbesondere sammelten sie die Beschwerden der Einwohner über die fürstliche Landesverwaltung und brachten diese auf den Landtagen vor, damit sie vom Landesherrn abgestellt würden. Wenn dies nicht geschah, dann konnten die Stände beim kaiserlichen Gericht in Wien gegen ihren Landesherren klagen. Dies galt auch, wenn keine Einigung über die Erhebung von Steuern zustande kam und der Fürst trotzdem versuchte, Gelder zu erheben. Gerade im 17. Jahrhundert ist dies in Jülich und Berg häufiger geschehen.

50.1 *Carl Theodor (1742–1799) Herzog von Jülich und Berg*

Während des Dreißigjährigen Krieges waren die Auseinandersetzungen zwischen dem Fürsten Wolfgang Wilhelm und den Ständen von Jülich und Berg besonders heftig. Die Stände gingen damals sogar dazu über, Steuererhebung, Landesverwaltung und die Verhandlungen mit anderen Mächten vielfach in die eigenen Hände zu nehmen. Nach dem Dreißigjährigen Krieg konnten jedoch die Fürsten allgemein ihre eigene Macht wieder stärken und ausbauen, so auch der neuburgische Herr von Jülich und Berg. 1672 kam es zu einer Art Landesverfassung, in der die Rechte des Fürsten und die der Stände festgelegt wurden. Darin wurde u. a. bestimmt:

§ 7 – Alle Privat-Zusammenkünfte der Landstände (in böslicher Absicht) bleiben streng verboten und nur bei Nothfällen werden sie, unter dem Beding der rechtlichen Absicht und der unverzüglichen Anzeige, gestattet.

51.1 Schloß Benrath bei Düsseldorf, erbaut unter Carl Theodor, 1756–1769

§ 9 – Bei Beschließung eines Krieges oder bei Eingang von Friedens- und Allianz-Verträgen [Bündnisse] soll den Ständen kein (auch nicht begehrtes) Entscheidungsrecht zustehen, jedoch sollten dieselbe in ihrem Rath vernommen werden. Die Beschaffung der Kriegs- und Verteidigungsmittel soll mit Zuziehung der Stände beschlossen werden ... Endlich sollen diese und alle Geldbedürfnisse auf offenen Landtagen durch die Stände bewilligt werden, und die verweigerte Bewilligung bei neuen Forderungen zu des Fürsten oder zu dessen Kammer Behuf, den Ständen keineswegs zum Schaden angerechnet werden.
§ 16 – Ohne Vorwissen der Landstände sollen die alten Zölle nicht erhöhet und weder neue Zölle noch Accisen [...] eingeführt werden.

Accisen: indirekte Verbrauchssteuern

1675 wurde hierzu ergänzend festgehalten:

Zum § 7: Bösliche Absicht bei privat Zusammenkünften der Landstände soll nicht ferner vorausgesetzt werden ...
Zum § 9: Steuern sollen nur nach Maßgabe des wirklichen Bedarfs gefordert werden ...

(J. J. Scotti, Sammlung ... Jülich, Cleve und Berg, 1. Theil, Düsseldorf 1821, S. 162 f.)

Bei diesen Regelungen, die in ähnlicher Form auch in den anderen deutschen Territorialstaaten vorhanden waren, blieb es bis 1806, dem Ende des „Heiligen Römischen Reiches Deutscher Nation". So wurde das deutsche Reich seit dem 15. Jahrhundert genannt.

1. Welche Rechte hatten die Stände, welche der Fürst?
2. Welche Unterschiede zwischen damaligen Landtagen und den heutigen Parlamenten (z. B. Landtag von Nordrhein-Westfalen, Deutscher Bundestag usw.) kannst du nennen?
3. Zu welchem Zweck erhoben die Fürsten Steuern?

Frankreich zur Zeit des Absolutismus

Wie man am Hof von Versailles lebte

Ludwig XIV. wollte Frankreich nicht nur außenpolitisch zur Vormacht in Europa machen (vgl. S. 42), sondern auch durch den Glanz seines Hofes diesen Rang bestätigen, wie ein Zeitgenosse erläutert:

Vornehme Abkunft und Tüchtigkeit verschaffen einem Fürsten noch nicht Hoheit und Größe in den Augen der anderen. Er muß auch größere Taten vollbringen können als sie. Daher verleiht die Großartigkeit und die Prachtentfaltung einem fürstlichen Hof den größten Anschein und Schmuck der Herrlichkeit. Dies ist das einzige Mittel, das einen Fürsten im Ausland berühmt macht. Dazu verschafft es ihm größeren Gehorsam und tiefere Achtung bei seinen Untertanen.

(J. Kruedener, Rolle des Hofes im Absolutismus, Stuttgart 1973, S. 81)

52.1 *Ludwig XIV. (1638–1715),Gemälde von Rigaud*

Deshalb ließ Ludwig XIV. das berühmte Schloß von Versailles erbauen. Fast eine Tagesreise von Paris entfernt ließ er in einem Sumpf, in dem „Nattern, Kröten und Frösche hausten", ein kleines Jagdschloß seines Vaters zu einer prachtvollen Residenz erweitern. Die Arbeiten dauerten von 1661 bis 1689. In dieser Zeit errichteten bis zu 36000 Arbeiter unter größten Mühen nach den Plänen von berühmten Architekten die Schloßanlage. 6000 Pferde schleppten die Baumaterialien herbei. Im Schloßpark wurden Kanäle, Teiche, Wasserfälle und 1400 Springbrunnen angelegt, die aus riesigen Wasserbehältern versorgt wurden.

Als der König mit seinem Hof 1682 von Paris nach Versailles übersiedelte, besaß er das größte und prächtigste Schloß Europas. Die Garten-

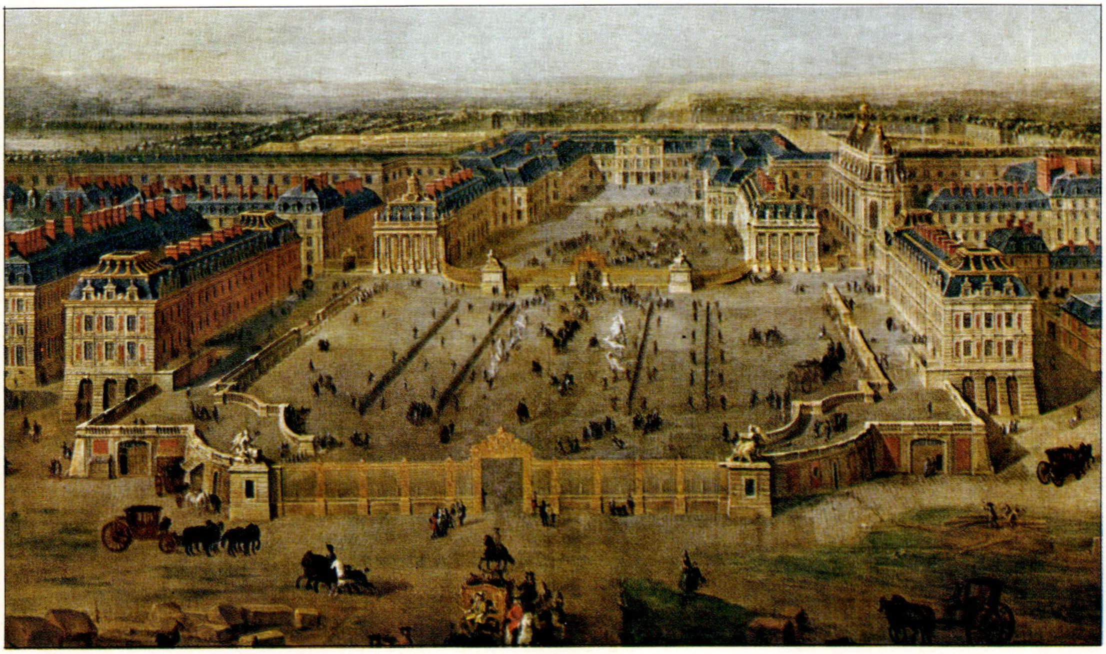

52.2 *Versailles – das größte Schloß Europas*

seite des Schlosses ist 580 m lang und hat 375 Fenster. Es gibt fast 2000 Räume. Die Baukosten verschlangen so viel Geld, wie der französische Staat in 3 Jahren an Steuern einnahm.

Der Hofstaat umfaßte 20000 Menschen. Darunter eine Leibwache von mehreren tausend Mann sowie

338 Köche
125 Sänger
80 Pagen
74 Kapläne
68 Quartiermeister
62 Herolde
48 Ärzte
40 Kammerherrn
12 Mantelträger
8 Rasierer
3 Bindenknüpfer

Der König lebte mit den hohen Adligen und ihren Familien ständig in Versailles. Dort lebte auch der Bruder des Königs mit seiner Frau Lieselotte von der Pfalz. Diese berichtete in vielen Briefen an ihre Familie vom Leben am Hof des Königs in Versailles:

Wenn ich Euer Liebden aber jetzt verzählen sollte, mit was vor magnificence alle diese kammern gemöbliert sein und welch eine menge von silbergeschirr drinnen ist, würde ich nimmer aufhören. ... alle tag setzt man sich höher auf [höhere Perücken]; ich glaube, daß man ... wird gezwungen sein, die türen höher zu machen, denn sonsten wird man nicht mehr in dem kammern aus- und eingehen können. ... Ich glaube ..., daß mein sohn, mit dem dollen leben, ..., ganze nächte zu rasen und erst um acht morgens schlafen zu gehen, nicht lang wird leben können.

(Lieselotte v. d. Pfalz, Briefe, Ebenhausen 1958, S. 60, 90, 154)

1. Warum ließ Ludwig XIV. unter so großen Mühen und Kosten bei Versailles das größte Schloß Europas bauen?
2. Welche Absicht verfolgte der König mit seiner Hofhaltung?
3. Die Fürsten jener Zeit wollten nicht nur die Menschen, sondern auch die Natur beherrschen. Woran wird das deutlich?
4. Auf welche Weise versuchten die Vornehmen damals Macht und Ansehen zum Ausdruck zu bringen? Wie versuchen Menschen heute Eindruck zu machen?

53.1 *Teil des Schloßparks von Versailles*

Welche Aufgaben die Adligen am Hof von Versailles hatten

Die Adligen strömten von ihren Schlössern und Gütern auf dem Lande nach Versailles. Nur am prachtvollen Hof des Königs konnten sie Titel und Ämter erwerben, die ihr Ansehen erhöhten. Titel und Ämter kennzeichneten die Stellung, die jemand in der Gunst des Königs errungen hatte. Sie mußten dafür dem König ständig zur Hand gehen und nach einem bis ins kleinste geregelten Zeremoniell dienen. So wurden aus selbständigen Herren Höflinge, die schon am Morgen zur Ehre und zur Verherrlichung des Königs beitrugen:

Viele Adlige bekleideten eines der zahlreichen Hofämter, zum Beispiel:

Minister
Staatssekretär
Kanzler
Generalkontrolleur der Finanzen
Gesandter
Marschall
Admiral
Großkämmerer
Großstallmeister
Großvogt
Großjägermeister
Großfalkner
Intendant der Bäckereien
und viele andere

Die meisten dieser Ämter hatten je vier Inhaber, die sich vierteljährlich im Dienst abwechselten. Der Verkauf solcher Ämter stellte für den König eine wichtige Einnahmequelle dar.

Des Morgens weckte ihn der erste Kammerdiener . . . und der Reihe nach treten . . . Gruppen von Leuten ein, um ihre Aufwartung zu machen . . . Zuerst kommt die „vertrauliche Gruppe“ . . . bestehend aus den königlichen Kindern, den Prinzen und Prinzessinnen von Geblüt, dem ersten Arzt . . . Dann folgt die „große Gruppe“, dabei befinden sich der Großkämmerer, der Großmeister und der Meister der Garderobe, die ersten Kammer-Edelleute . . . sowie Barbiere, Schneider und verschiedene Diener . . . Dann erhebt er sich vor der ganzen Gesellschaft aus dem Bette, zieht sich die Pantoffeln und den ihm vom Großkämmerer und vom ersten Kammer-Edelmann gereichten Schlafrock an . . . Im Momente, da man den König anzukleiden beginnt, nähert sich diesem . . . der erste Kammer-Edelmann und nennt ihm die Namen der vor der Tür wartenden Edeln. Diese treten als . . . Gruppe ein . . . Sie umfaßt außer den Mantel- und Büchsenträgern . . . den Groß-Almosenier [kirchlicher Almosenpfleger], die außerordentlichen Almoseniers . . . den Oberjägermeister, den Oberwolfsjäger, den Großmeister und den Meister der Zeremonien . . . den Oberbrotmeister . . . Der König wäscht sich die Hände und entkleidet sich allmählich. Zwei Pagen ziehen ihm die Pantoffeln aus; das Hemd wird beim rechten Ärmel vom Großmeister der Garderobe, beim linken vom ersten Diener der Garderobe entfernt und einem anderen Garderobe-Beamten übergeben . . . Andere [Diener] bringen die Kleider herbei; der Großmeister der Garderobe reicht dem König die Weste und den Rock, zieht ihm das blaue Band an und schnallt ihm den Degen um. Der dem Krawatten-Departement zugewiesene Diener bringt einige Halsbinden in einem Körbchen . . . Der Vorstand der Taschentücher-Abteilung präsentiert drei seiner „Untergebenen“ auf einem Teller, der vom Großmeister der Garderobe dem König zur Auswahl vorgelegt wird. Schließlich gibt der Garderobenmeister diesem seinen Hut, seinen Stock und seine Handschuhe.

(W. Kleinknecht/H. Krieger, Handbuch des Geschichtsunterrichts, Bd. 3, S. 127 f.)

Die Adligen erhöhten sicherlich den Glanz des Hofes. Aber dies hatte für sie auch seine Schattenseiten, wie ein Zeitgenosse, der Herzog von Saint-Simon, zu bedenken gibt:

Alle Welt wurde allmählich dazu gebracht, in den Dienst des Königs zu treten und dadurch zur Vergrößerung des Hofes beizutragen. Dies war einer der Wege, den Adel um seine Bedeutung zu bringen . . .

(Nach: H. de Buhr, Entstehung des modernen Staates, Frankfurt/M. 1974, S. 8)

1. Warum drängten sich die Adligen so danach, am Hofe von Versailles zu leben und Hofämter zu übernehmen?
2. Der Herzog von Saint-Simon meint, daß die Adligen durch den Hofdienst an Bedeutung verloren hätten. Versuche das zu begründen.

Der König veranstaltete ständig prächtige Feste, die alles bisher Dagewesene übertrafen und ihn damals in ganz Europa berühmt machten. Über ein solches Fest berichtet der Marquis de Saint-Maurice:

Niemals gab es . . . so schönes Feuerwerk. Es kostete dies den König mehr als 500 000 Livres . . . Die Damen und Herren von Stande haben von sich aus übermäßige Ausgaben gemacht; es gab einzelne, die für 15 000 Livres französische Spitzen trugen; ein einziger Händler hat solche für 80 000 Livres verkauft. Für mich, meine Frau und meine Tochter hat es beinahe 4000 Pfund [1 Pfund = 1 Livre] gekostet, und nach meiner Ansicht habe ich nie eine Ausgabe gemacht, die unangebrachter gewesen wäre . . .

(G. Ziegler, Hrsg., Der Hof Ludwig XIV., Düsseldorf 1964, S. 58 f.)

Der Herzog von Saint-Simon hatte darüber wiederum sein eigenes Urteil:

In allem liebte er Glanz, Verschwendung, Fülle. Es war wohlberechnet, daß er die Sucht, ihm hierin nachzueifern, in jeder Weise begünstigte. Er impfte sie seinem ganzen Hofe ein. Wer alles draufgehen ließ für Küche, Kleidung, Wagen, Haushalt und Spiel, der gewann sein Wohlwollen . . . Indem er so den Luxus gewissermaßen zur Ehrensache und für manche zur Notwendigkeit machte, richtete er nacheinander alle zugrunde, bis sie schließlich einzig und allein von seiner Gnade abhingen . . .

(Nach: Geschichte in Quellen, Renaissance, S. 432)

3. Welche Auswirkungen hatten die Hoffeste auf das Leben des Adels?

55.1 *Ein königliches Festessen 1689*

55.2 *Hoffest*

Wie Ludwig XIV. sein Reich regierte

Früher waren die Regierungsämter mit hohen Adligen besetzt gewesen, die ihre Aufgaben in eigener Verantwortung und nicht immer in Übereinstimmung mit den Wünschen des Königs wahrgenommen hatten. Die Adligen glaubten, ein Recht auf diese Ämter zu haben. Trotzdem entschied Ludwig XIV., sich beim Regieren von Bürgern beraten zu lassen. Warum er das tat, begründete er selbst so:

Was die Personen betrifft, die mir bei meiner Arbeit behilflich sein sollten, so habe ich mich vor allem entschlossen, keinen Premierminister mehr in meinen Dienst zu nehmen ... Ich wollte die oberste Leitung ganz allein in meiner Hand zusammenfassen. Andererseits gibt es aber in allen Angelegenheiten bestimmte Details, um die wir uns nicht kümmern können, da unsere Überlastung und auch unsere hohe Stellung uns das nicht gestatten. Ich faßte daher den Vorsatz, nach Auswahl meiner Minister mit jedem ... dann und wann einmal ins einzelne zu gehen ... Ich hätte zweifellos meine Blicke auf Leute weit höhren Ansehens richten können, aber auf keine, die fähiger gewesen wären ... so fand ich es gar nicht in meinem Interesse, Untergebene von höherem Stande in meinem Dienst zu haben. Ich mußte vor allen Dingen mein eigenes Ansehen fest begründen und der Öffentlichkeit schon durch den Rang, dem ich sie entnahm, zeigen, daß ich nicht die Absicht hatte, meine Autorität mit ihnen zu teilen. Es kam mir darauf an, daß sie selber sich keine größeren Hoffnungen machten als die, die ich ihnen zu erwecken für gut fand; das ist aber bei Leuten von sehr vornehmer Abkunft schwierig ...
Ich bin über alles unterrichtet, ... weiß jederzeit über Stärke und Ausbildungsstand meiner Truppen ... Bescheid, gebe unverzüglich meine Befehle ... verhandle unmittelbar mit den fremden Gesandten, empfange und lese die Depeschen und entwerfe teilweise selber die Antworten ... Ich regle Einnahmen und Ausgaben des Staates und lasse mir von denen, die ich mit wichtigen Ämtern betraue, persönlich Rechnung legen ...

(H. de Buhr, S. 14 f.)

Über die zunehmende Bedeutung des Bürgertums berichtet ein Zeitgenosse:

Während es die Adligen versäumen, sich mit den Interessen des Staates vertraut zu machen, während sie nichts vom Wirtschaften und Sorgen eines Familienvaters wissen und sich ihrer Unkenntnis sogar rühmen; während sie sich von ihren Verwaltern ausbeuten und beherrschen lassen; während sie sich damit begnügen, Feinschmecker und Weinkenner zu sein ... unterrichten sich Bürger über die inneren und äußeren Angelegenheiten eines Reiches, machen sich mit der Regierungskunst vertraut, gewinnen Einsicht und politischen Sinn, lernen die Stärke und die Schwäche eines Staates kennen und trachten danach, ihre Stellung zu verbessern, steigen immer weiter empor ... Die Adligen, die vordem auf sie herabsahen, erweisen ihnen Achtung und sind glücklich, wenn sie ihre Schwiegersöhne werden.

(J. de la Bruyere, nach: Polit. Weltkunde I 3, Stuttgart 1972, S. 53)

Der König versuchte, die territoriale Selbstverwaltung aufzuheben, die ähnlich wie in Deutschland auch in Frankreich bestanden hatte. Wie sehr der Adel dadurch an Bedeutung verlor, zeigt ein Brief des Ministers Colbert an den Intendanten (oberster Provinzbeamter) der Provence:

Ich habe dem König über das fortgesetzt schlechte Betragen der Ständeversammlung der Provence berichtet, und da Seine Majestät nicht länger geneigt ist, dies zu dulden, hat er die nötigen Befehle gegeben, sie nach Hause zu schicken und zugleich zehn Lettres de cachet [Haftbefehle] zu erlassen, um die zehn am übelsten Gesinnten unter den Deputierten [Ständevertreter] zu verschicken.

(H. de Buhr, S. 7)

Die Selbstverwaltung in den Territorien sollte durch eine neue Art der Verwaltung ersetzt werden. Ludwig XIV. ernannte Intendanten, die nur ihm verantwortlich waren. Diese hatten in ihren Provinzen über den Eingang der Steuern und Zölle, aber auch über den Gang der Rechtsprechung zu wachen. Es oblag ihnen auch, über den Zustand der Landstraßen und der Stadtmauern zu wachen und für die Aushebung der Rekruten zu sorgen. Regelmäßig erstatteten sie dem König Bericht über das, was in ihren Amtsbezirken vorfiel. Die Intendanten wurden ermächtigt, Beamte einzusetzen, die ihnen helfen sollten. Die Amtsführung der Intendanten und der Beamten war in ganz Frankreich ähnlich: Frankreich sollte auf diese Weise einheitlich regiert werden. Überall und vollständig konnte diese Neuordnung allerdings nicht durchgesetzt werden.

1. Warum beruft der König Bürger in Regierungsämter? Warum verdrängt er den Adel daraus? Begründe deine Antwort mit Hilfe der beiden ersten Quellen.
2. Wie wurde Frankreich vor Ludwig XIV. regiert?
3. Ludwig XIV. versuchte, den überkommenen Zustand zu verändern. Worin unterscheiden sich der überkommene und der angestrebte Zustand?

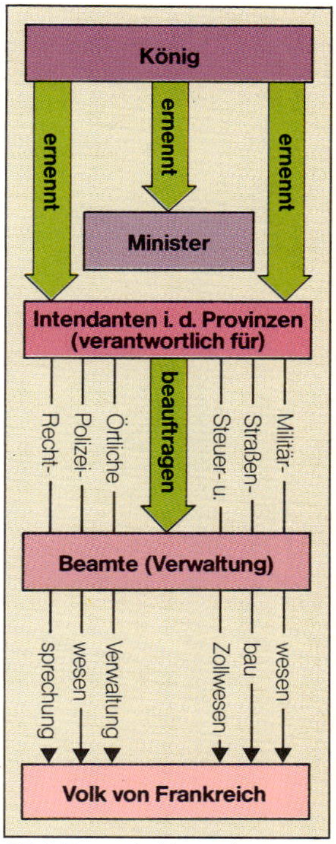

***57.1** Zentrale Verwaltung unter Ludwig XIV.*

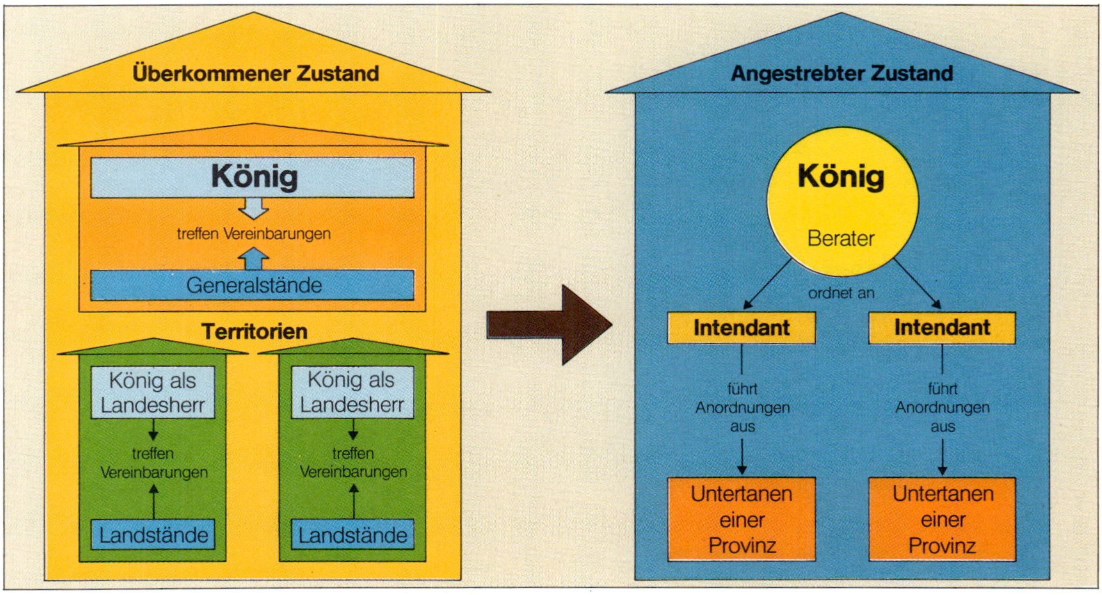

***57.2** Überkommene staatliche Organisation Frankreichs und Ziele des Absolutismus*

Was eine unumschränkte Herrschaft auszeichnet

Die Staatsverfassung, die der König anstrebte, hatte schon im 16. Jahrhundert Jean Bodin so beschrieben:

Souveränität ist die absolute und dauernde Macht eines Staates ... und bedeutet soviel wie „höchste Befehlsgewalt" ... [Es] gehört ... notwendig zum Begriff der Souveränität, daß ihre Inhaber auf keine Weise den Befehlen eines anderen unterworfen sind, daß sie den Untertanen Gesetze geben ... [und] ... Gesetze aufheben ... können: Das kann keiner, der selber den Gesetzen oder anderen, die Befehlsgewalt über ihn haben, untersteht. Dies ist gemeint, wenn das Gesetz sagt, der Fürst sei von der Gewalt der Gesetze befreit [absolutus] ...

Ein Zeitgenosse Ludwigs XIV., Jaques Bossuet, behauptete sogar:

Die königliche Gewalt ist erstens heilig, zweitens väterlich, drittens unumschränkt. Die Fürsten handeln als Diener Gottes und als dessen Stellvertreter auf Erden. Durch sie übt er seine Herrschaft aus. Die Untertanen sind dem Fürsten unbedingten Gehorsam schuldig.

(J. Bodin und J. Bossuet, in: H. de Buhr, S. 22, 24)

58.1 *Ludwig XIII. als absoluter König (Gemälde von Ph. de Champaigne)*

Ludwig XIV., der die zentrale Herrschaftsgewalt anstrebte, wird auch der Sonnenkönig genannt. Überall im Schloß von Versailles ließ er das Zeichen der Sonne anbringen. Er erklärte die Wahl einmal so:

Als Symbol wählte ich die Sonne ... Durch ihre Einzigartigkeit, durch den Glanz, der sie umgibt, durch das Licht, das sie den anderen Sternen verleiht, die sie wie eine Art Hof umgeben, durch die gleiche und gerechte Verteilung ihres Lichtes auf die verschiedenen Zonen der Welt, durch die wohltätige Wirkung, die sie überallhin ausübt – allerorts Leben, Freude, Tätigkeit hervorrufend – und durch ihren unveränderlichen Lauf, bei dem es keine Abweichung und keine Unterbrechung gibt, ist sie das lebendigste und schönste Abbild eines großen Monarchen.

(Nach: Geschichte in Quellen, Renaissance, S. 429/430, vereinfacht)

59.1 *Medaille aus dem Jahre 1664 mit dem Symbol des Sonnenkönigs*

Ludwig XIV. sah sich im Besitz sonnenhafter Allmacht. Das wird besonders daran deutlich, wie er versuchte, auf die Konfession seiner Untertanen einzuwirken. Der König strebte neben einer zentralen und einheitlichen Verwaltung auch nur eine einzige Konfession seiner Untertanen an. Er wollte das katholische Bekenntnis zur Staatsreligion machen und die katholische Kirche in Frankreich weitgehend gegenüber ihrem Oberhaupt, dem Papst in Rom, verselbständigen. Deshalb hob Ludwig XIV. das Edikt von Nantes auf, das Heinrich IV. (vgl. S. 40) erlassen hatte, um die blutigen Religionskriege zu beenden. Er widerrief damit die staatsbürgerliche Gleichberechtigung der etwa 1,5 Millionen Hugenotten, wie die französischen Calvinisten genannt wurden, und nahm ihnen das Recht, in bestimmten Regionen den reformierten Gottesdienst zu feiern. Außerdem beseitigte er die mehr als 100 befestigten Sicherheitsplätze im Land, deren Truppen unter hugenottischem Kommando standen, die damit so etwas wie ein Staat im Staate gewesen waren. Im Erlaß, mit dem der Sonnenkönig das Edikt von Nantes widerrief, ordnete er an:

Es gefällt Uns, daß alle Kirchen ... der ... reformierten Religion unverzüglich zerstört werden ... Wir befehlen ernstlich allen Predigern ... Unser Königreich zu verlassen ... Wir verbieten ganz ausdrücklich ... Unseren Untertanen von der genannten Religion ... auszuwandern oder ihre Güter und Besitzungen daraus zu entfernen ...

(Nach: Geschichte in Quellen, Renaissance, S. 455)

Trotz des Verbotes auszuwandern, verließen mehr als 200000 Hugenotten Frankreich. Sie gingen in die Niederlande, nach England und ins deutsche Reich. Ungefähr 20000 von ihnen zogen nach Preußen. Es waren meist Handwerksmeister und Unternehmer aus dem Manufakturgewerbe.

1. Worin sieht Bodin das Kennzeichen eines absoluten Fürsten? Worin Bossuet?
2. Warum hob Ludwig XIV. das Edikt von Nantes auf? Mit welchem Recht tat er das? Denke an die Texte von Bodin und Bossuet.
3. Warum ist nach der Meinung Ludwigs XIV. die Sonne „das Lebendigste und schönste Abbild eines großen Monarchen"?
4. Suche im Grundgesetz der Bundesrepublik Deutschland denjenigen Artikel, der alle Bürger der Gewalt der Gesetze unterstellt.

Wie die Untertanen des Sonnenkönigs lebten

Während am prächtigen Hof in Versailles aufwendige Feste zu Ehren des Sonnenkönigs gefeiert wurden, sah es im Land ganz anders aus. Der königliche Festungsbaumeister Vauban warnte den Monarchen:

Fast ein Zehntel der Bevölkerung [ist] an den Bettelstab gelangt . . ., von den übrigen neun Zehntel [sind] fünf . . . diesem Elendszustand um Haaresbreite nahe. Von den verbleibenden vier Zehntel sind drei von Schulden . . . bedrängt. In dem zehnten Zehntel, zu dem ich alle Angehörigen des . . . Adels . . ., die Inhaber militärischer und ziviler Ämter, die Großkaufleute, die wohlhabendsten . . . Bürger rechne, gibt es keine zehntausend . . . Familien, von denen man sagen könnte, daß es ihnen wirklich gut geht.

(Nach: Geschichte in Quellen, Renaissance, S. 460)

Vauban wies in dieser Denkschrift auch darauf hin, wer die Lasten für das Hofleben und die vielen Kriege zu tragen hatte:

Das Volk ist es, das alle Lasten trägt . . . Nun ist es aber die untere Schicht des Volkes, die durch ihre Arbeit, ihren Handel, ihre Abgaben, den König und sein ganzes Reich emporbringt. Sie stellt Soldaten . . ., Arbeiter, Weingärtner, Tagelöhner . . . Die [direkte Steuer = Taille] ist eine der Ursachen des Übels . . ., denn es besteht überhaupt kein Verhältnis mehr zwischen dem Einkommen des Steuerpflichtigen und der Steuer . . . Es ist gar nichts Ungewöhnliches, wenn man bei der Steuereintreibung nach Verkauf der Hauseinrichtung auch noch die Türen aushängt . . . und die Balken abmontiert, die man dann zu einem Fünftel oder Sechstel des Wertes verkauft . . ., um davon den Betrag der Taille abzuziehen . . . Das führt schließlich dahin . . ., daß der, der eine oder zwei Kühe . . . halten könnte, gezwungen ist, sie zu verkaufen, um nicht im nächsten Jahr allzusehr mit der Taille belastet zu werden . . . Deshalb lebt er mit seiner Familie in größter Armut und geht fast nackt umher. Er läßt aber auch das bißchen Land, das er hat, verwahrlosen . . ., denn er hat Angst, daß, wenn er es gut düngt und kultiviert . . ., man das zum Anlaß nehmen wird, seine Taille zu verdoppeln.

(Renaissance, S. 461/462)

Ständische Gliederung in Frankreich 1778

1. Stand	
Hohe Geistliche	200000
2. Stand	
Adel	18200
Frauen und Kinder	59890
3. Stand	
Anwälte, Ärzte, Beamte, Kaufleute, Handwerker, Bauern, Landarbeiter u. a.	5411000
Frauen und Kinder	16369000
Standeslose	
Bediente Männer	1026000
Frauen und Kinder	1050110

(Nach: F. Furet/D. Richet, Franz. Revolution, Frankfurt/M. 1968, S. 29)

Wie die Lasten im einzelnen auf die Stände verteilt waren, zeigt das folgende Schaubild:

***60.1** Zusammensetzung der französischen Staatseinnahmen um 1700*

61.1 *Bauer und Grundherr, Satirischer Stich*

Unter dem Adligen steht: „Der Adlige ist die Spinne, der Bauer die Fliege." Auf dem Sack: „Je mehr der Teufel hat, desto mehr will er." – Darüber: „Je mehr man hat, desto mehr will man. Dieser arme Teufel bringt alles, Getreide, Frucht, Geld, Salat. Der dicke Herr sitzt da, bereit, alles anzunehmen. Er will ihn nicht einmal eines Blickes würdigen."

Die Bauern mußten nicht nur für den König und die Staatsverwaltung Abgaben entrichten, sondern auch an ihre Gutsherren. Die Gutsherren der Auvergne forderten beispielweise alles von ihren Bauern, was sie gut dünkte. Dabei taten sie so, als wenn es sich um Leistungen handele, die die Bauern rechtens aufbringen müßten. Sie wollten dabei nur Geld und keine Naturalabgaben, und zwar einen höheren Betrag, als sie für Korn und andere Waren auf dem Markt erhalten hätten. Dies war eine zusätzliche Ausbeutung. Die Gutsherren behaupteten ferner, Anspruch auf Frondienste und Arbeitsleistungen zu haben, wie es aus dem Mittelalter überkommen war. Die Tiere wurden bei der Arbeit so rücksichtslos eingesetzt, daß die Mehrzahl der Ochsen und die anderen Zugtiere dabei an Überanstrengung zugrunde gingen. Daher blieb das Land der Bauern unbebaut liegen, so daß sie dem König die Steuern nicht bezahlen konnten.

1. Welche Schichten machten den größten Teil der französischen Bevölkerung aus?
2. Wie setzten sich die Einkünfte des Königs zusammen und wer erbrachte sie?
3. Warum lebten gerade die Bauern in Armut und Elend?
4. Welche unterschiedlichen Arten von Steuern kennst du heute? Wer bringt sie auf, an wen müssen sie gezahlt werden, wie werden sie verwandt?

Wie Colbert die Wirtschaft förderte und in den Dienst des Staates stellte

Der Bau des prächtigen Schlosses in Versailles, die Hofhaltung Ludwig XIV., die vielen Kriege und die zentrale Verwaltung des Landes verschlangen ungeheuer viel Geld. Deshalb mußten die Einnahmen des Staates vermehrt werden. Die Staatseinnahmen (vgl. S. 60) aus Steuern konnten aber nur dann vergrößert werden, wenn die Warenproduktion und der Handel aufblühten.

Colbert, der Sohn eines Tuchhändlers, der unter Ludwig XIV. Finanzminister geworden war, schrieb darüber:

Jährlich gehen aus dem Königreich [Frankreich] einheimische Erzeugnisse ... im Wert von 12 bis 18 Millionen Pfund ins Ausland und werden dort verbraucht. Das sind die Goldminen unseres Königreiches ... Je mehr wir die Handelsgewinne der Holländer [die französische Waren mit ihren Schiffen ausführen] ... und den Verbrauch der von ihnen [nach Frankreich] eingeführten Waren verringern können, desto mehr vergrößern wir die Menge des hereinströmenden Bargeldes und vermehren wir die Macht, Größe und Wohlhabenheit des Staates.

(Nach: Geschichte in Quellen, Renaissance, S. 448, vereinfacht)

Förderung des Außenhandels

1664
ca. 60 Schiffe von mehr als 300 t

1686
ca. 750 Schiffe von mehr als 300 t

1664 (–1682)
Ostindienkompagnie

1664
Westindienkompagnie

1669 (–1689)
Nordkompagnie (Skandinavienhandel)

1690 (–1705)
Afrikakompagnie

Um diese Ziele zu erreichen, schlug Colbert seinem König eine Reihe staatlicher Maßnahmen vor:

Es sollte jährlich eine bedeutende Summe für ... die Förderung des Handels ... ausgeworfen werden. Desgleichen ... Zahlung von Zuschüssen an alle, die neue Schiffe kaufen oder bauen oder große Handelsreisen unternehmen. Die Landstraßen sollten ausgebessert, die Zollstationen an den Flüssen aufgehoben ... die Flüsse schiffbar gemacht werden ... man ... unterstützte tatkräftig die Ost- und Westindische Kompagnie ...

(Renaissance, S. 448)

Zur Förderung des Handels im Lande selbst sorgte Colbert dafür, daß Maße, Gewichte und das Münzwesen vereinheitlicht wurden.

Colbert bemühte sich außerdem, ausländische Fachleute nach Frankreich zu holen. Diese sollten helfen, die Warenproduktion zu vergrößern und Waren herzustellen, die bisher im Ausland erzeugt worden waren. Diesen Fachleuten gewährte Ludwig XIV. viele Vergünstigungen:

Wir gestatten und erlauben dem genannten Van Robais, sich in der Stadt Abbeville mit 50 holländischen Arbeitern niederzulassen und dort eine Manufaktur für feine Tuche einzurichten, wie man sie in Spanien und Holland herstellt, und zu diesem Zweck 30 Webstühle aufzustellen ... Wir wollen, daß er und seine ... ausländischen Gesellschafter und Arbeiter als wahre ... Franzosen eingestuft werden ... Sie werden ... von allen übrigen Abgaben, Steuern, Soldateneinquartierungen, städtischen Diensten, Frondiensten und sonstigen öffentlichen Lasten befreit sein ... Wir gestatten [ihnen] ... sich weiterhin zur angeblich reformierten Religion zu bekennen ... [Wir] ordnen an, daß dem Unternehmer 12000 Livres bar bezahlt werden ..., und damit der Antragsteller in voller Freiheit den Gewinn seiner Arbeit genießen kann, haben wir ... verboten, [daß andere] während der Zeit von 20 Jahren diese Tuchsorten nachahmen.

(Privileg Ludwigs XIV. für den Holländer Van Robais, in: Schmid, Fragen, Bd. 3, S. 21)

Über die Erfolge der Wirtschaftspolitik Colberts, des Merkantilismus, berichtete der venezianische Gesandte Giustiniani:

Mercator:
Kaufmann
Merkantilismus:
absolutistische Handels- und Gewerbepolitik

Er unterläßt nichts, um in Frankreich die Industrien anderer Länder heimisch zu machen ... Holland hat man die Art der Tuchmacherei entlehnt wie auch den Käse, die Butter und andere Besonderheiten. Deutschland hat man die Hutmacherei und die Fabrikation des Weißblechs ... entnommen, Italien die Spitzenstickerei und die Spiegelherstellung. ... und viele Werkmeisterinnen aus Venedig sind hierher gekommen. ... Man hat von Persien die Teppicharbeit gelernt, und man stellt in Paris schon sehr schöne und elegante Stücke her. Man führt ein und verkauft die schönsten Seltenheiten Indiens ... Das Beste, was man in allen Weltteilen hat, stellt man jetzt in Frankreich her, und so groß ist die Beliebtheit dieser Erzeugnisse, daß von allen Seiten die Bestellungen einlaufen, um sich damit zu versehen.

(Geschichtl. Quellenhefte mit Überblick, H. 6/7, Frankfurt o. J., S. 45)

Staatseinnahmen

1680 ca. 61,5 Mio Livres
1715 ca. 69 Mio Livres

Staatsschulden

1680 ca. 47,5 Mio Livres
1715 ca. 3500 Mio Livres

1. Welche Grundsätze nennt Colbert für Frankreichs Außenhandel?
2. Inwiefern können Colberts Vorschläge und die Vergünstigungen, die der König gewährt, die Wohlhabenheit des Staates vergrößern?
3. Warum wird Frankreich bei der Herstellung hochwertiger Waren führend?
4. Erkläre anhand des Schaubildes den Merkantilismus.
5. Wie nahmen im Merkantilismus die Staatseinnahmen zu?
6. Erläutere, warum die Staatsschulden immer größer wurden.
7. Was würde heute geschehen, wenn Nachbarstaaten eine ähnliche Wirtschaftspolitik wie Frankreich damals betreiben würden?

63.1 *Das Wirtschaftssystem des Merkantilismus*

Wie die Waren im 17. und 18. Jahrhundert auf dem europäischen Kontinent hergestellt wurden

Um 1800 lebten in Großbritannien rund 24 % der Bevölkerung in Städten über 5000 Einwohner, in Frankreich dagegen nur 6 %. Dies hängt damit zusammen, daß im 18. Jahrhundert im Süden Schottlands und in Mittelengland bereits die Industrialisierung eingesetzt hatte, während auf dem Kontinent noch die Landwirtschaft sowie Gewerbe und Handel das Arbeitsleben beherrschten.

Kotten:
Einfaches Gebäude, das als Werkstatt und Wohnung diente.

Jeder Handwerker stellte ursprünglich eine Vielzahl von unterschiedlichen Geräten, unterschiedlichem Geschirr und unterschiedlichen Waren her. Er kaufte auch sein Rohmaterial selbst ein und verkaufte ebenfalls die Waren selbst. Er fertigte sie zudem vom ersten bis zum letzten Handgriff in der Werkstatt im Hause, in dem er mit seiner Familie lebte. Er tat alles dies allein mit der Kraft seiner Muskeln und der Geschicklichkeit seiner Hände, mit dem Werkzeug umzugehen. Für Arbeitsgänge, bei denen die menschliche Kraft nicht ausreichte, kannte und benutzte man in Europa seit dem 12. Jahrhundert das Windrad, z. B. bei Windmühlen, vor allem aber seit dem Beginn des Mittelalters das Wasserrad. Auf dieser Grundlage entwickelte sich seit dem 13./14. Jahrhundert im Bergischen Land, im Gebiet südlich von Wuppertal um Remscheid und Solingen, die schon früh berühmte Herstellung von Schwertern, Messern, Sicheln, Sensen und anderen Werkzeugen. Sehr bald bemerkte man auch, daß es praktischer und günstiger war, wenn man die Arbeit aufteilte. So wurde in einem Kotten unter schweren Wasserhämmern nur das Eisen zu Stahl veredelt, in einem anderen wurden unter leichteren Hämmern die Geräte, z. B. Sicheln und Sensen, geschmiedet, in einem dritten wurden diese nur geschliffen. Im 17. und

64.1 *Wasserhammer (Reckhammer)*

64.2 *Schleifkotten (Knieschleifen)*

18. Jahrhundert wurden diese Arbeiten oft im Auftrag eines Händlers (Verleger) durchgeführt, der die fertigen Waren in weite Teile des Landes verkaufte. Er stellte auch das Rohmaterial auf seine Kosten zur Verfügung. Er legte den Stücklohn je nach der Entwicklung der wirtschaftlichen Lage fest. Auch die Fuhrleute, die die Waren transportierten, wurden von ihm entlohnt. Die Handwerker gerieten so in Abhängigkeit von den Verlegern. Dadurch kam es gelegentlich zu Unzufriedenheit und Unruhen.

Manche Unternehmer legten auch alle einzelnen Arbeitsvorgänge in einem Gebäude zusammen. Vor allem geschah das bei der Herstellung besonders wertvoller und transportempfindlicher Güter, so bei Porzellan. Da formten die einen das Geschirr, die anderen bemalten und die dritten brannten es. Alles wurde in einem einzigen Gebäude, wie heute in einer Fabrik, gefertigt, aber alles wurde noch mit der Hand oder mit Hilfe ganz einfacher, seit Jahrhunderten bereits bekannter Geräte gemacht. Eine solche Produktionsstätte nennt man Manufaktur. Insbesondere diese Luxusgüterindustrie suchte Colbert zu fördern, um durch die Ausfuhr ihrer Waren Frankreich reicher zu machen.

1. Aus welchen Gründen förderte die Industrialisierung die Verstädterung?
2. Wie änderte sich die Lage der Handwerker durch das Verlagssystem?
3. Wie unterscheiden sich Verlagssystem und Manufaktur? Vergleiche die Bilder.
4. Nenne wesentliche Unterschiede zwischen Manufaktur und Fabrik.

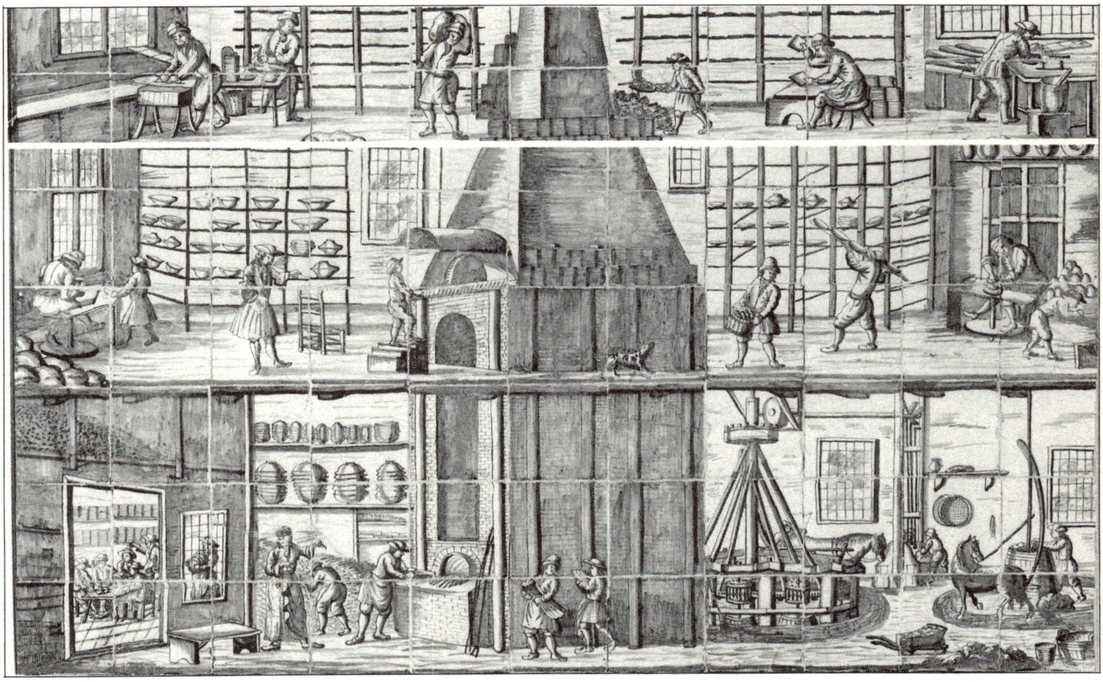

***65.1** Porzellanmanufaktur in Bolsward, Niederlande, 1737*

Wie der Absolutismus das Militär organisierte

Neben der zentralen Verwaltung mit mehreren Ministern an der Spitze wurde das „stehende Heer" als mächtige Stütze der absoluten Monarchen aufgebaut. Auch hier ging Frankreich voran, aber andere europäische Fürsten folgten sehr bald diesem Beispiel.

66.1 Soldaten aus der Zeit Friedrich des Großen. (Farbige Zeichnungen von A. Menzel)

Seit dem ausgehenden 14. Jahrhundert war an die Stelle der mit Lanze und Schwert kämpfenden Ritter allmählich der Landsknechtshaufe getreten. Dies waren Männer, die meist von Hauptleuten auf eigene Rechnung angeworben wurden. Für sie war die Aufstellung einer Truppe und deren Vermietung vor allem ein Geschäft. Sie wurden von den Fürsten immer nur dann in Dienst gestellt, wenn diese Krieg führen mußten oder wollten. Die Landsknechthaufen mußten sich selbst verpflegen. Meist raubten sie dazu das Land aus, sie „verheerten" es. War der Krieg beendet, wurden die Landsknechte wieder entlassen.

Die absoluten Fürsten entließen ihre Soldaten nicht mehr, sondern hielten sie auch in Friedenszeiten unter Waffen und im Dienst. Weil sie ständig bereit standen, wurden diese Truppen „stehende Heere" genannt. Sie wohnten über das Land verteilt in Kasernen oder in kleinen Wohnungen am Standort ihrer Abteilung. Die ersten Kasernen wurden Ende des 17. Jahrhunderts nach Entwürfen Vaubans in Frankreich gebaut. Magazine und Arsenale, d. h. große Lagerhäuser für die Verpflegung, die Waffen und die Uniformen, kamen hinzu. Denn die Soldaten wurden nun auch uniformiert. So konnte man an den Uniformen sofort erkennen, zu welchem Heer und Staat die Soldaten gehörten, zu welcher Waffengattung (Infanterie, Artillerie, Kavallerie) und sogar zu welcher besonderen Abteilung (Regiment) des betreffenden Heeres.

Es gab gewiß Leute, die freiwillig diesen Soldatenberuf ergriffen, um so ihren Lebensunterhalt zu gewinnen. Die meisten aber wurden von Werbern gewonnen, die im Auftrag von Regimentskommandeuren und Fürsten durch die Lande zogen. Mit viel List und Tücke und einem guten Handgeld brachten sie junge Männer dazu, Soldat zu werden. Manchmal wurde auch Gewalt angewandt. Im eigenen Staat konnten sie offen werben, im Ausland aber meist nur geheim. Kein Staat wollte sich nämlich von fremden Ländern die Landeskinder wegschnappen lassen, die er selbst zu Soldaten machen konnte.

Im Frieden mußten die Soldaten auf dem Exerzierplatz täglich das Marschieren und die Handhabung der Waffen üben. Ein Schweizer, der von preußischen Werbern für die Armee Friedrichs des Großen geworben worden war, erzählt über seinen Soldatendienst aus dem Jahre 1756, also unmittelbar vor Ausbruch des Siebenjährigen Krieges:

[Auf dem Exerzierplatz] war des Fluchens und Karbatschens von prügelsüchtigen Jünkerleins, und hinwieder des Lamentierens der Geprügelten kein Ende. Wir selber zwar waren immer von den ersten auf der Stelle und tummelten uns wacker. Aber es tat uns nicht minder in der Seele weh, andre um jeder Kleinigkeit willen so unbarmherzig behandelt und selber jahrein, jahraus so kujoniert zu sehn: oft ganzer fünf Stunden lang, in unsrer Montur eingeschnürt, wie geschraubt stehn, in die Kreuz und Quer pfahlgerad marschieren, und ununterbrochen blitzschnelle Handgriffe machen zu müssen, und das alles auf Geheiß eines Offi-

67.1 Spießrutenlaufen. (Kupferstich von D. Chodowiecki, 1774)

67.2 Kronprinz Friedrich (der Große) beobachtet das Exerzieren. (Farbige Zeichnung von R. Knittel, Ende des 19. Jh.)

ziers, der mit furiosem Gesicht und aufgehobenem Stock vor uns stund, und alle Augenblicke wie unter Kabisköpfe [Kohlköpfe] dreinzuhauen drohte. Bei einem solchen Traktement mußte auch der starknervigste Kerl halb lahm und der geduldigste rasend werden. Kamen wir dann todmüde ins Quartier, so ging's schon wieder über Hals und Kopf, unsre Wäsche zurechtzumachen und jedes Fleckchen auszumustern, denn bis auf den blauen Rock war unsre ganze Uniform weiß, Gewehr, Patrontasche, Kuppel, jeder Knopf an der Montur, alles mußte spiegelblank geputzt sein. Zeigte sich an einem dieser Stücke die geringste Untat, oder stand ein Haar in der Frisur nicht recht, so war, wenn man auf den Platz kam, die erste Begrüßung eine derbe Tracht Prügel.

(U. Braeker, Der arme Mann im Tockenburg, Berlin 1910, S. 122 f.)

Wegen dieser Behandlung versuchten viele Soldaten zu fliehen, zu desertieren. Wenn man sie wieder einfing, wurden sie hart bestraft:

Da mußten wir zusehen, wie man sie durch zweihundert Mann achtmal die lange Gasse auf und ab Spießruten laufen ließ, bis sie atemlos hinsanken – wie sie des folgenden Tags aufs neue dran mußten, die Kleider vom zerhackten Rücken heruntergerissen, und wie wieder frisch drauflosgehauen wurde, bis die Fetzen geronnenen Bluts ihnen über die Hosen hinabhingen.

(Der arme Mann im Tockenburg, S. 122)

1. Welche Vorteile hatte das stehende Heer?
2. Warum wurden die Soldaten so hart ausgebildet und bestraft?
3. Vergleiche das stehende Heer von damals mit der Bundeswehr. Denke dabei an Werbung, Ausbildung und auch Strafen.

Bevölkerungszahl und Heeresstärken 1740 in

Frankreich
20 Mio 200000

Rußland (europ.)
20 Mio 170000

Österreich
13 Mio 110000

Preußen
2,5 Mio 100000

Preußen
Staatseinnahmen 7 Mio
Militärausgaben 5 Mio

Der Absolutismus Peters des Großen

Wie Zar Peter der Große Rußland regierte

Der 1672 geborene Zarensohn Peter wurde als Zehnjähriger, zusammen mit seinem schwachsinnigen älteren Halbbruder Iwan, zum Zaren ausgerufen. Die Herrschaft lag zunächst in anderen Händen. Erst als Peter 17 Jahre alt war, gelang es ihm mit Verwandten und Freunden, die bis dahin regierende Halbschwester Sofia zu stürzen und ins Kloster zu verbannen. Aber noch konnte der junge Zar die Herrschaft nicht selbst in die Hand nehmen, sondern mußte sie seinen Verwandten überlassen, die ihn unterstützt hatten.

68.1 *Bartschur*

Inzwischen baute er wie bisher ihm ergebene Garderegimenter auf und beschäftigte sich außerdem mit Seefahrt und Schiffbau. Entgegen seinem Herkommen verkehrte er auch in der Moskauer Ausländervorstadt. Hier lebten die Westeuropäer abgeschlossen von den Russen. Insbesondere die russisch-orthodoxe Kirche war gegen westliche Einflüsse. Sie verbot auch, die Bärte zu scheren. Bei diesen Ausländern erlebte Peter den Gegensatz zwischen dem rückständigen altrussischen Leben und dem im Vergleich dazu fortschrittlichen westeuropäischen. Dort lernte er einen Offizier aus Genf, Franz Lefort, und den Schotten Patrick Gordon kennen. Gordon hatte sich als General im russischen Dienst bewährt; er baute eine Armee nach westlichem Vorbild auf. Beide machte er zu seinen Beratern und Vertrauten.

1697/98, ein Jahr nach dem Tode seines schwachsinnigen Bruders, begleitete er inkognito eine von Lefort angeführte russische Gesandtschaft nach Westeuropa. Schon zu dieser Zeit dachte er daran, den Zugang zur Ostsee zu erkämpfen und eine starke Flotte zu bauen. In den Niederlanden und England ließ er sich zum Schiffsbauingenieur ausbilden. Nachdem er nach Rußland zurückgekehrt war, übernahm er die Regierung und verordnete für die Russen harte Reformen nach westeuropäischem Vorbild, die er mit Gewalt durchsetzte. Bei der Modernisierung seines Landes war der Bochumer Pastorensohn, Heinrich Ostermann, den er mit hohen Ämtern betraute und zum Grafen

Links im Bild ist ein Modell der europäischen Kleidung zu sehen.
Bildmitte: Soldaten schneiden den Russen zu lange Röcke kürzer.

68.2 *Kleiderreformmaßnahme. (Zeitgenössische Zeichnung)*

erhob, viele Jahre sein enger Berater. Wie er sich selbst und sein Volk dabei sah, hat er später so ausgedrückt:

69.1 Zar Peter der Große (1672–1725), Zar 1682

... unser Volk ist unwissend und Kindern vergleichbar, die das Alphabet nicht lernen wollen, solange sie vom Meister nicht gezwungen werden; und der Zwang erfüllt sie zuerst mit Verdruß ... Und so verhält es sich auch bei unseren gegenwärtigen Angelegenheiten.

(V. Gitermann, Geschichte Rußlands, Bd. 2, Frankfurt 1965, S. 426)

Der General Patrick Gordon hat uns über die weitreichenden Reformen des Zaren berichtet: Peter der Große gründete hohe und niedere Schulen zur Ausbreitung von Wissen und Bildung. Er schickte junge Leute aus den besten Familien ins Ausland, damit sie im Dienste fremder Armeen oder Flotten etwas lernten. Sie mußten sieben Jahre lang dort bleiben. Wenn sie dann zurückgekehrt waren, wurden sie entsprechend ihren neuen Fähigkeiten eingesetzt. Der Zar befahl auch, daß die Männer jeden Standes ihre Bärte scheren und Männer wie auch Frauen sich nach englischer, französischer oder deutscher Mode kleiden sollten. Es war verboten, sich in der Öffentlichkeit in russischer Tracht zu zeigen, bei Strafe von hundert Rubeln. Viele der alten Leute waren über diese Neuerungen ungemein gekränkt; allein es half ihnen nichts.

Ein russischer Schriftsteller beurteilte die Politik Peters 1855 so:

Peter machte einen Anschlag auf das Volk. ... Die oberen Klassen lösten sich von den russischen Bräuchen und zugleich vom russischen Volk los; ... So kam es zum Bruch zwischen Zar und Volk, so löste sich der alte Bund. Der russische Monarch wurde zum Despoten [Gewaltherrscher] und das freie Volk erhielt die Bedeutung von unfreien Sklaven.

(Nach: M. Winkler, Slavische Geisteswelt, Bd. 1, Darmstadt 1955, S. 82 f.)

1. Warum führte Peter die Reformen durch? Vergleiche auch S. 43.
2. Inwiefern können wir Peters Herrschaft eine Erziehungsdiktatur nennen? Suche ähnliche Beispiele in der heutigen Welt.

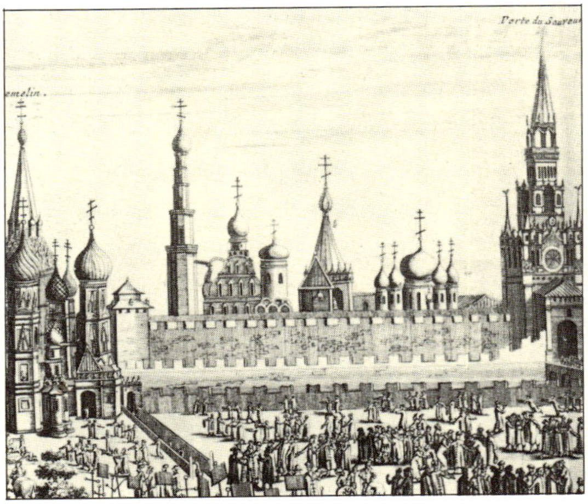
***69.2** Kreml von Moskau im 17. Jh.*

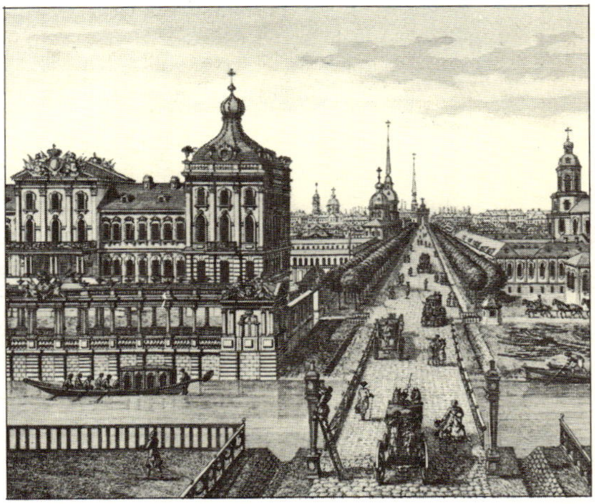
***69.3** St. Petersburg*

Der Absolutismus in Preußen

Wie am preußischen Hof gelebt wurde

Eine Tochter Friedrich Wilhelms I., des „Soldatenkönigs" (vgl. S. 44), die spätere Markgräfin von Bayreuth, berichtet vom Leben am Hof ihres Vaters:

Wir führten das traurigste Leben von der Welt. Früh, so wie es sieben schlug, weckte uns die Übung von dem Regimente des Königs auf, sie fand vor unseren Fenstern ... statt. Das ging unaufhörlich: Piff, Paff, und den ganzen Morgen hörte das Schießen nicht auf. Um zehn Uhr gingen wir zu meiner Mutter und begaben uns mit ihr in die Zimmer neben denen des Königs, wo wir den ganzen Morgen verseufzen mußten. Endlich kam die Tafelstunde. ... Am ganzen Tisch sprach man von nichts, als von Sparsamkeit und Soldaten.

(Preußen – Versuch einer Bilanz, Bd. 3, Reinbek 1981, S. 18)

70.1 *Das Tabakskollegium Friedrich Wilhelms I. (Holzschnitt von K. Röhling um 1900)*

Am Hof Friedrichs des Großen (vgl. S. 44/45) ging es ganz anders zu als zur Zeit seines Vaters. Für einen König führte er doch ein sehr eigentümliches Leben, wenn man es mit dem am Hof von Versailles vergleicht. Der österreichische Gesandte, Freiherr von Ried, berichtet 1763:

Der König lebt stets zurückgezogen in Potsdam oder Sanssouci ... Die Zeiteinteilung ... ist streng geregelt. Er steht gewöhnlich um 6 Uhr früh auf, spielt eine halbe Stunde auf und ab gehend die Flöte, während er auf den Kaffee wartet; dann kleidet er sich an und arbeitet bis 11 Uhr in seinem Kabinett. Hierauf wohnt er der Wachtparade bei ... und nach der Rückkehr ins Schloß spielt er wieder die Flöte bis zum Mittagessen ... [danach] ruht er eine halbe Stunde ... Hierauf arbeitet er

70.2 *Johann Sebastian Bach musiziert vor Friedrich II. (Holzstich um 1870)*

oder geht bis 7 Uhr abends spazieren. Dann beginnt das Konzert, bei dem der König selbst spielt und niemand zugegen sein wagt als die Musiker und die nächsten Freunde. Um 9 Uhr soupiert er. Das soll Tag für Tag seine Lebensführung sein . . .

(Preußen, Bilanz, Bd. 3, S. 20)

Wie Friedrich der Große sein Königtum verstand

Friedrich der Große war ohne jeden Zweifel ein absoluter Herrscher, dennoch faßte er sein Königtum anders auf als viele Monarchen seiner Zeit. Für ihn war es ein königliches Amt mit vielen Pflichten. Dazu und über die Staatsfinanzen sagte er:

Einkünfte und Staatsschatz zur Zeit Friedrichs des Großen

	1740	1786
Einkünfte	7 Mio	23 Mio
Staatsschatz	10 Mio	51 Mio

Der Herrscher ist nicht zu seinem hohen Rang erhoben, man hat ihm nicht die höchste Macht anvertraut, damit er in Verweichlichung dahinlebe, sich vom Mark des Volkes mäste und glücklich sei, während alles darbt. Der Herrscher ist der erste Diener seines Staates. Er wird gut besoldet, damit er die Würde seiner Stellung aufrechterhalte. Man fordert aber von ihm, daß er werktätig für das Wohl des Staates arbeite.
Bei der Verwaltung der Finanzen muß ein Herrscher seine Launen, Leidenschaften und Neigungen zu zügeln wissen; denn vor allem: Die Staatseinnahmen gehören nicht dem Herrscher. Dieses Geld wird nur rechtmäßig verwendet, wenn es dem Wohl . . . des Volkes dient. . . .

(Nach: Geschichte in Quellen, Renaissance, S. 608 f.)

1. Vergleiche die Hofhaltungen Friedrich Wilhelms I., Friedrichs des Großen und Ludwigs XIV. (S. 54/55) miteinander.
2. Vergleiche die Amtsauffassung Friedrichs mit derjenigen Ludwigs XIV. (S. 58/59). Zeige die Unterschiede und die Übereinstimmungen.
3. Vergleiche GG Art. 62–69, 56 mit der Stellung absoluter Fürsten.

***71.1** Schloß Sanssouci, erbaut 1745–47 von Knobelsdorf, Entwurf von Friedrich II. (Kupferstich von J. O. Schleuen)*

Preußen war ein von der Natur nicht begünstigtes Land. Sein alter Kern, die Mark Brandenburg, wurde spöttisch „des Heiligen Römischen Reiches Streusandbüchse" genannt. Aber auch sonst war es ein recht armes Land.

Brandenburg-Preußen war mit seinem Kernland und den östlichen Provinzen im Vergleich zu England und Frankreich bis zum Beginn des 18. Jahrhunderts noch wenig entwickelt. Auch gegenüber anderen deutschen Gebieten war es ein rückständiges Agrarland mit einem nur schwach ausgebauten Gewerbe. Hinzu kam die dünne Besiedlung. Allein das Land Brandenburg hatte im Dreißigjährigen Krieg die Hälfte seiner Bevölkerung verloren. Außerdem bildete Brandenburg-Preußen mit den westlichen Gebieten Cleve, Mark und Ravensberg nicht einmal eine wirtschaftliche Einheit.

Schon der Große Kurfürst (vgl. S. 44) suchte deshalb in Handel und Gewerbe tüchtige Einwanderer in sein Land zu ziehen und die landwirtschaftlichen Verhältnisse zu verbessern. Friedrich Wilhelm I., sein Enkel, folgte ihm in diesem Bemühen. Auch Friedrich der Große widmete sich eingehend der Wirtschaftsförderung. Allen drei Herrschern ging es vor allem darum, die Staatsfinanzen zu vermehren, um die Ausgaben für das große Heer bestreiten zu können.

Neben Gewerbe, Manufaktur und Handel galt auch Friedrichs besondere Fürsorge der Landwirtschaft. Er ließ Brachland erschließen und durch Bodenverbesserungen fruchtbar machen, so daß neue Dörfer angelegt und insgesamt 300000 Menschen dort neu angesiedelt werden konnten. Der König rühmte sich, er habe auf diese Weise seinem Lande im Frieden eine ganze Provinz hinzugewonnen. Er kümmerte sich aber auch um die Verbesserung der Produktionsmethoden und sogar um den Anbau neuer Pflanzen, wie folgender Bericht zeigt:

1744 erhielt die Stadt Kolberg aus des großen Friedrichs vorsorgender Güte ein Geschenk, das damals hierzulande noch völlig unbekannt war.

***72.1** Salzburger Glaubensflüchtlinge als Kolonisten in Ostpreußen (Kupferstich, 1734)*

Ein großer Frachtwagen ... voller Kartoffeln langte auf dem Markte an, und durch Trommelschlag in der Stadt ... erging die Bekanntmachung, daß jeder Gartenbesitzer sich ... vor dem Rathaus einzufinden habe. ... Die guten Leute nahmen die hochgepriesenen Knollen verwundert in die Hände, rochen, schmeckten und leckten daran. ... „Die Dinger", hieß es, „riechen nicht und schmecken nicht, und nicht einmal die Hunde mögen sie fressen. Was wäre uns damit geholfen?" Das Jahr nachher erneuerte der König seine ... Spende durch eine ähnliche Ladung. Allein diesmal verfuhr man ... auch zweckmäßiger, indem zugleich ein Landreiter mitgeschickt wurde, der ... des Kartoffelbauens kundig und den Leuten bei der Auspflanzung behilflich war.

(J. Nettelbecks wundersame Lebensgeschichte ..., Ebenhausen 1910, S. 8 f.)

***73.1** Die Religionen setzen dem toleranten Friedrich II. ein Denkmal. (Zeitgenössische Darstellung)*

Die Konfession seiner Untertanen war dem König völlig gleichgültig. Er förderte alle Leute, die für den Staat von Nutzen waren. Als er gefragt wurde, ob ein Katholik in Frankfurt an der Oder das Bürgerrecht erwerben könne, antwortete er:

Alle Religionen sindt gleich und guth, wan nuhr die leute, so sie profesiren [bekennen], Ehrliche leute seindt, und wen Türken und Heihden kämen und wollten das Land pöpliren [bevölkern], so wollen wir sie Mosqueen und Kirchen bauen.

(Preußen, Bilanz, Bd. 2, S. 81)

Aus praktischen Gründen trat er für religiöse Duldung ein. Er glaubte, daß die Toleranz für die Gemeinschaft, in der sie eingeführt sei, von Vorteil sei, weil sie das Glück des Staates begründe. Sobald jedes Bekenntnis frei sei, habe alle Welt Ruhe; die Glaubensverfolgung dagegen verursache die blutigsten und langwierigsten Bürgerkriege.

Friedrich der Große wollte, daß alle seine Untertanen vor den Richtern gleich behandelt wurden. Zugleich wollte er die Verwaltung der einzelnen Landesteile vereinheitlichen und das Interesse seiner Untertanen am preußischen Staat als ihrer Schutzmacht fördern. Acht Jahre nach seinem Tod fand diese Reform in der Veröffentlichung des „Allgemeinen Landrechts" seinen Abschluß. Worum es dem König ging, zeigt ein Schreiben an das königliche Kammergericht aus dem Jahre 1779:

Die Richterkollegien müssen wissen, daß der geringste Bauer, ja was noch mehr ist, der Bettler, ebensowohl ein Mensch ist wie der König, dem alle Gerechtigkeit widerfahren muß. Vor der Justiz sind alle Menschen gleich. ... Ein Justizkollegium, das Ungerechtigkeiten ausübt, ist schlimmer als eine Diebesbande.

(Nach: D. Hoffmann/E. Jander, Modernes Preußen, Hannover 1981, S. 62)

1. Warum kümmerte sich der König um den Kartoffelanbau?
2. Warum holten die preußischen Herrscher Einwanderer ins Land?
3. Warum vertraten sie die Religionsfreiheit? Vergleiche dazu S. 59.
4. Welche Absicht verfolgte Friedrich mit der Rechtsreform?
5. Welcher Unterschied besteht zwischen den Zielen Friedrich des Großen und den Aussagen über Bekenntnisfreiheit und Rechtsgleichheit im Grundgesetz unserer Bundesrepublik? Ziehe die Artikel 1, 3 und 4 des Grundgesetzes für deine Antwort heran.

Die Aufklärung

Der Grundgedanke

Wie Immanuel Kant erklärt hat, was Aufklärung ist

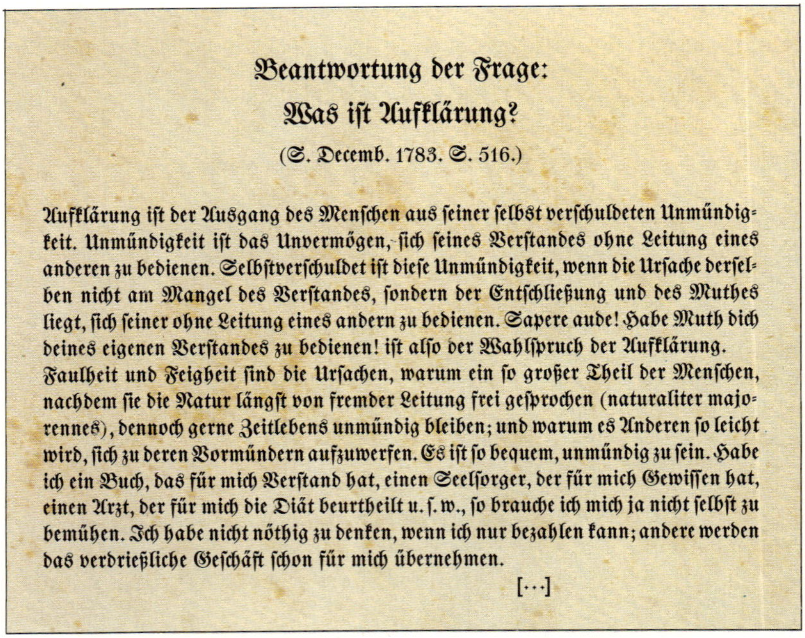

Beantwortung der Frage:
Was ist Aufklärung?
(S. Decemb. 1783. S. 516.)

Aufklärung ist der Ausgang des Menschen aus seiner selbst verschuldeten Unmündigkeit. Unmündigkeit ist das Unvermögen, sich seines Verstandes ohne Leitung eines anderen zu bedienen. Selbstverschuldet ist diese Unmündigkeit, wenn die Ursache derselben nicht am Mangel des Verstandes, sondern der Entschließung und des Muthes liegt, sich seiner ohne Leitung eines andern zu bedienen. Sapere aude! Habe Muth dich deines eigenen Verstandes zu bedienen! ist also der Wahlspruch der Aufklärung.
Faulheit und Feigheit sind die Ursachen, warum ein so großer Theil der Menschen, nachdem sie die Natur längst von fremder Leitung frei gesprochen (naturaliter majorennes), dennoch gerne Zeitlebens unmündig bleiben; und warum es Anderen so leicht wird, sich zu deren Vormündern aufzuwerfen. Es ist so bequem, unmündig zu sein. Habe ich ein Buch, das für mich Verstand hat, einen Seelsorger, der für mich Gewissen hat, einen Arzt, der für mich die Diät beurtheilt u. s. w., so brauche ich mich ja nicht selbst zu bemühen. Ich habe nicht nöthig zu denken, wenn ich nur bezahlen kann; andere werden das verdrießliche Geschäft schon für mich übernehmen.
[...]

74.1 *Ausschnitte der ersten und zweiten Seite von Kants Aufsatz, 1784*

74.2 *Immanuel Kant (1724–1804)*

74.3 *Universität Königsberg zu Zeiten Kants (Zeichnung 1. Hälfte des 19. Jh.)*

Der große deutsche Philosoph Immanuel Kant wurde 1724 geboren. Drei Jahre zuvor war es Peter dem Großen erst gelungen, Rußland zur europäischen Macht zu erheben (vgl. S. 43). Als Kant achtzigjährig im Jahre 1804 starb, hatte sich Napoleon Bonaparte zum Kaiser gekrönt und begonnen, sich zum Herrn von ganz Europa zu machen (vgl. S. 106).

Immanuel Kant war in Königsberg, im damaligen Ostpreußen, als das vierte von elf Kindern eines Sattlers auf die Welt gekommen. Nur einmal hat er seine Heimatstadt verlassen, niemals ist er aus Ostpreußen herausgekommen. 1770, im Alter von 46 Jahren, wurde er Professor der Philosophie an der Universität Königsberg, an der er auch selbst studiert und mit 31 Jahren als Privatdozent mit seinen Vorlesungen begonnen hatte. Über seine Art zu lehren, schrieb einer seiner Studenten: ,,Er munterte auf und zwang angenehm zum Selbstdenken."

Kant war Mitarbeiter der Berlinischen Monatsschrift, die zwischen 1783 und 1796 unter den Leitsätzen ,,Eifer für die Wahrheit" und ,,Liebe zur Verbannung verderblicher Irrtümer" erschien. In dieser Zeitschrift beantwortete er 1784 die ein Jahr zuvor dort gestellte und berühmt gewordene Frage: Was ist Aufklärung?

1. Wie lautet der berühmt gewordene Wahlspruch der Aufklärung?
2. Was zeichnet nach Kant einen aufgeklärten Menschen aus, und warum bleibt ein so großer Teil der Menschen gerne unmündig?
3. Im Deutschen spricht man von Aufklärung, in anderen Sprachen von Erhellung oder Erleuchtung. Erläutere diese drei Bezeichnungen.
4. Wer machte nach Meinung Kants Menschen damals unmündig? Wodurch geraten heute noch Menschen in Unmündigkeit?
5. Was sagen die Bilder über Kants Leben aus? Vergleiche damit sein Denken, das als eine ,,kopernikanische Wende" bezeichnet worden ist.

75.2 Karikatur Kants – der große Philosoph beim Senfrühren (Federzeichnung von Hagemann)

75.1 Kants Wohnhaus in Königsberg. (Holzstich um 1870)

Die Aufklärung des Volks

Wie Lesegesellschaften und Pastoren aufklärerisch wirkten

In der zweiten Hälfte des 18. Jahrhunderts und zu Beginn des 19. Jh. fanden sich viele Leute zu Lesegemeinschaften oder -vereinen zusammen. Ein armer Schweizer aus Toggenburg im Kanton Sankt Gallen, der aus bäuerlichen Verhältnissen stammte, war einige Zeit preußischer Soldat gewesen (vgl. S. 66/67). Nachdem er desertiert war, verdiente er in seiner Heimat zunächst sein Brot als Tuchweber. Schließlich betrieb er einen kleinen Handel mit Garn und Tuchen. Er schreibt in seinem Lebensbericht:

Dukat: Deutsche Goldmünze von 3,44 g Feingold, das heute rund 100 DM kosten würde.

Um diese Zeit [rund zehn Jahre vor Kants Aufsatz] kam einst ein Mitarbeiter der moralischen Gesellschaft zu Lichtensteig in mein Haus ... In einem dieser Jahre schrieb die erwähnte Gesellschaft über verschiedene Gegenstände Preisfragen aus, welche jeder Landmann [einfacher Mensch vom Lande] beantworten könnte ... Da schrieb ich denn über den Baumwollengewerb und den Kredit, sandte mein Geschmiere ... ein, und die Herren waren so gut, mir den Preis von einem Dukaten zuzuerkennen. ... [Man lud mich ein] ein förmliches Mitglied der Gesellschaft zu werden. ... Endlich ... wagt ich's, mich zu melden. Was hatt' ich da für eine kindische [kindliche] Freude an der großen Anzahl Bücher, deren ich in meinem Leben nie so viele beisammen gesehn, und an denen allen ich nun Anteil hatte. ... Meine Nachbarn und andere alten Freunde und Bekannten, kurz meinesgleichen, sahen mich, wo ich stund und ging, überzwerch [verquer] an. ... Denn es ging unsrer moralischen Gesellschaft in Toggenburg anfangs wie allen solchen Instituten in noch rohen Ländern. Man nannte ihre Mitglieder Neuherren, Bücherfresser, Jesuiten und dergleichen. Meine Frau vollends spie Feuer und Flammen über mich, wollte sich viele Wochen nicht besänftigen lassen, und gewann nun gar Ekel und Widerwillen gegen jedes Buch, wenn's zumal aus unserer Bibliothek kam.

(U. Braeker, Der arme Mann im Tockenburg, Berlin 1910, S. 193 ff.)

So war es auch im Bergischen Land. Anna Carnap, die Tochter des bedeutenden Pädagogen Friedrich Wilhelm Dörpfeld, erzählt uns dazu in der von ihr verfaßten Lebensgeschichte ihres Vaters:

***76.1** Johannes Löh (1752–1841)*

Von besonderem Einfluß auf ihn war der Vater seines Vaters ... Derselbe war ein einfacher Weber und dabei ein geistig bedeutender Mann ... Bescheiden, zufrieden, fleißig in seinem kleinen Beruf, das war seine äußere Art; selbständig, selbstdenkend voll Interesse, forschend und lernend bis ins Alter war das Gepräge seines innern Menschen. Daß ein solcher Geist wie ein Magnet Gleichgesinnte, wo solche irgend vorhanden sind, an sich zieht, das versteht sich von selbst ... Ein kleiner, aber um so festerer Kreis von gleichgesinnten Freunden hatte sich um ihn gesammelt. An bestimmten Abenden kamen die Freunde zusammen, um nach des Tages Mühe und Arbeit sich mit den Dingen zu beschäftigen, die ihre Lebensfreude ausmachten ...
Es war keine bestimmte Wissenschaft, auf die sich das Interesse jener Männer richtete, dasselbe ging vielmehr nach den verschiedensten Seiten hin. Es wurden philosophische und theologische, naturwissenschaftliche und geographische Bücher gelesen. Im niedrigen Stübchen auf der Bank um den Tisch sitzend, bei spärlichem Lampenlicht und tüch-

tigem Tabaksqualm aus den unentbehrlichen Pfeifen wurde dann das Gelesene besprochen und die Meinungen darüber ausgetauscht.

(A. Carnap, F. W. Dörpfeld, Gütersloh² 1903, S. 16 f.)

Einen derartigen Leserverein gründete 1803 in Burscheid auch der dortige Pastor Johannes Löh (1752–1841). Der Pastor, so wird uns berichtet, führte die Mitglieder vor allem in die Naturlehre ein. Er war, wie ein Zeitgenosse berichtet, „dann der Erklärer des noch Unverständlichen und vermittelte Lust und Fähigkeit, das Wissenswürdige zu lernen".

Löh hatte vor allem große naturwissenschaftliche Kenntnisse; so erfand er zum Beispiel eine berühmte Augensalbe. Er bemühte sich ferner um gute Schulen. Denn die ländlichen Schulverhältnisse lagen bis in die Mitte des 19. Jahrhunderts noch sehr im argen. Selbst die Lehrer waren für ihren Beruf nicht ausgebildet und besaßen meist nur geringe Kenntnisse im Lesen, Schreiben und Rechnen. Sie waren meist zugleich die Kirchendiener und stammten oft aus handwerklichen Berufen. Häufig waren sie Schneider, Weber und Schmiede gewesen. Friedrich der Große (1740–1786) setzte viele pensionierte Unteroffiziere als Lehrer ein. So ist es kein Wunder, daß noch um 1800 die meisten einfachen Leute Analphabeten waren, selbst wenn sie einigermaßen regelmäßig die Schule besucht hatten.

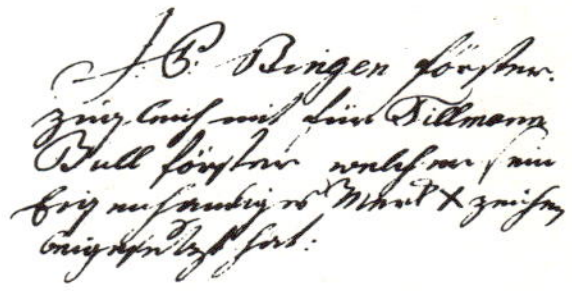

77.1 Dies ist die Unterschrift eines Dokuments aus Leverkusen-Opladen von 1797. Sie lautet: „J. C. Bingen Förster. zugleich mit für Tillmann Bull Förster welcher sein Eigenhandiges Merk x zeichen beigesetzt hat."

Löh war auch ein guter Lehrer in den praktischen Fragen des alltäglichen Lebens, mit denen die Bauern und Hausfrauen seiner Gemeinde zu tun hatten. Er nutzte dazu selbst den kirchlichen Unterricht vor der Konfirmation der Kinder, wie der folgende Vorwurf zeigt:

Der Katechumenen Unterricht soll ganz erbärmlich seyn, größtentheils sich über Naturgegenstände, Diät, Kleidung und Hausangelegenheiten erstrecken.

(P. Luchtenberg, J. Löh . . ., Köln 1965, S. 205)

Wie viele seiner Amtsgenossen war Pastor Löh ein Theologe, der aufgeklärten Geist und christlichen Glauben miteinander in Einklang brachte. Dies wurde stets deutlich in dem, was er schrieb und predigte:

Sein [des Menschen] wahrer Adel liegt in seinem vernünftigen unsterblichen Geiste.
Der Glaube ist allerdings, wie die Gelehrten sagen, ein Licht, das die Finsterniß erhellet. Das Erkennen und Wissen aber ist erst heller Tag. . . .
Das reine Christentum ist wahrhaft heller Tag, weil es mit der Vernunft, mit Gottes Weltenordnung, die uns im Gesetze der Natur erscheint, vollständig übereinstimmt.

(Luchtenberg, S. 99, 184 f.)

1. Wer wurde Mitglied der Lesevereine? An wen wendet sich Pastor Löh?
2. Womit befaßt sich die Toggenburger Gesellschaft, womit befassen sich die bergischen Lesevereine?
3. Warum können der Weber Dörpfeld, der arme Schweizer aus Toggenburg und Pastor Löh aufgeklärte Menschen genannt werden? Vergleiche ihr Tun mit den Forderungen Kants.
4. Vergleiche die Lesevereine mit Buchgemeinschaften heute.

Wie die Aufklärer sich um bessere Schulen bemühten

Die Aufklärer in ganz Europa wollten, daß die Menschen befähigt wurden, selbständig zu denken und zu handeln. Darum dachten sie, wie Pastor Löh, viel über Schule und Unterricht nach. Sie gründeten Musterschulen. Eine davon war das Philanthropinum (Philanthrop = Menschenfreund), das Johann B. Basedow (1723–1796) 1774 in Dessau gründete. Er versuchte auch, Eltern und Lehrer mit den Gedanken der Aufklärung vertraut zu machen und so den Aberglauben abzuschaffen:

Eure rechtschaffenen Großväter und Großmütter, die zu einfältigern Zeiten lebten, haben sich ... mit vielen angstvollen Irrtümern geplagt, welche ihr zu dieser klügern Zeit ablegen könnt ... Zauberer und Zauberinnen sind keine Menschen von besonderer Art, sondern ganz natürliche Menschen, welche aus Irrtum oder Bosheit Zauberer bei denen heißen, die nicht ihre Freunde sind ... Wenn sie sich selbst für Wahrsager und Zauberer ausgeben, so wollen sie euch bereden, außerordentliche Hilfe bei ihnen zu suchen, damit sie euch um euer Geld bringen ... Nur darin besteht die vorgegebene Zauberei.

(J. B. Basedow, Kleines Buch für Eltern und Lehrer ..., MiiZ, S. 37)

Der Gutsbesitzer und Pädagoge Friedrich Eberhard von Rochow (1734–1805) stellte andere Vorteile des Schulunterrichts heraus:

In tiefer Demut möchte ich ... den Regenten und Landesvätern der Völker den hohen und unschätzbaren Wert der Aufklärung durch bessere Schulen hier nochmals an das Herz legen! Schon bloß von seiten der Finanz betrachtet ... fallen alle Einwürfe der Aufklärungsfeinde dahin. Oder gehört etwa nicht zu jedem Tun und Lassen und Gewerbe Nachdenken und Vordenken, damit es gelinge?

(Nach: E. Schreck, F. E. von Rochow, Sein Leben ..., Halle 1908, S. 83)

„Der Unterricht der Kinder um Gottes willen, teils durch das Buch der Natur und Sitten, teils durch das Buch der Religion."

78.1 *Unterricht nach Basedows Elementarwerk*

Christian Gotthilf Salzmann (1744–1811) verlangte in seinem Erziehungsprogramm neben körperlicher Gewandtheit und einem geschulten Verstand auch eine lebhafte Einbildungskraft und eine gute Gesinnung. Darüber hinaus legte er großen Wert auf ein geübtes Gedächtnis und umfassendes Wissen:

a) Kenntnis der Natur, . . . der Kräfte, der Eigenschaften und des Nutzens der Dinge, die um uns sind . . .
b) Kenntnis dessen, was die Menschen tun und getan haben. Dahin gehört Kenntnis der Kunst, Staatsverfassung und der Geschichte.
c) Kenntnis der Sprachen, vorzüglich des Deutschen, Lateinischen und Französischen.

(Nach: J. L. Müller, Schnepfenthal 1784–1934, Schnepfenthal 1934, S. 33)

Johann Christoph Friedrich Gutsmuths (1759–1839) war ein bekannter Turnpädagoge. Er schrieb zu den untenstehenden Bildern:

Unsre Knaben sollen nicht weinen, wann sie vor Bäche kommen, sondern darübersetzen; Entschlossenheit gehört künftig in ihren Charakter, wann sie Männer sind.
Das Werfen nach bestimmten Zielen stärkt besonders Brust und Auge; die kleinsten Knaben sind zu solcher Übung geschickt.

(Müller, Schnepfenthal, S. 68 f.)

1. Warum sollten Kinder damals die Schule besuchen? Vergleiche dazu die Meinung von Basedow, Rochow und Salzmann.
2. Was sollen Kinder besonders in den neuen Unterrichtsfächern und im Turnunterricht lernen? Vergleiche mit heute.
3. Vergleiche die Bilder der Kinder auf S. 78 mit denen auf S. 79.

79.1 *Springen nach Gutsmuths. (Kupferstich)*

79.2 *Werfen nach Gutsmuths*

Naturwissenschaft und Technik in der Aufklärung

Wie die Aufklärer die Natur verstanden und zu beherrschen suchten

Francis Bacon (1561–1626) war ein englischer Schriftsteller und Denker sowie ein Politiker in höchsten Ämtern. Er forderte genaue Beobachtung der Natur mit Hilfe der menschlichen Sinne und geeigneter Instrumente, um auf diese Weise Erfahrung und Wissen sammeln zu können. Insofern kann er als ein Vater der Aufklärung bezeichnet werden. Zu welchem Zweck Bacon die Natur überwinden, d. h. sie beherrschen wollte, wird aus einigen seiner Schriften sehr deutlich:

Die Technik auf wissenschaftlicher Grundlage wird das Gesicht der Welt in Zukunft noch mehr verändern, als sie es, sich selbst überlassen, in den vergangenen Jahrhunderten durch ihre drei Glanzleistungen Kompaß, Schießpulver und Buchdruckerkunst schon getan hat.
Vor allen Dingen ist es nun an der Zeit, daß die gelehrten Herren sich nicht länger für die mechanischen Künste zu vornehm dünken und daß sie für die empirischen Kenntnisse, die diese vermitteln können, ein offenes Ohr haben. Dabei sind in erster Linie diejenigen Künste wichtig, bei denen natürliche Stoffe verändert werden: Landwirtschaft, Chemie ... und dergleichen. Daneben aber auch diejenigen Tätigkeiten, die manuelle Geschicklichkeit oder den Gebrauch mechanischer Werkzeuge erfordern, wie Weben ... Herstellung von Uhren und Mühlen.

(J. Spedding, The Works of F. Bacon ..., Vol. I, London 1857, S. 500, S. 399)

Bacon forderte auch, daß die Gelehrten unterschiedlicher Fachrichtungen sich zu einer Gemeinschaft zusammenschließen sollten. Dann könne man die auftauchenden Fragen miteinander bereden und dadurch vielleicht besser lösen. Zu diesem Zweck wurde in London 1662 die Royal Society gegründet. Zwei berühmte Naturwissenschaftler gehörten zu ihren Gründern: Robert Boyle (1627–1691) und Robert Hooke (1635–1703).

***80.1** Friedrich Wilhelm Herschels (1738–1822) Riesenteleskop. (Holzstich)*

Den Fortschritt, den die Aufklärung mit sich brachte, beschrieb der Franzose Denis Diderot (1713–1784) in einem Roman mit folgendem Bild:

Ich sah in der Ferne ein Kind auftauchen, das gemessen, aber sicheren Schritts auf uns zukam. Es besaß einen kleinen Kopf, einen schmächtigen Körper, aber während es sich näherte, nahmen alle seine Gliedmaßen an Umfang und Länge zu. Bei diesem schrittweisen Wachstum erschien es mir in hunderterlei Gestalt; ich sah es ein langes Teleskop gen Himmel richten, mit einem Pendel den Fall der Körper abschätzen, mit einem Röhrchen voll Quecksilber die Schwere der Luft feststellen und mit dem Prisma in der Hand das Licht zerlegen. Mittlerweile war es ein gewaltiger Koloß geworden; es schwang in der Rechten eine Fackel, deren Licht die Lüfte erleuchtete, die Tiefen der Wasser erhellte und die Eingeweide der Erde durchdrang.

(D. Diderot, Die geschwätzigen Kleinode, München 1921, S. 214 f.)

81.1 *Anheben eines Steinblocks mit Hilfe von Flaschenzug und einfacher Winde.*
Beide Zeichnungen wurden Diderots Enzyklopädie entnommen.

Zusammen mit anderen französischen Aufklärern verfaßte Diderot die große Enzyklopädie. Dieses Lexikon erschien zwischen 1751 und 1780 und hatte 35 Bände. Unter dem Stichwort „Enzyklopädie" schrieb er, „dieses Lexikon ziele darauf ab, die auf der Erdoberfläche verstreuten Kenntnisse zu sammeln, das allgemeine System dieser Kenntnisse den Menschen darzulegen und es den nach uns kommenden Menschen zu überliefern, damit die Arbeit der vergangenen Jahrhunderte nicht nutzlos für die kommenden Jahrhunderte gewesen sei". Warum dies geschehen solle, erklärte er damit, daß es darauf ankomme, „die Entdeckungen in einen Zusammenhang zu bringen und sie systematisch zu ordnen, damit mehr Menschen als bisher aufgeklärt werden und damit jeder – gemäß seinem Begriffsvermögen – an der Aufklärung des Zeitalters teilnehme". Dadurch sollten „unsere Enkel, indem sie gebildeter waren, zugleich tugendhafter und glücklicher werden".

Damals stellte die Akademie von Dijon eine Preisaufgabe: „Hat die Erneuerung der Wissenschaften und Künste zur Veredelung der Sitten beigetragen?" Jean-Jacques Rousseau (1712–1778) gab eine Antwort, die viele Zeitgenossen überraschte:

[Unsere Nachkommen] werden . . . ihre Hände gen Himmel erheben und in der Bitterkeit ihres Herzens sagen: „Allmächtiger Gott, erlöse uns von den Einsichten und den verderblichen Künsten unserer Väter, gib uns . . . Unwissenheit . . . wieder, wodurch wir allein glücklich werden."

(J. J. Rousseau, Schriften, Hrsg. H. Ritter, Bd. 1, München 1978, S. 57/58)

81.2 *Kupferherstellung*

1. Warum will Francis Bacon Wissen durch Erfahrung und Experiment gewinnen?
2. Womit befaßt sich das Kind bei Diderot? Welche Wissenschaften betreibt es?
3. Was meint Diderot mit der Bemerkung, die Fackel erleuchte die Lüfte, erhelle die Tiefen der Wasser und durchdringe die Eingeweide der Erde?
4. Welchen Zweck soll nach Diderot die Enzyklopädie erfüllen?
5. Vergleiche die Zukunftserwartungen Diderots und Rousseaus. Wer hat recht? Denke bei deiner Antwort an unsere Gegenwart.

Die politischen Vorstellungen der Aufklärer

Welche politische Freiheit die Aufklärer forderten

Charles de Montesquieu (1689–1755) war 26 Jahre alt, als Ludwig XIV. 1715 starb. Zunächst in der Regionalverwaltung tätig, unternahm Montesquieu später weite Bildungsreisen in Europa. Vor allem sein Englandaufenthalt von 1729 bis 1731 prägte seine Staatsauffassung. Diese legte er ausführlich in seinem Buch De l'Esprit des Lois (Vom Geist der Gesetze) dar:

In jedem Staat gibt es drei Arten von Gewalt: die gesetzgebende Gewalt, die vollziehende Gewalt in Ansehung der Angelegenheiten, die vom Völkerrechte abhängen, und die vollziehende Gewalt hinsichtlich der Angelegenheiten, die vom bürgerlichen Recht abhängen . . . Ich werde diese letzte die richterliche Gewalt und die andere schlechthin die vollziehende Gewalt des Staates nennen . . . Wenn in derselben Person oder der gleichen obrigkeitlichen Körperschaft die gesetzgebende Gewalt mit der vollziehenden vereinigt ist, gibt es keine Freiheit; denn es steht zu befürchten, daß derselbe Monarch . . . tyrannische Gesetze macht, um sie tyrannisch zu vollziehen. Es gibt ferner keine Freiheit, wenn die richterliche Gewalt nicht von der gesetzgebenden und vollziehenden getrennt ist. Ist sie mit der gesetzgebenden Gewalt verbunden, so wäre die Macht über Leben und Freiheit der Bürger willkürlich, weil der Richter Gesetzgeber wäre. Wäre sie mit der vollziehenden Gewalt verknüpft, so würde der Richter die Macht eines Unterdrückers haben. Alles wäre verloren, wenn derselbe Mensch oder die gleiche Körperschaft der Großen, des Adels oder des Volkes diese drei Gewalten ausüben würde: die Macht, Gesetze zu geben, die öffentlichen Beschlüsse zu vollstrecken und . . . Streitsachen der einzelnen zu richten.

(E. Forsthoff, Montesquieu . . ., Bd. 1, Tübingen 1951, S. 214 f.)

***82.1** Charles de Montesquieu (1689–1755)*

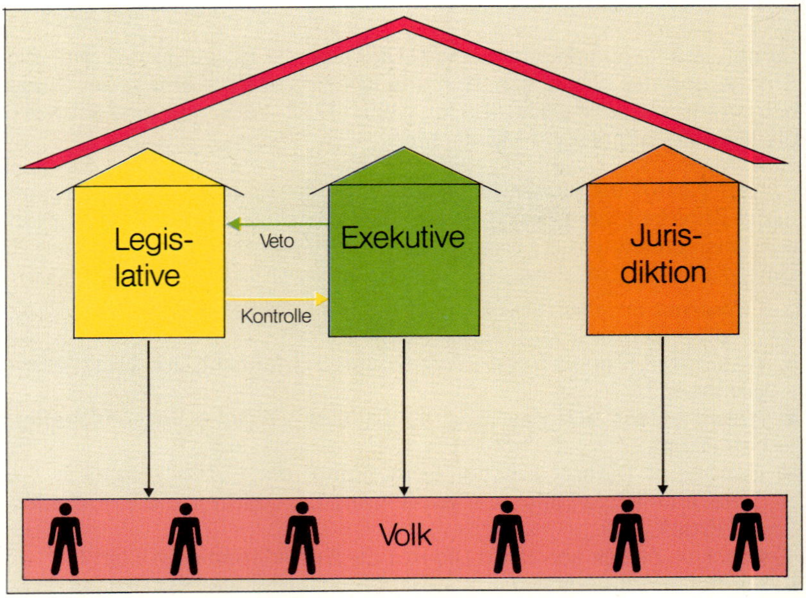

***82.2** Gewaltentrennung nach Montesquieu*

Die Forderungen Montesquieus entstanden aus seiner Ablehnung des Absolutismus. Sie gelten seitdem als wesentlicher Bestandteil eines freiheitlichen Staates. Wir nennen sie Gewaltenteilung. Ein weiterer wesentlicher Bestandteil moderner politischer Verfassungen ist die „Volkssouveränität". Sie ist in besonderer Weise von Jean Jacques Rousseau vertreten worden.

Rousseau wurde drei Jahre vor dem Tode Ludwigs XIV. geboren. Er verbrachte im ganzen ein recht unstetes Leben. Elf Jahre vor Ausbruch der französischen Revolution starb er. Auch er war ein Gegner des Absolutismus, stimmte aber in vielen Punkten mit den Gedanken der Aufklärung nicht überein (vgl. S. 81). Seine Überlegungen zu einem vernünftig geordneten Staatswesen sind jedoch von der Aufklärung geprägt. Sein wichtigstes Werk dazu ist sein 1762 erschienenes Buch Le Contrat Social (Der Gesellschaftsvertrag). Dort schrieb er, der Mensch sei zwar frei geboren, doch liege er überall in Ketten, denn andere hätten Gewalt über ihn. Es komme daher in der Politik darauf an, daß alle einzelnen sich zusammenschlössen, denn bei ihnen liege das eigentliche Herrschaftsrecht und die Herrschaftsgewalt (Souveränität). Aus diesem Grunde müsse der Staat so konstruiert werden, daß jeder nur noch sich selbst gehorche.

83.1 Jean Jacques Rousseau (1712–1778)

1. Nenne die drei voneinander unabhängigen Gewalten. Erkläre, warum Montesquieu für deren Trennung voneinander eintritt.
2. Erkläre am Beispiel der Regierungsweise Ludwigs XIV., wogegen sich Montesquieu und Rousseau wenden.
3. Lies den Artikel 20 des Grundgesetzes der Bundesrepublik Deutschland. Erkläre genau, wo du darin die Auffassungen von Montesquieu und Rousseau wiederfindest.

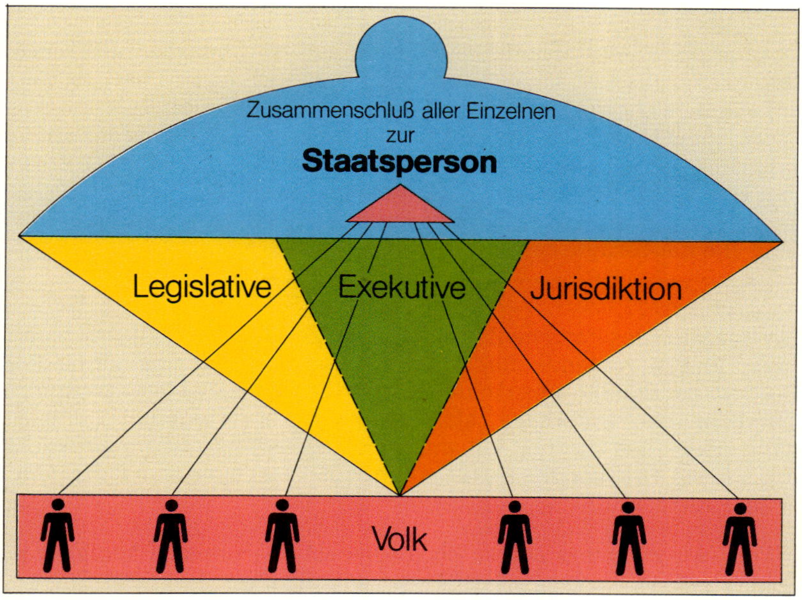

83.2 Volkssouveränität nach Rousseau

Die Revolution

Die Revolution auf den Britischen Inseln

Wie sich in England die Revolution vorbereitete

In England hatte sich seit dem 13. Jahrhundert eine Ständeversammlung zur Beratung des Königs und zur Vertretung der führenden Schichten der Bevölkerung herausgebildet. Um 1500 bestand sie aus einem Oberhaus, das sich aus dem weltlichen und geistlichen Hochadel zusammensetzte, und aus einem Unterhaus. Zum Unterhaus gehörten niedere Adlige und reiche Bürger als Vertreter der englischen Grafschaften und Städte. Der König berief und entließ diese Ständeversammlung ganz nach seinem Willen.

Im 16. Jahrhundert gewann diese Ständeversammlung, die parliament (= Parlament) genannt wurde, beträchtlich an Bedeutung. Das Geschlecht der Tudor hatte am Ende eines rund fünfzig Jahre währenden Bürgerkriegs den Thron gewonnen und mußte ihn sich nunmehr sichern. Darum ließ sich Heinrich VII. Tudor 1485 durch einen Beschluß dieser Ständeversammlung zum rechtmäßigen König von England erklären. Sein Sohn Heinrich VIII. ging diesen Weg weiter. Er ließ alle wesentlichen Entscheidungen, die er auch von sich aus hätte treffen können, dennoch vom Parlament beschließen. So verschaffte er sich die damals noch überflüssige Zustimmung aller derjenigen, die politisch bedeutsam waren. Damit gewannen seine Entscheidungen von vornherein breite Anerkennung und den Charakter aufgeschriebener Gesetze. So geschah es auch mit der Lösung der englischen Kirche vom Papsttum, 1530–1534, und der daraufhin eingeleiteten Auflösung der Klöster. Dadurch wurden König und Landadel reich. Das Parlament beschloß über die erforderliche kirchliche Neuordnung:

Obwohl des Königs Majestät nach Recht und Notwendigkeit das Oberhaupt der englischen Kirche ist und auch vom Klerus [der Priesterschaft] des Königreichs auf seinen offiziellen Versammlungen als solches anerkannt wird, soll dennoch zur Bekräftigung und Bestärkung dessen ... gesetzlich festgehalten werden ..., daß der König ... [sowie] seine Erben und königlichen Nachfolger ... als das einzige oberste Haupt auf Erden der Kirche von England, Anglicana Ecclesia genannt, anzuerkennen sind [und alle diesbezüglichen Rechte haben sollen].

(English Historical Documents, Vol. V, 1485–1558, London 1971, S. 745 f.)

Ein Beschluß des Parlaments hatte seit der Zeit Heinrichs VIII. höchsten Rang. Er kam zustande durch Verhandlungen des Königs mit beiden Häusern der Ständeversammlung, d. h. im Zusammenwirken von König, Oberhaus und Unterhaus. Man nannte dieses Vorgehen „king in parliament", das Heinrich VIII. mit seinen Helfern besonders geschickt praktizierte. 1543 erklärte Heinrich ganz auf dieser Linie dem Parlament, er sei stolz darauf:

... daß wir zu keiner Zeit so hoch angesehen in unserem königlichen Stand dastehen als zur Zeit der Parlamentssitzungen.

(G. R. Elton, England under the Tudors, London 1977, S. 171)

***84.1** Heinrich VIII. (1491–1547), König 1509–1547 (Gemälde von Hans Holbein d. J.)*

Nachdem 1603 mit Elisabeth I. der letzte Herrscher aus dem Hause Tudor gestorben war, ging die Königsherrschaft in England auf die Stuarts über. Sie waren mit den Tudors verwandt und bereits seit 1371 Könige von Schottland. Kaum hatte aber Jakob VI. von Schottland als Jakob I. von England dessen Thron bestiegen, tadelte er die Mitglieder des Unterhauses. Dies geschah in seiner Rede, mit der er das erste von ihm einberufene Parlament 1604 wieder entließ. Er verglich mit Schottland und sagte:

Dort wird alles, was von mir kommt, für berechtigt befunden; hier wird alles verdächtigt . . .

(J. P. Kenyon, The Stuart Constitution 1603–1688, Documents and Commentary, Cambridge 1966, S. 41)

Wie Jakob sich selbst und sein Königtum verstand, wird aber noch deutlicher in einer Rede, die er 1610 an das Parlament richtete:

Könige werden mit Recht Götter genannt, weil sie eine Art von göttlicher Macht auf Erden ausüben; denn, wenn Ihr die Eigenschaften Gottes betrachtet, werdet Ihr sehen, wie sie übereinstimmen mit der Person des Königs. Gott hat die Macht zu schaffen oder zu zerstören, zu machen oder zu vernichten, ganz nach seinem Gefallen; Leben zu schenken oder Tod zu schicken, über alle Gericht zu halten und als niemandem verantwortlich angesehen zu werden; Niedriges zu erheben und Hohes zu erniedrigen, ganz nach seinem Gefallen; und Gott gegenüber sind beide, Seele und Körper, verpflichtet. Und die gleiche Macht haben Könige: sie schaffen und vernichten ihre Untertanen; sie haben die Macht zu erheben und niederzuwerfen; von Leben und Tod; Richter über alle ihre Untertanen und in allen Angelegenheiten und doch niemand verantwortlich außer Gott allein [zu sein]. Sie haben die Macht, Niedriges zu erhöhen und Hohes zu erniedrigen und mit ihren Untertanen umzugehen wie Männer am Schachbrett [mit den Spielfiguren] . . . Und dem König gehören beide, die Zuneigung der Seele und der Dienst des Leibes seiner Untertanen.

(Kenyon, The Stuart Constitution, S. 13)

Zwar fährt Jakob fort, all diese Macht sei den Königen zum Aufbauen, nicht zum Niederreißen gegeben. Aber das konnte die vorhergehenden Aussagen nicht sonderlich abmildern. Diese Auffassung stieß vor allem bei den Mitgliedern der englischen Ständeversammlung auf Widerstand. Diese hatten unter den Tudors ein außerordentlich verstärktes Selbstbewußtsein und Verständnis von ihrer eigenen Bedeutung gewonnen. Jakobs Sohn und Nachfolger, Karl I., geriet mit dem Parlament in einen besonders heftigen Streit. Daraufhin kam es zu kriegerischen Auseinandersetzungen zwischen Parlamentsanhängern und denen des Königs. Die Gegner des Königs siegten. Schließlich wurde ihm der Prozeß gemacht, und er wurde hingerichtet.

85.1 *Jakob I. (1566–1625), König 1603–1625*

1. Erkläre, warum die englische Ständeversammlung so mächtig wurde, daß sie schließlich sogar den englischen König hinrichten lassen konnte.
2. Vergleiche die Einstellung Heinrichs VIII. mit derjenigen Jakobs I.
3. An wessen politische Auffassungen erinnern dich die Ausführungen Jakobs I.?

Wie die englische Revolution des 17. Jahrhunderts verlief

1628 hatte Karl I. die englische Ständeversammlung einberufen. Er war in so große finanzielle Schwierigkeiten geraten, daß er ohne größere Geldbewilligungen durch das Parlament nicht mehr auskommen konnte. Die Abgeordneten nahmen sofort die Gelegenheit wahr, Karl wegen schwerer Vergehen anzuklagen. Sie warfen ihm erstens vor, daß er auf vielerlei Weise unrechtmäßig Geld für die Zwecke der Krone beschafft hatte. Zweitens kritisierten sie, daß er ohne jegliche Berechtigung und in unerlaubten Verfahren unliebsame Untertanen habe einsperren lassen. Drittens tadelten sie, daß er durch Zwangseinquartierung von Soldaten versucht habe, einzelne Untertanen oder auch die Einwohner ganzer Gegenden seinem Willen zu unterwerfen. Viertens bemängelten sie, daß er willkürliche Rechtsprechung habe ausüben lassen. Darum verlangten sie vom König, diese Mißstände aufzuheben; andernfalls würden sie seinen finanziellen Wünschen nicht entgegenkommen.

Trotz der Zusage des Königs ging der Streit weiter. Bis 1641 regierte er, ohne auch nur einmal das Parlament einzuberufen. 1641 forderte es dann, daß es von nun an alle drei Jahre zusammengerufen werde. Der König lehnte dies jedoch ab. Jetzt begann der Bürgerkrieg zwischen den Anhängern des Königs und denen des Parlaments. 1649 siegten die besonders radikalen Parlamentsanhänger. Sie erklärten:

86.1 Englisches Staatssiegel 1651, das Unterhaus darstellend

. . . daß das Volk nächst Gott der Ursprung aller gerechten Macht sei, . . . daß die Unterhausmitglieder Englands, wenn sie in Parlamentssitzung sich befinden, gewählt vom Volk und dieses vertretend, die höchste Macht im Staate verkörpern, . . . [und] daß, was immer als Beschluß oder Gesetz von den zur Parlamentssitzung versammelten Unterhausabgeordneten erklärt worden ist, Gesetzeskraft hat und daß jedermann daran gebunden ist, auch wenn die Zustimmung von König oder Oberhaus fehlt.

(The Stuart Constitution, S. 324)

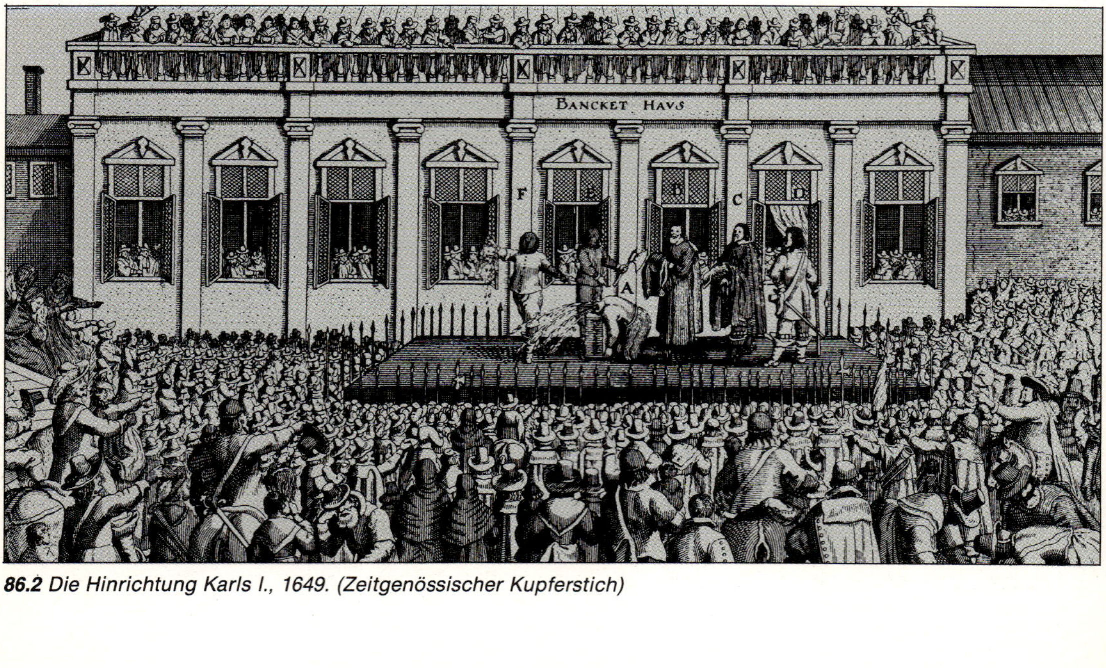

***86.2** Die Hinrichtung Karls I., 1649. (Zeitgenössischer Kupferstich)*

Die politische Auseinandersetzung war zugleich eine religiöse; die radikalen Parlamentarier waren zugleich die radikalen, in Landwirtschaft und Handel reichgewordenen Protestanten. 1649 ließen sie den König hinrichten und machten England zur „puritanischen Republik". Sie wurde zunächst von einem Staatsrat regiert, dann allein von Oliver Cromwell, der sich Lord Protector nannte. 1660, nach nur elf Jahren, wurden die Stuarts von einem neuen Parlament wieder als Könige eingesetzt. Karl II., der Sohn Karls I., kehrte aus dem Exil zurück. England wurde jetzt streng anglikanisch. Die Puritaner, die nun unterdrückt wurden, machten etwa ein Drittel der englischen Bevölkerung aus. Viele wanderten später in die amerikanischen Kolonien aus. Wichtige Errungenschaften wurden zunächst aufgehoben, aber eine sehr wesentliche wurde bereits 1664 neu beschlossen:

87.1 *Oliver Cromwell (1599–1658), Heerführer und Lord Protector (1653–1658), Gemälde von Rembrandt*

... von nun an sollen die Tagungen des Parlaments nicht länger als höchstens drei Jahre unterbrochen oder ausgesetzt werden ..., zu dem Zweck, daß eine regelmäßige Einberufung, Versammlung und Tagung von Parlamenten wenistens einmal in drei Jahren geschieht.

(The Stuart Constitution, S. 383)

So wurde von nun an die englische Politik regelmäßig zwischen König und Parlament diskutiert. Das ging natürlich auch jetzt nicht ohne Spannungen ab. Ein neuer Streit begann erst, als Karl II. 1685 gestorben war und ihm sein Bruder Jakob II. auf dem Thron folgte. Die Hauptursache war, daß Jakob II. gegen alle Gesetze versuchte, England wieder katholisch zu machen. Einflußreiche Mitglieder des Oberhauses riefen Wilhelm von Oranien, den Statthalter der protestantischen Niederlande, 1688 ins Land. Er hatte Maria, eine Tochter Jakobs II., zur Frau. Jakob floh nach Frankreich. Das Parlament beschloß eine Bill of Rights, eine Art Verfassung. Es handelt sich hierbei um ein Gesetz, in dem die geistlichen und weltlichen Lords des Oberhauses sowie die Abgeordneten des Unterhauses ihre alten Rechte und Freiheiten im einzelnen aufzählen. Unter diesen Bedingungen setzten sie Wilhelm und seine Frau Maria als Wilhelm III. und Maria II. zu gemeinsamen Herrschern ein. Die Engländer nennen diese Ereignisse die Glorious Revolution.

In Irland mußte Wilhelm allerdings noch gegen die Anhänger der Stuarts (Jakobiten) kämpfen. Er blieb jedoch siegreich. Bis in die Mitte des folgenden Jahrhunderts waren die Jakobiten aber noch eine ernsthafte Beunruhigung. Ein Enkel Jakobs landete 1745 noch einmal in Schottland und drang fast bis London vor. Der Aufstand wurde jedoch niedergeschlagen, die Gefahr war damit endgültig beseitigt.

1. Erläutere die Schritte, in denen sich das englische Parlament zwischen 1628 und 1649 zur entscheidenden Macht erhob.
2. Vergleiche den Parlamentsbeschluß von 1649 mit dem, was Jakob I. 1610 vertreten hatte (vgl. S. 85).
3. Vergleiche den Beschluß des Parlaments von 1649 mit der Präambel und Artikel 20 des Grundgesetzes der Bundesrepublik Deutschland.
4. Worin zeigt sich 1688/89 besonders deutlich die Macht, die das Parlament inzwischen gewonnen hatte?
5. Zeige auf, wo die religiöse Frage in den politischen Auseinandersetzungen eine Rolle spielte. Du kennst bereits ähnliche Verquickungen.

87.2 *Wilhelm III. (1650–1702) und seine Frau Maria II. (1662–1694), Regierungszeit 1689–1702 und 1689–1694*

Wie Großbritannien im 18. Jh. regiert wurde

Das Parlament von 1689 hatte sich selbst einberufen und ohne Mitwirkung eines Königs die Bill of Rights beschlossen. Darin heißt es,

daß die beanspruchte Macht, Gesetze durch königliche Autorität ohne Zustimmung des Parlaments außer Kraft zu setzen oder sie nicht auszuführen, illegal ist, ... daß die Erhebung von Steuern für die Krone oder zu ihrem Gebrauch unter dem Anspruch königlichen Eigenrechts ohne Genehmigung des Parlaments ... illegal ist, ... daß die Einberufung oder Haltung eines stehenden Heeres im Königreich während Friedenszeiten ohne Zustimmung des Parlaments gesetzwidrig ist, ... daß die Wahl von Parlamentsmitgliedern frei sein soll, ... daß die Rede- und Debattierfreiheit und diejenige des Verfahrens im Parlament [nur durch das Parlament selbst eingeschränkt werden kann], ... und daß, um allen Beschwernissen abzuhelfen und zur Verbesserung, Stärkung und Bewahrung der Gesetze regelmäßig Parlamente abgehalten werden sollen.

(English Historical Documents 1660–1714, Vol. VIII, London 1966, S. 123 f.)

Dann wurde 1694 das Gesetz erneuert, daß mindestens alle drei Jahre ein Parlament tagen müsse. 1716 wurde diese Periode wegen der bei den Wahlen stets auftretenden heftigen Unruhen auf sieben Jahre erhöht. 1738 debattierte das Parlament, ob über Parlamentsverhandlungen öffentlich berichtet werden solle. Ein Abgeordneter sagte:

Ich denke, es sollten hinsichtlich dessen, was in dieser Versammlung gesagt wird, keinerlei Appelle an die Öffentlichkeit gerichtet werden. Und Reden von Herren dieses Hauses zu drucken oder zu veröffent-

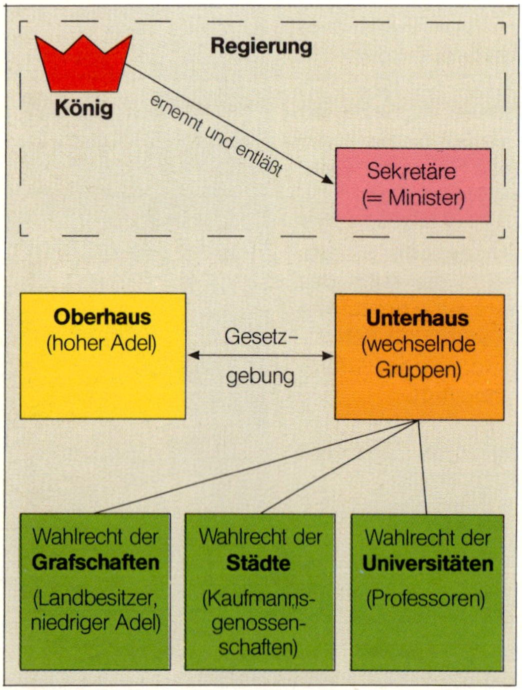

88.1 *Britisches Regierungssystem im 18. Jh.*

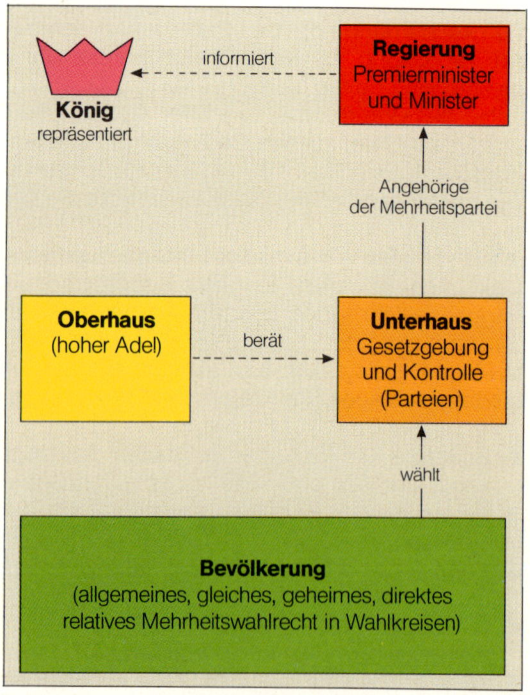

88.2 *Britisches Regierungssystem heute*

lichen . . ., erweckt den Eindruck, als sollten sie in der Öffentlichkeit dafür verantwortlich gemacht werden, was sie hier im Hause sagen . . . Ich halte es für hoch an der Zeit, daß wir jede weitere Beeinträchtigung unserer Vorrechte verhindern.

(English Historical Documents 1714–1783, Vol. X, London 1969, S. 151)

Und so wurde beschlossen:

Daß es eine große Herabsetzung und ein ständiger Verstoß gegen die Privilegien dieses Hauses ist, . . . Berichte über die Debatten oder andere Verhandlungen dieses Hauses oder irgendeines seiner Ausschüsse sowohl während der Sitzungspausen als auch während der Tagungen [zu veröffentlichen]; und daß dies Haus mit äußerster Strenge gegen derartige Übeltäter vorgehen wird.

(English Historical Documents, Vol. X, S. 178)

In den letzten Jahrzehnten des 18. Jahrhunderts wurde dann doch der dauernde Kontakt der Abgeordneten mit ihren Wählern und die Veröffentlichung der Parlamentsverhandlungen erlaubt. Schwere öffentliche Unruhen waren vorangegangen. Aber die entscheidende Fortentwicklung des britischen Parlamentarismus fand erst ab 1832 statt.

1. Wie beurteilst du das Verbot, die Parlamentsverhandlungen zu veröffentlichen?
2. Man hat über das 18. Jh. in Großbritannien von einem Parlamentsabsolutismus gesprochen. Was spricht dafür?

89.1 *Das englische Parlamentsgebäude an der Themse in London, vor 1834 (Zeichnung von P. M. de Witt 1784–1849)*

Die amerikanische Revolution

Warum die ersten Siedler nach Amerika kamen und wie sie sich regieren wollten

Die Spanier und Portugiesen hatten im 16. Jahrhundert in Mittel- und Südamerika ihre Kolonialreiche ausgebaut (vgl. S. 12 f.). Die Engländer kamen erst im 17. Jahrhundert dazu, sich vor allem an der Ostküste Nordamerikas festzusetzen. Teils waren es Handel treibende Gesellschaften, teils Einzelpersonen, die einen königlichen Freibrief für derartige Niederlassungen erhielten. Teils siedelten sich aber auch in England nicht geduldete und verfolgte religiöse Gruppen dort an. Zu letzteren gehörten die sogenannten „Pilgerväter", die zunächst nach Holland geflohen waren und von dort über Plymouth nach Nordamerika weiterzogen. Es waren 120 Männer, Kinder und Frauen in einem kleinen Schiff. 1620 kamen sie dort an. Der Anfang war schwer. Im ersten halben Jahr starb die Hälfte. Sie werden noch heute von vielen Amerikanern als ihre Urväter geehrt. Wer nachweislich von ihnen abstammt, hat ein Ansehen wie der hohe Adel früher in Europa. Schon auf dem Schiff hatten diese „Pilgerväter" einen Vertrag darüber geschlossen, wie sie ihr Gemeinwesen organisieren wollten:

... Wir haben ... eine Fahrt unternommen, um die erste Kolonie in ... Virginia zu gründen: wir kommen hiermit feierlich und gegenseitig vor Gottes Angesicht und vor einander überein und verbinden uns zu einem bürgerlichen Gemeinwesen zu unserer besseren Ordnung und Bewahrung und Förderung der vorgenannten Zwecke, und kraft dessen erlassen wir, setzen fest und entwerfen solche gerechten ... Gesetze, Verordnungen ... und Ämter, von Zeit zu Zeit, wie sie für am tauglichsten und zweckmäßigsten für das gemeine Wohl der Kolonie gehalten werden, welchen wir alle schuldige Unterwerfung und Gehorsam geloben.

(English Historical Documents, Vol. IX, Oxford/New York 1969, Nr. 14, S. 139)

1681 gründete der Quäker (= religiöse Sekte) William Penn die Kolonie Pennsylvania. Er gab ihr 1701 eine Verfassung, aus der folgende Sätze stammen:

Erstens: Da Menschen nicht wirklich glücklich sein können, ... wenn ihnen nicht die Freiheit des Gewissens sowie des Glaubens ... gewährt ist, und da der Allmächtige Gott der einzige Herr über unser Gewissen ist, ... so gewähre ich hiermit ..., daß keine Person ..., die in dieser Kolonie ... lebt und an den Einen Allmächtigen Gott ... glaubt und die sich verpflichtet, ruhig unter der weltlichen Regierung zu leben, irgendwie belästigt [wird] und weder an Person noch Eigentum Schaden erleiden soll als Folge ihrer Gewissensüberzeugung und ihrer Glaubensausübung ...
Zweitens: Um diese Kolonie ... gut zu regieren, soll jährlich von den freien Bewohnern eine Versammlung gewählt werden ... diese Versammlung soll ... in Philadelphia zusammentreten ... und ... soll Gesetzesvorlagen erstellen und verabschieden, Verbrecher bestrafen und Beschwerden abstellen können, und sie soll alle ... Rechte einer gesetzgebenden Versammlung haben, gemäß den Rechten aller frei geborenen Untertanen Englands ...
Viertens: Die Gesetze dieser Regierung sollen wie folgt eingeleitet werden: Gegeben vom Gouverneur mit Zustimmung der freien Bewohner, die in der Generalversammlung vertreten sind ...

(English Historical Documents, Vol. IX, Nr. 23, S. 192 ff.)

91.1 *Im Zwischendeck eines Auswandererschiffes*

Bevölkerungszunahme in den USA und in New York

1770	*2,2 Mio Einw.*
1790	*3,9 Mio Einw.*
1810	*7,2 Mio Einw.*
New York	*0,96 Mio Einw.*
1830	*12,9 Mio Einw.*
1850	*23,2 Mio Einw.*
New York	*3,1 Mio Einw.*
1940	*131,7 Mio Einw.*
New York	*13,5 Mio Einw.*
1985	*234 Mio Einw.*
New York	*17,6 Mio Einw.*

Penn wollte eine Musterkolonie aufbauen und warb deshalb öffentlich um Siedler:

Denjenigen, die in eine überseeische Pflanzung gehen, bringt ihr Fleiß dort mehr ein, als wenn sie zu Hause bleiben; das Produkt ihrer Arbeit besteht aus Waren von weit überlegener Art gegenüber den heimischen ... Diejenigen, die hier nicht nur nicht heiraten konnten, sondern kaum leben und sich Kleidung erlauben konnten, heiraten dort und statten sich, ihre Frauen und Kinder mit dreimal so viel aus von dem, was notwendig und bequem ist und nicht wenig auch an schönen Dingen ...

(English Historical Documents, Vol. IX, Nr. 10, S. 122 f.)

In diese Kolonie wanderten neben Iren und Schotten auch viele Deutsche ein. Sie wurde überdies eine Zufluchtsstätte für solche Menschen, die in den anderen Kolonien aus religiösen Gründen verfolgt wurden. Die Quäker wurden außer in Pennsylvanien nirgends geduldet. Nahezu überall wandte man sich gegen sie. Es wurden Gesetzte gegen sie erlassen, sie wurden verbannt. Wenn sie dennoch nicht weichen wollten oder heimlich zurückkehrten, wurden ihnen zur Strafe die Ohren abgeschnitten, die Zunge mit heißen Eisen durchbohrt, oder sie wurden auf dem nackten Rücken mit geteerten Stricken ausgepeitscht. Dies geschah alles durch Leute, die großenteils selbst um religiöser Verfolgung willen aus England ausgewandert waren.

1. Vergleiche den Mayflower-Vertrag mit der Charta von Pennsylvania. Welche Unterschiede und Gemeinsamkeiten stellst du fest?

2. Die Hauptstadt von Pennsylvania heißt Philadelphia (= Stadt der Bruderliebe). Erkläre das.

Warum sich die Kolonien vom Mutterland lösen wollten

Nachdem Großbritannien im weltweiten Siebenjährigen Krieg gegen Frankreich siegreich geblieben war (vgl. S. 44/45), verlangte es zur Sicherung seiner Staatsfinanzen und zur besseren Verteidigung der Kolonien in Nordamerika Steuern von den Bewohnern. Aber die britischen Unternehmer und Kaufleute hatten auch noch andere Absichten, die in dem folgenden Text deutlich werden:

Jedes Gesetz [der] ... Kolonialregierungen sollte ... das Wohl des Mutterlandes zum Ziel haben ... Daraus folgt, daß alle vorteilhaften Projekte ... in einer Kolonie, die den Interessen des Mutterlandes zuwiderlaufen ... als ungesetzlich anzusehen sind ... die Kolonisten [sollten sich] beim Aufbau bestimmter Industriezweige ... nur für das entscheiden, was ... dem Handel Großbritanniens einigen Vorteil bringt.

(Zeiten u. Menschen, Ausgabe Q, Die Verein. Staaten, Paderborn 1980, S. 10)

So glaubte das britische Parlament seine Entscheidungen, z. B. bezüglich Steuern und wirtschaftlicher Maßnahmen, einfach über die Köpfe der Amerikaner hinweg treffen zu können. Diese wollten dagegen erst im Unterhaus vertreten sein, ehe sie sich dessen Beschlüssen, z. B. den Steuergesetzen, zu beugen bereit waren: no taxation without representation. Daraufhin nahmen die Briten einige Steuern zurück, verschärften aber die Überwachung und erhielten höhere Einnahmen. Die Teesteuer aber blieb bestehen. Die Amerikaner lehnten sich dagegen auf, und es entstanden regelrechte Zellen des Widerstandes in allen größeren Städten. Diese hießen Korrespondenzkomitees. Das waren Gruppen von Menschen, die sich gegenseitig mitteilten, was an Unrecht geschah, und berieten, was dagegen zu tun sei. Das Bostoner Komitee entstand z. B. 1772. In einem seiner Rundbriefe von 1774 heißt es:

92.1 *Boston Tea Party – Protest gegen die Teesteuer. (Zeitgenössiche Darstellung)*

Wir haben gerade die Abschrift eines Gesetzesbeschlusses des britischen Parlaments erhalten, der in der augenblicklichen Sitzungsperiode beschlossen worden ist, durch den die Stadt Boston in höchst schändlicher, grausamer und ungerechter Weise behandelt wird. Das Parlament hat es auf sich genommen – gemäß den Vorstellungen unseres Gouverneurs und anderer Personen, die den Einwohnern gegenüber feindlich und stark voreingenommen sind –, sie [die Einwohner von Boston] in unerhörter Weise unter Anklage zu stellen, zu verurteilen und durch parlamentarischen Beschluß zu bestrafen; dies würde eine Verletzung der natürlichen Gerechtigkeit gewesen sein, selbst wenn sie [das britische Parlament] ein anerkanntes Recht auf Gesetzgebung [was Boston angeht] hätten ... Dieser Angriff, obgleich unmittelbar auf uns gerichtet, ist zweifelsohne [auch] für jede andere Kolonie bestimmt, die ihre heiligen Rechte und Freiheiten nicht in die Hand einer ruchlosen Regierung übergeben will. Darum ist es jetzt an der Zeit, daß alle sich im Widerstand gegen diese Verletzung der Freiheiten aller vereinigen sollten ...

(English Historical Documents, Vol. IX, Nr. 140, S. 789)

56 Delegierte aus allen Kolonien bis auf eine kamen schließlich 1774 zur Beratung in Philadelphia zusammen. Sie erklärten die britische Politik und insbesondere die Zwangsgesetze nach der „Boston Tea Party" für ungerecht. 1775 kam es zu bewaffneten Zusammenstößen britischer Truppen mit amerikanischen Kolonisten. Am 10. Mai des gleichen Jahres trat der Zweite Kontinentalkongreß in Philadelphia zusammen. Er erklärte, daß der Verteidigungszustand herrsche, ernannte George Washington zum Oberbefehlshaber der amerikanischen Streitkräfte und schickte eine Friedenspetition an den britischen König. Der aber erklärte, das Vorgehen der Amerikaner sei eine Rebellion. Damit war der Amerikanische Unabhängigkeitskrieg ausgebrochen.

Thomas Paine erklärte 1776 in seinem Buch Common Sense, von dem in knapp drei Monaten 120000 Stück verkauft wurden:

Es widerstrebt der Vernunft, ... daß dieser Kontinent noch länger einer auswärtigen Macht untergeordnet sein kann ...
Was die Regierung betrifft, so hat Britannien nicht mehr die Macht, diesem Kontinent Gerechtigkeit widerfahren zu lassen: Dies Geschäft wird bald zu schwerwiegend sein und zu verzwickt, um auch nur ... durchgeführt werden zu können, dazu noch von einer Macht, die so weit weg von uns ist ... Immer drei- oder viertausend Meilen mit einem Bericht oder einer Bittschrift zu reisen und dann vier oder fünf Monate auf eine Antwort zu warten, die, wenn sie kommt, fünf oder sechs Monate zur Erklärung erfordert – dies wird in ein paar Jahren als Torheit ... angesehen werden. Es gab einmal eine Zeit, in der so etwas angemessen war, aber es gibt auch eine angemessene Zeit, wo so etwas aufhören muß ... daß ein Kontinent dauernd von einer Insel regiert werden kann. [So] ist es ganz offenkundig, daß beide anderen Systemen angehören: England zu Europa und Amerika zu sich selbst.

(Zeiten u. Menschen, Ausgabe Q, S. 14)

93.1 *Freiheitsstatue im Hafen von New York. (Holzstich nach Harper's Weekly, 1887)*

1. Stelle die Argumente der Briten und die der Amerikaner gegenüber und wäge ab.
2. Was unterscheidet Paine vom Denken der übrigen Amerikaner?

Wie die Amerikaner ihre Unabhängigkeit begründeten und wie ihre erste Verfassung aussah

Die 13 Kolonien erklärten am 4. Juli 1776 ihre Unabhängigkeit, nachdem der englische König ihre Bereitschaft zur Verständigung abgelehnt und ihr Vorgehen als Rebellion gekennzeichnet hatte. Der Anfang des berühmten Dokuments der Unabhängigkeitserklärung begründet die Trennung der Kolonien vom Mutterland mit der Verkündigung der Menschenrechte:

Wenn es im Laufe der geschichtlichen Ereignisse für ein Volk notwendig wird, die politischen Bande zu lösen, die es mit einem anderen verknüpft haben, und unter den Mächten der Erde die gesonderte und gleichwertige Stellung einzunehmen, zu der die Gesetze der Natur und des Schöpfers es berechtigen, so erfordert eine geziemende Achtung vor der Meinung der Welt, daß es die Gründe angibt, die es zu der Trennung zwingen.
Wir halten diese Wahrheiten für in sich einleuchtend:
daß alle Menschen gleich geschaffen sind;
daß sie von ihrem Schöpfer mit gewissen unveräußerlichen Rechten ausgestattet sind, darunter Leben, Freiheit und Streben nach Glück;
daß zur Sicherung dieser Rechte Regierungen unter den Menschen eingesetzt sind, die ihre gerechten Vollmachten von der Einwilligung der Regierten herleiten;
daß, wenn immer eine Regierungsform diesen Zwecken schadet, es das Recht des Volkes ist, sie zu ändern oder abzuschaffen und eine neue Regierung einzusetzen, die sich auf solchen Grundsätzen aufbaut . . .

(English Historical Documents, Vol. IX, Nr. 179, S. 877)

Die eigentliche Unabhängigkeitserklärung steht im Schlußabschnitt:

Wir, die Vertreter der Vereinigten Staaten von Amerika, versammelt im Allgemeinen Kongreß, rufen deshalb den höchsten Richter der Welt zum Zeugen für die Rechtlichkeit unserer Absicht. Im Namen und in Vollmacht des guten Volkes dieser Kolonien geben wir feierlich bekannt und erklären,
daß diese Vereinigte Kolonien sind und von Rechts wegen sein sollen freie und unabhängige Staaten,
daß sie von jeder Untertanenpflicht gegen die britische Krone befreit sind und,
daß jeder politische Zusammenhang zwischen ihnen und dem Staate Großbritannien völlig gelöst sein soll und,
daß sie als freie und unabhängige Staaten die volle Macht besitzen: Krieg zu führen, Frieden zu schließen, Bündnisse einzugehen, Handelsbeziehungen anzuknüpfen und
alle anderen Handlungen und Dinge vorzunehmen, die unabhängige Staaten von Rechts wegen tun dürfen.

(English Historical Documents, S. 879)

Zunächst erlitten die amerikanischen Truppen eine Reihe von Rückschlägen, da sie schlechter ausgebildet und weniger gut ausgerüstet waren als die britischen Armeen. Aber Ende 1777 wendete sich das Blatt. Anfang 1778 erkannte Frankreich die Unabhängigkeit der Kolonien an und schloß mit ihnen ein Handelsabkommen und einen Bündnisvertrag. Frankreich zahlte Hilfsgelder, gewährte und vermittelte Kredite, lieferte Waren und Waffen, um dem „Feind seines Feindes“ (vgl. S. 45) beizustehen. 1779 trat auch Spanien in den Krieg gegen Großbritannien ein.

94.1 *Die amerikanische Flagge 1775, 1789 und heute*

Es hoffte vor allem, dadurch Gibraltar, den Schlüssel zum Mittelmeer, zurückgewinnen zu können. Den demokratischen Grundsätzen der Kolonisten standen die Herrschenden in beiden Monarchien allerdings ablehnend gegenüber. 1781 erlitten die Briten ihre entscheidende Niederlage. Im Frieden von Paris 1783 wurden Unabhängigkeit und Souveränität der Vereinigten Staaten von Amerika anerkannt.

1787 trat – wiederum in Philadelphia – ein Verfassungskonvent zusammen. Es ging jetzt darum, einen Bund der 13 Staaten zu gründen. Die Frage war, wieviel Macht die Zentralregierung erhalten sollte. Nach langwierigen Auseinandersetzungen einigte man sich schließlich darauf, daß die Zentralregierung über Krieg und Frieden entscheiden sollte. Sie allein durfte ferner Verträge mit fremden Staaten schließen. Die Zentralregierung hatte den Oberbefehl über Heer und Flotte und bestimmte über Münzen, Maße, Gewichte, Zölle und Steuern.

1. Vergleiche die Verfassung der USA von 1789 mit der britischen des 18. Jahrhunderts (siehe Abb. 88.1).
2. Begründe, inwiefern die damaligen USA als ein Staatenbund bezeichnet werden muß.
3. Vergleiche den Anfang der Unabhängigkeitserklärung mit den Grundrechten und der Präambel im Grundgesetz der Bundesrepublik.

95.1 Amerikanische Münzen heute

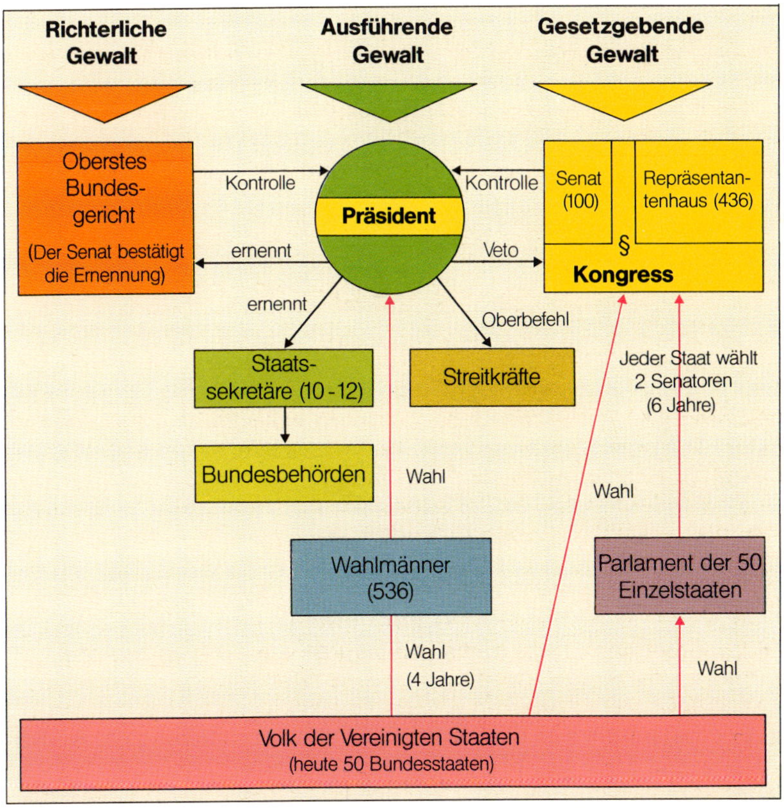

95.2 Die Verfassung der USA von 1789

Wie und aus welchen Gründen Negersklaven in die 13 Kolonien verschleppt wurden

Die Indianer waren schon von den ersten Siedlern und später immer stärker aus ihren angestammten Jagdgründen (= Jagdgebieten) verdrängt und vertrieben worden. In blutigen Kämpfen wurden Tausende von ihnen getötet. Ende des 19. Jahrhunderts begann man sogar damit, sie in Reservaten anzusiedeln und sie somit von der übrigen Welt abzuschließen. Die „Versuche" scheiterten, sie als Arbeitssklaven auf den Plantagen einzusetzen. Die Indianer leisteten dagegen Widerstand, liefen fort oder starben bei der ungewohnten Arbeit.

Weil aber viele Landarbeiter benötigt wurden, begann schon im 17. Jahrhundert der Transport von Negern aus Afrika als Sklaven nach Nordamerika. Im 18. Jahrhundert nahm dieser Sklavenhandel einen gewaltigen Aufschwung. Es war ganz selbstverständlich, Sklaven zu halten. Dies zeigt auch eine Äußerung von 1743 aus der damaligen Kolonie Georgia:

Es ist klar wie das Licht selbst, daß Neger ebenso unabdingbar notwendig zur Kultivierung von Georgia sind wie Äxte, Hacken oder irgendein anderes bäuerliches Gerät.

(English Historical Documents, Nr. 79, S. 493)

Wie man in Virginia die Sklavenhaltung rechtfertigte, lesen wir in einem Brief von 1757, den damals ein Pfarrer an seinen Bruder geschrieben hat:

Die Neger werden von den Negern selbst versklavt, bevor sie eingekauft werden von den Schiffsherren, die sie hierher bringen ... Für einen faulen Burschen [Diener], der [nur] Holz und Wasser herbeischafft, sind im Jahr £ 19.16.3 [= 19 Pfund, 16 Schilling, 3 Pence] zu zahlen; füge sieben oder acht Pfund mehr hinzu, und Du hast einen Sklaven fürs ganze Leben.

(English Historical Documents, Nr. 80)

Aber es gab auch Protest gegen die Sklaverei. Bereits 1688 hatten deutsche Quäker aus Krefeld, die sich in Germantown niedergelassen hatten, ihre Stimme gegen die Versklavung von Menschen erhoben.

Hier herrscht Gewissensfreiheit, was recht und vernünftig ist; hier sollte gleichermaßen Freiheit des Leibes herrschen, außer für Übeltäter, was eine andere Sache ist. Aber Menschen herzubringen oder zu rauben und gegen ihren Willen zu verkaufen, dagegen sind wir. In Europa werden viele ihres Bekenntnisses wegen bedrückt; und hier gibt es jene, die wegen ihrer schwarzen Hautfarbe bedrückt werden.

(English Historical Documents, Nr. 78, S. 492)

Ähnliche Stimmen und Bemühungen häuften sich bis zum Ende des 18. Jahrhunderts. Die Sklaverei wurde aber erst 1865 abgeschafft.

1. Mit welchen Argumenten wird die Sklaverei gerechtfertigt?
2. Erkläre, warum sich die Forderungen nach Abschaffung der Sklaverei gegen Ende des 18. Jahrhunderts häuften.
3. Informiere dich über die Lage der Schwarzen in den USA heute. Erkläre ihre Situation auch aus ihrer Geschichte.

Gefangene Neger auf dem Marsch zur Küste in Afrika. Sie wurden auf Schiffe verladen und nach Nordamerika gebracht.

An Bord eines Sklavenschiffes. (Aquarell eines englischen Offiziers). Sklaven drängen sich zwischen Ballen und Fässern. Darüber befindet sich ein weiteres Deck, auf dem diese noch enger gepfercht sitzen und liegen.

Sklaven bei der Arbeit in den USA (Zeitgenössische Darstellung, 1860)

Die Große Französische Revolution

Wie in Frankreich die konstitutionelle Monarchie entstand

Im Jahre 1789 war die französische Staatskasse leer, der Staat hoch verschuldet. Viele Kriege (s. S. 42/44 f.), die Kosten der Hofhaltung (s. S. 54/55) und mannigfache Geldgeschenke an den hohen Adel hatten den Staatsbankrott herbeigeführt. Darum sah sich der König, Ludwig XVI., genötigt, nach rund 175 Jahren erstmalig wieder die französischen Generalstände einzuberufen. Dazu gehörten die Vertreter der hohen Geistlichkeit (1. Stand), des Adels (2. Stand) und der übrigen Bevölkerung (3. Stand). Die Versammlung sollte ihm neue Steuern bewilligen, um die Staatskasse wieder zu füllen. Aus dieser Situation heraus kam es zur Revolution. Die Kritik der Aufklärer (s. S. 82/83) am französischen Staatswesen hatte schon Jahrzehnte zuvor Unmut im gebildeten und wirtschaftlich bedeutsamen Bürgertum geweckt und geschürt. Mehr als ein halbes Jahrhundert vor Ausbruch der Revolution hatten Aufklärer bereits die britische Verfassung als Vorbild hingestellt. Später berief man sich auch oft auf die Verfassung der USA.

Die englische Nation ist die einzige der Welt, der es gelungen ist, die Macht der Könige durch Widerstand zu regeln, und die von Anstrengung zu Anstrengung endlich diese weise Regierung eingerichtet hat, in der der Fürst allmächtig ist, das Gute zu tun, aber die Hände gebunden hat, wenn er Böses tun will . . .

(Voltaire, Lettres philosophiques, Hrsg. R. Naves, Paris 1934, S. 34)

In den schriftlichen Beschwerden, die nach alter Sitte den Abgeordneten der Generalstände 1789 nach Paris mitgegeben wurden, tauchen daher Forderungen auf, die wir schon kennen. Sicherlich wußten die einfachen Leute nicht sonderlich viel von den genannten Vorbildern. Aber diejenigen, die ihre Beschwerden niederschrieben, kannten sie; das waren meist die örtlichen Rechtsgelehrten. Daher zeigen diese Beschwerdeschriften eine weitgehende Übereinstimmung. So forderten die Bauern von Guyancourt:

1. daß alle Steuern von den drei Ständen ohne irgendwelche Ausnahme gezahlt werden, von jedem Stand gemäß seinen Kräften;
2. das gleiche Gesetz und Recht im ganzen Königreich;
8. daß die Eigentumsrechte heilig und unverletzlich sind;
9. daß rascher und mit weniger Parteilichkeit Recht gesprochen wird;
10. daß alle Frondienste . . . beseitigt werden; . . .

(A. Alba, Histoire contemporaine, Paris 1940, S. 6)

In den Forderungen der Bauern aus Laître-sous-Amance hieß es:

1. Das kostbarste Gut für uns als Franzosen besteht darin, daß wir in regelmäßigen Zeitabständen Generalstände haben.
4. Das kostbarste aller Güter ist die persönliche Freiheit der Bürger; mit allem Nachdruck erheben wir Einspruch gegen die königlichen Verhaftungsbefehle und jegliche willkürliche Einsperrung.
5. Alle pflichtvergessenen und tyrannischen Minister sollen durch die Volksvertretung verhaftet, vor Gericht gestellt und bestraft werden, so wie es die verschiedenen Fälle erfordern . . .

(J. Godfrin, Cahiers de doléance . . ., Bd. IV, Paris 1934, S. 98)

98.1 *Bauer, Adliger und Geistlicher. (Zeitgenössische Karikatur)*

Die Einwohner von La Chapelle-Cravonnaise verlangten:

1. ... daß keine Steuer eingeführt wird ohne die Zustimmung der Generalstände.
2. ... daß die Generalstände das Recht haben, sich alle fünf Jahre zu versammeln ...
4. Die Abgeordneten sollen auch die gänzliche Abschaffung der Privilegien [= Vorrechte] des Adels und des Klerus [= Geistlichkeit] beraten.
17. Daß in den Generalständen nach Köpfen und nicht nach Ständen abgestimmt wird.

(P. Goubert/M. Denis, 1789 ... Cahiers des Etats Généraux, Paris 1964, S. 29 ff.)

Gerade die letzte Forderung brachte den Stein ins Rollen. Sie bedeutete eine Mehrheit für die Ziele des Dritten Standes, weil er 600 Vertreter in den Generalständen hatte, Erster und Zweiter Stand aber nur je 300. Die beiden ersten Stände und der König widersetzten sich und bestanden auf ihren Privilegien.

Da erklärte sich der Dritte Stand zur Nationalversammlung, d.h. zur alleinigen rechtmäßigen Vertretung der Bevölkerung, und konnte sich damit auch durchsetzen. Mit der Zeit wurden alle Privilegien abgeschafft und 1791 eine konstitutionelle Verfassung beschlossen.

1. Worin stimmen die Beschwerdeschriften überein?
2. Vergleiche den Wahlspruch der Revolutionäre, ,,Freiheit, Gleichheit, Brüderlichkeit", mit der Karikatur.

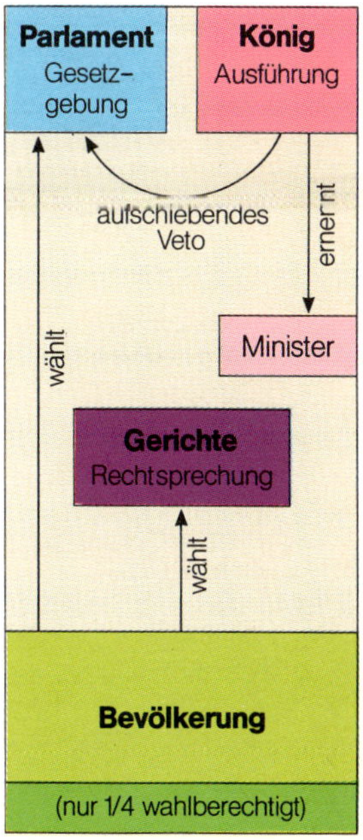

***99.1** Verfassung von 1791*

***99.2** Schwur im Ballhaus am 20. Juni 1789. (Gemälde von J. L. David)*

Wie die französische Revolution radikal wurde

Wie schon sein Bruder und viele hohe Adlige versuchte auch der König, im Juni 1791 ins Ausland zu fliehen. Von dort aus wollte er für die Wiederherstellung der alten Zustände wirken. Er wurde vor der Grenze erkannt, nach Paris zurückgebracht und in seinem Stadtschloß streng bewacht. Die Emigranten aber wirkten weiter vom Ausland aus gegen die Revolution. Ein führender Revolutionär nahm dazu im Dezember 1791 Stellung:

Häufige revolutionäre Vor- und Zusatznamen:

Baptiste-Patriote, Louis-Républicain, Marie-Patriote-Républicaine, Immortelle-Victoire, Tell, Franklin, Scipio, Leonidas, Philosophie, Egalité, Sansculotte.

Seit zwei Jahren hat Frankreich alle gütlichen Mittel erschöpft, um die Rebellen [gemeint sind die Emigranten] zurückzuführen; alle Aufforderungen sind fruchtlos gewesen, sie beharren auf ihrem Aufruhr: Die fremden Fürsten bestehen auf ihrer Unterstützung; kann man zögern, sie anzugreifen?

(Buchez et Roux, Histoire Parlementaire de la Révolution, Bd. 12, Paris 1834, S. 131 f.)

Aber das war nicht der einzige Grund, warum Frankreich im April 1792 an Österreich den Krieg erklärte. Dessen Herrscher war der Bruder der französischen Königin. Die folgenden beiden Aussprüche französischer Revolutionäre lassen noch zwei weitere Gründe erkennen:

Im Kriegszustand kann man Maßnahmen ergreifen, die man im Frieden zu scharf finden könnte . . . Im Innersten Frankreichs gibt es starke Dosen von Gift, und es bedarf starker Explosionen, um es herauszutreiben.

(P. Gaxotte, Die Französische Revolution, München 1949, S. 179)

Der Augenblick für einen neuen Kreuzzug ist gekommen, zu einem Kreuzzug für die allgemeine Freiheit!

(A. Soboul, . . . la Révolution Française, Paris 1962, S. 209)

Preußen stand Österreich in diesem Krieg bei. Ein vereinigtes Heer marschierte nach Frankreich. Dessen Oberbefehlshaber erließ im Juli 1792 einen Aufruf an die Franzosen, der sich gegen „die Ausschweifungen der herrschenden Partei" richtete und dazu aufforderte, „ohne Verzug zur Vernunft, zur Gerechtigkeit, zur Ordnung und zum Frieden zurückzukehren". Ferner hieß es darin:

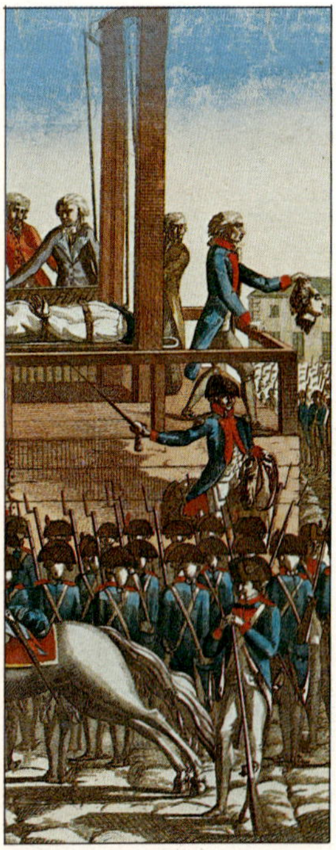

100.1 *Hinrichtung Ludwigs XVI.*

Die Stadt Paris und alle ihre Bewohner ohne Unterschied sind gehalten, sich auf der Stelle . . . ihrem König zu unterwerfen, diesen Fürsten in die volle Freiheit zu setzen und ihn wie alle königlichen Personen der Unverletzlichkeit und der Achtung zu versichern, die nach Natur- und Völkerrecht die Pflicht der Untertanen gegen die Herrscher gebietet.

(Buchez et Roux, Histoire Parlementaire . . ., Bd. 16, S. 276 ff.)

Weiter wurde erklärt, daß man „für alle Zeiten denkwürdige Rache nehmen und die Stadt Paris einer militärischen Exekution und einer gänzlichen Vernichtung" unterziehen werde, wenn der königlichen Familie irgendein Schaden zugefügt werde. Umgekehrt wurde versprochen, daß der österreichische und der preußische Herrscher sich dafür einsetzen würden, daß den Revolutionären „Gnade für ihr Unrecht und ihre Irrtümer gewährt und die kräftigsten Maßregeln zur Sicherung ihres Lebens und ihrer Güter getroffen werden, wenn sie die obige Aufforderung schnell und pünktlich befolgen".

Dieser Aufruf erregte die Bevölkerung von Paris stark, insbesondere die einfachen Leute, die sogenannten Sansculotten. Sie hießen so, weil sie keine Kniebundhosen (= culotte), sondern lange Hosen, wie wir sie heute kennen, trugen. Man witterte eine Verschwörung und mißtraute selbst den Abgeordneten der eigenen Nationalversammlung. In den Straßen von Paris tauchte ein Anschlag auf, in dem es hieß:

Fürchtet die Reaktion! ... eure Feinde werden euch nicht schonen, wenn der Würfel wieder zu ihren Gunsten fällt, deshalb keine Gnade! ... [Ich] schlage ... euch vor, die revolutionsfeindlichen Mitglieder der Nationalversammlung zu dezimieren ... Vor allem aber haltet den König, sein Weib und seinen Sohn als Geiseln fest! ... erklärt ihm, daß, wenn die Österreicher nicht binnen 14 Tagen 20 Meilen von der Grenze entfernt sind, sein Kopf ihm vor die Füße rollen wird.

(A. Bougeart, Marat l'ami du peuple, Bd. 2, Paris 1862, S. 34 ff.)

101.1 *Sansculotte. (Zeitgenössische farbige Zeichnung)*

So begann die Terrorphase der französischen Revolution. Die Österreicher und Preußen wurden zurückgeschlagen. Der König wurde seines Amtes enthoben, zum Tode veurteilt und im Januar 1793 hingerichtet. Ein neues Parlament, der sogenannte Konvent, wurde gewählt. Er sollte eine neue, republikanische Verfassung ausarbeiten, Gesetze erlassen und mit Konventsausschüssen regieren. Bei ihm lag die oberste richterliche Gewalt. Eines der führenden Konventsmitglieder erklärte:

Die Freiheit muß durch die Gewalt begründet werden, und so ist jetzt der Augenblick gekommen, da man den vorübergehenden Despotismus [= Gewaltherrschaft] der Freiheit einrichten muß, um den Despotismus der Könige zu vernichten.

(P. Fischer, Reden d. franz. Revolution, München 1974, S. 297)

Dieser Despotismus richtete sich nicht nur gegen Monarchisten, sondern auch gegen Revolutionäre, die andere Vorstellungen hatten als die mächtigen radikalen Gruppen im Konvent. So bestimmte ein Dekret, das Robespierre als Vorsitzender des entscheidenden Konventsausschusses für das öffentliche Wohl durchsetzte:

Als Feind des Volkes gilt, wer die Wiedererrichtung des Königtums betreibt oder die Verächtlichmachung oder Auflösung des Nationalkonvents und der republikanischen Revolutionsregierung ... anstrebt ... Die Strafe für alle Delikte ist der Tod.

(W. Grab, Die französische Revolution, München 1973, S. 225)

101.2 *Siegel des Wohlfahrtsausschusses, 1793*

Aufgrund dieses Dekrets wurden 1793/94 insgesamt ungefähr 17000 Todesurteile vollstreckt. Das ist die Zeit der „Schreckensherrschaft“.

1. Welche Gründe führen zur französischen Kriegserklärung?
2. Warum löste das Manifest des Oberbefehlshabers der vereinigten österreichisch-preußischen Truppen eine radikale Bewegung aus?
3. Was unterscheidet den Konvent von der Verfassung von 1791 (s. auch Grafik 99.1)?
4. Was bedeutet der „Despotismus der Freiheit“ wirklich? Überlege, wer alles zum Feind des Volkes erklärt wurde.
5. Inwiefern könnte man von einem neuen Absolutismus reden?

Wie es zur Herrschaft Napoleons kam und was von der Revolution blieb

Mitte 1794 hatten französische Truppen die Gegner weit über die französischen Grenzen hinaus zurückgeschlagen. Zu dieser Zeit stellte im Konvent ein Anhänger Robespierres den Antrag, diesen zum Diktator zu machen. So viel Macht wollte ihm aber auch der Konvent nicht geben. Mit großer Mehrheit des Konvents wurden er und 21 seiner Mitarbeiter verhaftet und schon am folgenden Tage hingerichtet. Damit war die Zeit der Schreckensherrschaft zu Ende.

Eine neue Verfassung wurde im Interesse der neureichen Bürger beschlossen und das Parlament in zwei Kammern aufgeteilt. Die eine Kammer war der Rat der Fünfhundert, der die Gesetze ausarbeitete und vorschlug, und die andere Kammer war der Rat der Alten, der über die Gesetzesvorlagen beschloß. Die Regierung, die ausübende Gewalt, lag bei einem fünfköpfigen Direktorium, das vom Rat der Alten aus einer Liste von 50 Personen gewählt wurde. Diese hatte zuvor der Rat der Fünfhundert aufgestellt. Die Rechtsprechung lag bei unabhängigen Gerichten.

Aber es kam immer wieder zu Unruhen. Zunächst zu solchen radikaler Revolutionäre, dann zu solchen rechts eingestellter Gruppen. Ruhe und Ordnung stellte erst der erfolgreichste General der Republik, Napoleon Bonaparte, wieder her.

Seit 1796 hatte Napoleon in Italien gegen Österreich gekämpft und dieses besiegt. Dann versuchte er, Großbritannien, das inzwischen auch gegen Frankreich angetreten war, im Mitelmeer zu schlagen, scheiterte aber damit. Dies schadete jedoch seinem Ansehen nicht. 1799 kehrte er nach Frankreich zurück, stellte den inneren Frieden her und schuf wiederum eine neue Verfassung. Er ließ sie jedoch Schritt für Schritt ändern, bis er schließlich allein alle Macht im Staat innehatte. 1804 ließ er sich als Napoleon I. zum französischen Kaiser krönen.

102.1 *Verwaltungsordnung*

Nachdem er für Ruhe und Ordnung gesorgt und die neue Verfassung durchgesetzt hatte, erklärte er den Franzosen im Dezember 1799:

> Bürger, die Revolution hält an den Grundsätzen, die an ihrem Beginn standen, fest. Sie ist beendet.

(W. Grab, Die französische Revolution, München 1973, S. 301)

Durch ein Gesetz von 1800 wurde Frankreich eine neue Verwaltungsordnung gegeben, durch die alle Regionen in gleicher Weise organisiert und zentral auf Napoleon ausgerichtet wurden. 1804 wurde durch den Code Civil, der auch Code Napoléon genannt wurde, das französische Recht vereinheitlicht. Vorher hatte es mehr als 300 verschiedene Gesetzessammlungen gegeben, deren jede nur in einem Teil Frankreichs galt. Jetzt gab es ein einheitliches Recht für alle Franzosen. In diesem Code Civil stehen u. a. folgende Bestimmungen:

Art 1: Die Gesetze [gelten] im ganzen französischen Gebiet . . .
Art. 8: Jeder Franzose soll die bürgerlichen Rechte genießen.
Art. 213: Die Frau [ist] ihrem Manne Gehorsam schuldig.
Art. 215: Die Frau kann ohne Genehmigung ihres Mannes nicht vor Gericht auftreten.

Art. 217: Die Ehefrau kann ... weder schenken, veräußern ... noch erwerben ... sofern nicht ihr Ehemann ... eingewilligt hat.
Art. 317: In jedem Alter ist das Kind seinen Eltern Ehrerbietung und Achtung schuldig.
Art. 544: Eigentum ist das Recht, eine Sache auf die unbeschränkteste Weise zu benutzen und darüber zu verfügen, vorausgesetzt, daß man davon keinen durch die Gesetze ... untersagten Gebrauch macht.
Art. 545: Niemand kann gezwungen werden, sein Eigentum abzutreten, ausgenommen zum öffentlichen Besten und gegen eine verhältnismäßige und vorgängige Entschädigung.

(Code Civil)

***103.1** Bergischer Code Civil*

In vielen Staaten übernahm man dieses französische Rechtsbuch und behielt es auch nach dem Sturz Napoleons bei. Dies geschah auch in einigen deutschen Staaten, so z. B. im Gebiet des ehemaligen Herzogtums Berg, obwohl dies seit 1815 zu Preußen gehörte. Erst im Jahre 1900 wurde der Code Civil dort durch das deutsche Bürgerliche Gesetzbuch (BGB) abgelöst, das damit nunmehr in allen deutschen Ländern galt. Und selbst heute gilt er hier noch als subsidiäres (= ergänzendes) Recht, d. h. in denjenigen Fällen, in denen das BGB Fragen offen läßt.

1. Napoleon behauptet, an den Grundsätzen der Revolution festzuhalten. Inwiefern hat Napoleon Recht, inwiefern Unrecht?
2. Vergleiche die Verwaltung Frankreichs unter Napoleon mit derjenigen, die Ludwig XIV. durchführen wollte (S. 57).
3. Lies Artikel 3 und Artikel 14 des Grundgesetzes für die Bundesrepublik Deutschland und vergleiche sie mit dem Code Civil.
4. Warum wurde Großbritannien immer mehr zum entscheidenden Gegner Frankreichs? Vergleiche mit 1713 (S. 42).

***103.2** Kaiserkrönung Napoleons I. (Gemälde von J. L. David)*

Welchen Anklang die französische Revolution in Deutschland fand

Viele Angehörige des gebildeten Bürgertums in den meisten europäischen Ländern begrüßten die französische Revolution. Der deutsche Philosoph Immanuel Kant schrieb:

„Die Revolution eines geistreichen Volkes, die wir in unseren Tagen haben vor sich gehen sehen, mag gelingen oder scheitern; sie mag mit Elend und Greueltaten dermaßen angefüllt sein, daß ein wohldenkender Mensch sie, . . . auf solche Kosten zu machen, nie beschließen würde –, die Revolution, sage ich, findet doch in den Gemütern aller Zuschauer [die nicht selbst in diesem Spiele mit verwickelt sind] eine Teilnehmung, die nahe an Enthusiasmus grenzt, . . ." Als Ursache für diese Begeisterung führt Kant in erster Linie die Auffassung an, „daß ein Volk von anderen Mächten nicht gehindert werden müsse, sich eine bürgerliche Verfassung zu geben, wie sie ihm selbst gut zu sein dünkt . . ."

(I. Kant, Werke, Bd. XI, Ausgabe v. Weischedel, Frankfurt 1964, S. 358)

In allen großen deutschen Städten bildeten sich Klubs von Revolutionsanhängern. Im geistlichen Kurfürstentum Mainz, und zwar mit dem Zentrum in der Stadt Mainz, kam es 1792 sogar zur Gründung einer Republik. Sie hatte allerdings nur bis 1793 Bestand, so lange wie die französischen Truppen in diesem Gebiet standen. Ein kaiserlicher Gesandter berichtete über die Stimmung der Mainzer Bürger im November 1792 von zwei unterschiedlichen Auffassungen:

Die Anhänger der einen, welche jedoch sowohl an der Zahl als auch nach ihrem Gewichte und sonstigen Verhältnissen ohne Vergleich die geringeren sein sollen, träumen nichts als Freiheit und Gleichheit und wünschen, daß die französische Verfassung im ganzen Umfange die ihrige werden möge.

Der größere, bescheidenere und vermöglichere Teil der Mainzer Bürger, worunter namentlich der Handelsstand und 10 bis 12 Zünfte begriffen sind, ist von diesem Schwindelgeiste noch bei weitem nicht genugsam eingenommen, um seine bisherige glückliche Lage gänzlich zu verkennen und sich durch den Strom einer eingebildeten Freiheit hinreißen zu lassen. Aber auch dieser klügere Volksteil äußert Wünsche und macht Entwürfe, die wenigstens mit der bisherigen Landesverfassung zum Teil nicht vereinbarlich sind, zum Teil hingegen, wenn solche durchgesetzt werden sollten, von einem höchst schädlichen Beispiele für Untertanen anderer Staaten sein würden. Unter die erstere Klasse gehört das dringende Verlangen, daß 1. von der hohen und niederen Geistlichkeit, vom Adel, sowie auch vom Bürger- und Bauernstande eine Repräsentanz oder ein Ausschuß zusammengesetzt werden soll, welcher die Gestalt förmlicher Landstände bekommen und sich das Recht, über Gesetze und Landeseinrichtungen zu beratschlagen, zueignen würde; 2. daß die Geistlichkeit und der Adel, deren Besitzungen ohnehin beinahe zwei Dritteile des ganzen Landes ausmachen, künftighin zu den gemeinschaftlichen bürgerlichen Lasten und Abgaben verhältnismäßig beitragen sollten; 3. soll einem jeweiligen Kurfürsten . . . eine jährliche Geldsumme angewiesen werden, von welcher er seinen Hofstaat zu unterhalten und seine Privatausgaben zu bestreiten hätte, wohingegen alle übrigen [Steuereinnahmen] von einer durch den Ausschuß niederzusetzenden Kommission zu verwalten wären; . . .

(J. Hansen, Quellen z. Gesch. d. Rheinlands . . ., 2. Bd., Bonn 1933, S. 527 f).

104.1 *Mainzer Nationalgardist*

Viele ursprünglich begeisterte Fürsprecher wurden aber von den Greueln der Terrorphase der französischen Revolution abgestoßen. Einer von ihnen war der deutsche Dichter Friedrich Schiller, der ein großer Verehrer Immanuel Kants war. Er schrieb:

Der Versuch des französischen Volks, sich in seine heiligen Menschenrechte einzusetzen und eine politische Freiheit zu erringen, hat bloß das Unvermögen und die Unwürdigkeit desselben an den Tag gebracht, und nicht nur dieses unglückliche Volk, sondern mit ihm auch einen beträchtlichen Teil Europas ... in Barberei und Knechtschaft zurückgeschleudert. Der Moment war der günstigste, aber er fand eine verderbte Generation, die ihn ... weder zu würdigen noch zu benutzen wußte. Der Gebrauch, den sie von diesem großen Geschenk des Zufalls macht und gemacht hat, beweist unwidersprechlich, daß das Menschengeschlecht der vormundschaftlichen Gewalt noch nicht entwachsen ist, daß das liberale Regiment der Vernunft da noch zu frühe kommt, wo man kaum damit fertig wird, sich der brutalen Gewalt der Tierheit zu erwehren, und daß derjenige noch nicht reif ist zur bürgerlichen Freiheit, dem noch so vieles zur menschlichen fehlt. – In seinen Taten malt sich der Mensch – und was für ein Bild ist das, das sich im Spiegel der jetzigen Zeit uns darstellt? Hier die empörendste Verwilderung, dort das entgegengesetzte Extrem der Erschlaffung [gemeint sind die, denen das Allgemeinwohl gleichgültig, nur der private Genuß wichtig ist]: die zwei traurigsten Verirrungen, in die der Menschencharakter versinken kann.

(H. E. Hass, Die dt. Literatur ..., Bd. V, 2, München 1966, S. 1539 f).

1. Warum lobt Kant die Revolution?
2. Wie stellen sich die Mainzer zur Revolution?
3. Warum tadelt Schiller die Revolution?

105.1 *Tanz um den Freiheitsbaum in Mainz, 1793.(Kupferstich)*

Europäische Staatengeschichte zur Zeit Napoleons I.

Frankreich auf dem Weg zur vorherrschenden Macht in Europa

Welche Ziele Napoleon in Frankreich und in Europa verfolgte

Die deutschen Fürsten beobachteten voll Schrecken den glanzvollen Aufstieg Napoleon Bonapartes. Er führte die gefürchteten Revolutionsarmeen zu immer neuen Siegen über die Söldnerheere der Fürsten. Noch als General hatte er 1797 die Österreicher besiegt und gezwungen, den Rhein als deutsch-französische Grenze anzuerkennen. Preußen hatte dies schon 1795 zugestanden. So mußten 1797 die linksrheinischen Gebiete des deutschen Reichs an Frankreich abgetreten werden. Als die letzte Stadt des alten Reichs auf dem linken Rheinufer, die Festung Mainz, geräumt wurde, schrieb Joseph Görres:

106.1 Napoleon. (Gemälde von J. Louis David, 1812)

Am 30. Dezember 1797 ... starb ... in dem blühenden Alter von 955 Jahren, 5 Monaten, 28 Tagen sanft und selig an einer gänzlichen Entkräftung und hinzugekommenen Schlagflusse, bei völligem Bewußtsein und mit allen heiligen Sakramenten versehen, das heilige römische Reich schwerfälligen Angedenkens ... Zum Testamentsvollstrecker wird Seine Exzellenz, der General Bonaparte, ernannt.

(J. Görres, Gesammelte Schriften, Bd. 1, 1928, S. 95 und 99)

Was Görres erwartet hatte, trat ein. In einem abschließenden Reichsgesetz, dem Reichsdeputationshauptschluß von 1803, wurden die rechtsrheinischen Gebiete des Reichs gemäß den französischen Interessen neu verteilt. Auf Betreiben Napoleons entstand 1806 der Rheinbund: Süddeutsche und rheinische Fürsten schlossen sich mit Frankreich zusammen. Es wurde bestimmt, daß Frankreich Schutzherr dieses Bundes sein sollte. Ferner wurde vereinbart, daß jeder Krieg, den Frankreich oder einer der Rheinbundstaaten führe, ein Krieg aller sei. Daraufhin legte der deutsche Kaiser seine Krone nieder. Damit endete das Heilige Römische Reich Deutscher Nation. Preußen, das sich durch den Rheinbund bedroht fühlte, erklärte Frankreich den Krieg. Es wurde 1806 geschlagen und verlor alle Gebiete westlich der Elbe. 1810 stand Napoleon auf dem Höhepunkt seiner Macht. In zahlreichen Satellitenstaaten regierten Angehörige seiner Familie, so im Königreich Westfalen, im Großherzogtum Berg, in den Königreichen Italien und Neapel. Was Napoleon letztlich erreichen wollte, erklärte er 1811:

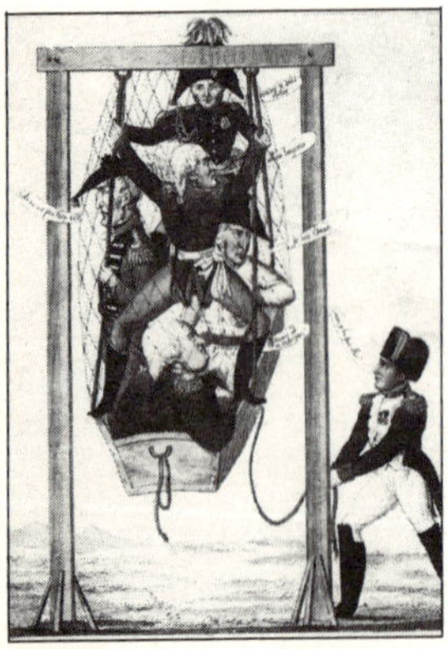

106.2 Napoleon „verschaukelt" die europäischen Fürsten

Ich habe meine Bestimmung noch nicht erfüllt; ich will beenden, was kaum begonnen. Wir brauchen ein europäisches Gesetz, einen europäischen Gerichtshof, eine einheitliche Münze, die gleichen Gewichte und Maße ... Aus allen Völkern Europas muß ich ein Volk ... machen.

(F. M. Kircheisen, Gespräche Napoleons, Stuttgart 1912, Bd. 2, S. 163)

1. Welche europäischen Staaten gehören 1810 nicht zum Herrschaftsbereich Napoleons?
2. Welche letzten Ziele verfolgt Napoleon 1811? Worin besteht der Unterschied zu den Zielen der heutigen Europäischen Gemeinschaft?

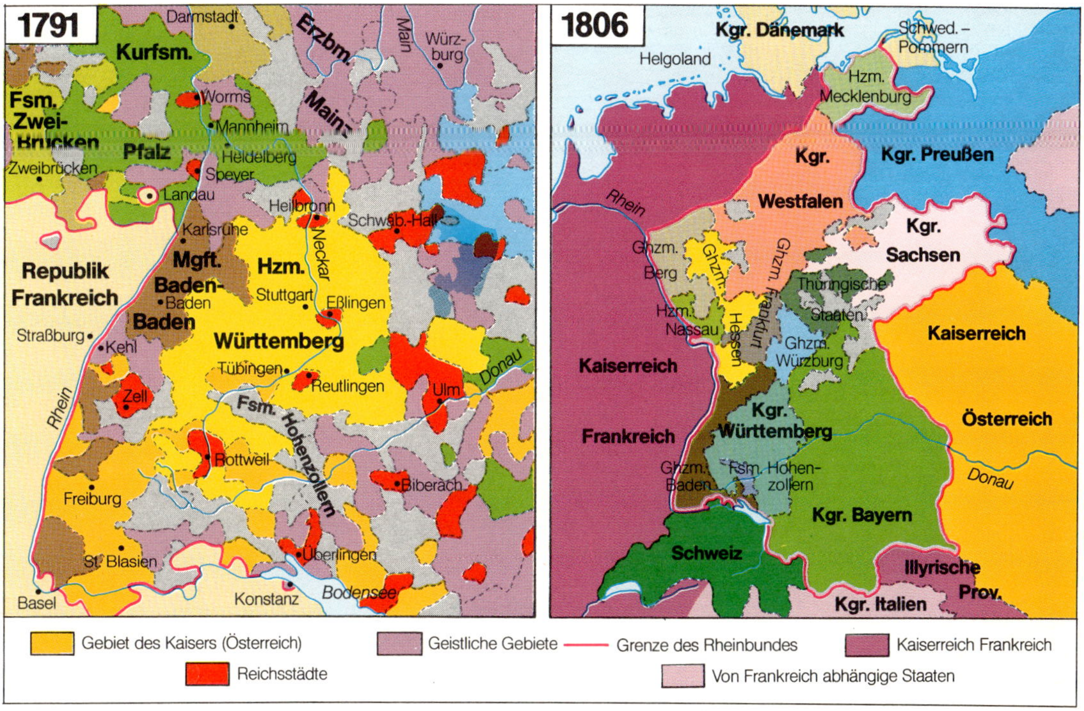

107.1 *Die südlichen Rheinlande 1791 und die Rheinlande in Mitteleuropa 1806*

107.2 *Europa im Jahr 1812*

Großbritanniens Kampf gegen das revolutionäre Frankreich

Warum Großbritannien zum entschiedenen Gegner Frankreichs wurde

In Großbritannien wurde die französische Revolution von Anfang an durch Regierung und Parlament abgelehnt. Die Regierung ging zunehmend schärfer gegen revolutionäre Klubs vor, die sich innerhalb der britischen Grenzen gebildet hatten. Aufklärer und Revolutionäre mußten das Land verlassen. Thomas Paine, der 1774 nach Amerika gegangen und 1787 nach Großbritannien zurückgekehrt war, mußte 1791 erneut nach Frankreich fliehen. Als er auch dort verfolgt wurde, ging er 1802 in die USA zurück. Das britische Unterhaus- und Regierungsmitglied E. Burke schrieb 1790 über die französische Revolution:

Nimmt man alles in allem, ist die französische Revolution das Erstaunlichste, das bislang in der Welt geschehen ist . . . Alles scheint in diesem seltsamen Chaos von Leichtsinn und Wildheit und aller Arten von Verbrechen, vermischt mit allen möglichen Verrücktheiten, aus der natürlichen Ordnung geraten zu sein.

(E. Burke, Reflections on the Revolution in France, London 1958, S. 10)

In einem Brief von 1791 an ein Mitglied der französischen Nationalversammlung begründete Burke seine Ablehnung der Mitbestimmung aller Bürger bei den Staatsgeschäften:

Ich kann niemals davon überzeugt werden, daß der Plan, die höchste Macht im Staate an Kirchenälteste [churchwardens] und Nachtwächter [constables] und andere derartige Amtsträger zu geben, jemals eine andere Gestalt annehmen könnte als eine sowohl schändliche als auch verderbliche. Denn sie werden von der Klugheit prozeßsüchtiger Rechtsgelehrter und jüdischer Börsenmakler geleitet und angetrieben von schamlosen Weibern niedrigsten Standes, von Besitzern von Gasthäusern, Kneipen und Bordellen, von frechen Lehrjungen, ... Friseuren, Gaunern ...

(Burke, S. 280)

Wichtiger war für die britische Regierung jedoch noch etwas anderes. Sie sah nämlich, daß das revolutionäre Frankreich die 1713 erreichte europäische Ordnung umstieß, indem es die Vormachtstellung in Europa beanspruchte (vgl. S. 106). Deshalb sah auch Napoleon in Großbritannien einen entschiedenen Gegner seiner hochfliegenden Pläne.

Schon 1798/99 hatte er deshalb versucht, Großbritannien im Mittelmeer zu schlagen. Aber die englische Flotte unter Admiral Nelson hatte damals Napoleons Pläne durchkreuzt, indem sie 1798 vor dem ägyptischen Hafen Abukir die französische Flotte vernichtete. Als Napoleon kurz nach seiner Kaiserkrönung 1804 begann, eine Invasion Großbritanniens vorzubereiten, war es wiederum Nelson, der diesen Plan zum Scheitern brachte. 1805 vernichtete er am Kap Trafalgar die Flotte Napoleons. Da Napoleon den Plan einer Invasion nun fallenlassen mußte, verkündete er 1806 die sogenannte Kontinentalsperre gegen Großbritannien.

***108.1** Gepäckuntersuchung*

Napoleon wollte damit die britische Versorgung gefährden. Er versuchte zu verhindern, daß das für die Ernährung der Bevölkerung so wichtige

Getreide auf die Insel gelangte. Außerdem wollte er die britische Industrie treffen, indem er die europäischen Häfen für deren Waren sperrte. Auf diese Weise sollte England ein wichtiger Absatzmarkt genommen werden. So glaubte er, Großbritannien doch noch in die Knie zwingen zu können. Die Franzosen kontrollierten die europäischen Häfen und die großen Handelsstädte. In der Tat geriet Großbritannien dadurch zunächst in eine recht schwierige Lage.

England wußte sich zu wehren. 1807 beschossen britische Kriegsschiffe vier Tage lang Kopenhagen und erzwangen so die Auslieferung der dänischen Flotte. Auf diese Weise verhinderte Großbritannien, daß die dänische Flotte in die Hände Napoleons fallen und in seinen Diensten die Ostsee für die Getreideschiffe nach England sperren konnte. Ferner blockierte Großbritannien seinerseits den Kontinent. Die britische Flotte zwang alle neutralen Schiffe, die auf dem Weg zu kontinentalen Häfen waren, zunächst britische anzulaufen. Dort wurden diejenigen Waren, die Europa am dringendsten benötigte, beschlagnahmt, die anderen mit hohem Zoll belegt. Das brachte Frankreich wegen der Versorgung der Truppen in große Schwierigkeiten, so daß es die Kontinentalsperre lockerte. Die Einfuhr britischer Waren, ja sogar der regelrechte Schmuggel, wurden schließlich stillschweigend geduldet. So war die britische Blockade erfolgreicher als die Kontinentalsperre.

1. Warum war Großbritannien entschiedener Gegner sowohl der französischen Revolution als auch Napoleons? Nenne zwei Gründe.
2. Wie versuchte Napoleon, Großbritannien zu bezwingen?
3. Mit welchen Mitteln gelang es Großbritannien, die Pläne Napoleons zu durchkreuzen?
4. Wie erklärst du dir, daß es von 1812 bis 1814 wegen der Blockade in Europa zu einem Krieg zwischen Großbritannien und den USA kam?

***109.1** Verbrennung eingeschmuggelter englischer Waren durch die französische Besatzung in Hamburg. (Zeitgenössisches Aquarell)*

Europäische Völker im Widerstand gegen Napoleon

Wie sich verschiedene Widerstandsbewegungen gegen Napoleon bildeten

Die preußische Armee war 1806 in nur drei Wochen von der französischen besiegt worden, schneller als alle anderen Gegner Napoleons zuvor. Es zeigte sich, daß die Heere der absolutistischen Staaten dem französischen Volksheer nicht mehr gewachsen waren.

Als die Franzosen Preußen besetzt hatten, verkündete der Stadtkommandant von Berlin in einem Aufruf: der König habe eine Schlacht verloren, Ruhe sei die erste Bürgerpflicht. In der Tat waren die Menschen in den deutschen Staaten Untertanen geblieben, die Politik und Kriegführung als Angelegenheiten der Fürsten betrachteten. Ein Chirurg der französischen Armee schrieb nach dem Einzug in Berlin:

Der Feind ist in Berlin, Preußen ist erobert, der König ist mit seiner erschreckten Armee geflohen, und trotzdem war das Theater gesteckt voll, und niemand schien an sein Vaterland zu denken, den Hof zu bedauern oder sich wegen der Zukunft Sorge zu machen.

(E. Kleßmann, Deutschland unter Napoleon, München 1976, S. 172 f.)

Und 1811 schrieb Napoleon an seinen Marschall Davout nach Hamburg:

Urteilen Sie doch selbst, was zu befürchten ist von einem so braven, so vernünftigen, so kalten, so geduldigen Volke, das von jeder Ausschreitung so weit entfernt ist, daß kein einziger Mann während des Krieges in Deutschland ermordet wurde.

(E. Kleßmann, Die Befreiungskriege in Augenzeugenberichten, Düsseldorf 1966, S. 9)

Nur an einzelnen Stellen hatte sich die Bevölkerung schon 1806 ganz anders verhalten. So verteidigten die Bürger von Kolberg ihre Stadt unter der Führung ihres Bürgermeisters, J. Nettelbeck, erbittert gegen die Franzosen. Aber zu solchem Widerstand kam es nur vereinzelt.

110.1 *Fichte als Landsturmmann*

Allmählich jedoch entwickelte sich in der Bevölkerung vieler europäischer Staaten Widerstand gegen Napoleon. Vor allem in Spanien erhob sich das Volk gegen die Franzosen und kämpfte für sein angestammtes Königshaus, das Napoleon 1808 vertrieben hatte. Im unwegsamen Bergland begannen die Spanier, die sich in leicht bewaffneten Gruppen zusammengeschlossen hatten, einen erbitterten Kleinkrieg (spanisch Guerilla). Darüber berichtet ein französischer Offizier:

Die Weiber, die Greise, selbst die Kinder waren gegen uns und dienten dem Feinde als Spione. Ich sah einst einen jungen Knaben . . . zwischen den Füßen unserer Pferde spielen und sich uns zum Wegweiser anbieten. Er führte einen kleinen Trupp unserer Husaren in einen Hinterhalt, lief dann plötzlich in die Felsen, indem er eine Mütze in die Höhe warf und aus allen Kräften rief: Es lebe unser König Ferdinand, und sogleich begann das Flintenfeuer . . . In den Gebirgen vereitelten die Serranos [Bergbewohner] durch ihre Fechtart die Anstrengungen unserer Truppen, selbst wenn diese ihnen an Zahl überlegen waren; sie zogen sich bei Annäherung unserer Massen von Fels zu Fels, von Stellung zu Stellung zurück, ohne ihr Feuer einzustellen . . . Fliehend vernichteten sie oft ganze Kolonnen, ohne daß wir uns rächen konnten . . .

Jeder Transport von Lebensmitteln, ... kostete einigen unserer Leute das Leben, die im Hinterhalt niedergeschossen wurden.

(G. Eckert, Von Valmy bis Leipzig, Hannover 1955, S. 175 f.)

***111.1** Tiroler Aufständische überfallen französische Soldaten*

Trotz ihrer Erfolge konnten die Guerilleros die französische Armee aber zunächst nicht besiegen. Das gelang erst mit Unterstützung eines britischen Heeres, das in Portugal gelandet war.

Auch in anderen besetzten Gebieten und Staaten bildeten sich Widerstandsbewegungen. Tirol war 1806 von Österreich abgetrennt und Bayern zugeschlagen worden. Dadurch verloren die Tiroler ihre alten Freiheiten: Die Befreiung vom Militärdienst und die Zahlung von nur geringen Steuern. Außerdem nahmen ihnen die Bayern ihre alte ständische Verfassung. Seit 1809 gelang es bewaffneten Bauern unter der Führung von Andreas Hofer, die verbündeten bayerischen und französischen Armeen mehrfach zu schlagen. Sie konnten dreimal ganz Tirol erobern. Schließlich wurden sie aber besiegt.

Eine ähnliche Volkserhebung wie in Spanien und Tirol kam im Norden Deutschlands nicht zustande. Zwar versuchte der Oberst von Dörnberg im Königreich Westfalen einen Putsch gegen König Jérôme, Napoleons Bruder. Aber sein Versuch, Bauern zu sammeln und gegen die Franzosen zu führen, scheiterte schnell. Beim ersten Gefecht flüchteten die zum Teil waffenlosen Bauern. Dörnberg rettete sich nach Böhmen. Der preußische Major von Schill hatte ihm bei dem Aufstand zu Hilfe kommen wollen, was der preußische König als unerhörte Rebellion empfand. Als von Schill vom Scheitern Dörnbergs erfuhr, versuchte er, sich mit seinem Regiment an die Ostsee durchzuschlagen. Doch in Stralsund fingen ihn die Franzosen ab. Er fiel im Straßenkampf.

1. Wie verhielt sich die Bevölkerung zum preußischen Staat?
2. Wer kämpfte in Spanien und Tirol gegen die Franzosen? Warum?
3. In den Zeitungen lesen wir heute oft von Guerillakriegen. Stelle an Beispielen fest, wofür die Guerilleros kämpfen.

***111.2** Erschießung spanischer Guerillakämpfer, 1808. (Gemälde von Goya)*

***111.3** Festnahme A. Hofers*

Die preußischen Reformen

Wie man in Preußen versuchte, Untertanen zu Staatsbürgern zu machen

Die Niederlage der Fürsten gegen Napoleon und die weitgehende Gleichgültigkeit der Bevölkerung gegenüber der Fremdherrschaft zeigten, daß nur durch eine Erneuerung des Staates und der Armee ein Befreiungskampf gegen Napoleon vorbereitet werden konnte. Durch eine aktive Mitwirkung der Bevölkerung an den Angelegenheiten des Staates sollte eine breite Volkserhebung gegen die französische Fremdherrschaft zustande gebracht werden. In Preußen waren es vor allem der Freiherr vom und zum Stein, Wilhelm von Humboldt sowie eine Gruppe von Militärs unter der Führung von Scharnhorst und Gneisenau, die sich darüber Gedanken machten.

Ein preußischer Reformer, Freiherr von Hardenberg, erklärte 1807 in einer Denkschrift:

Der Wahn, daß man der Revolution am stärksten durch Festhalten am Alten und durch strenge Verfolgung [ihrer] ... Grundsätze entgegenstreben könne, hat ... dazu beigetragen, die Revolution zu befördern ... [Darum] ist unser Ziel ..., demokratische Grundsätze in einer monarchischen Regierung ..., möglichste Freiheit und Gleichheit ...

(W. Conze, Quellen zur Bauernbefreiung, S. 115)

Was das im einzelnen bedeuten sollte, können wir in einer Denkschrift des Freiherrn vom Stein von 1808 lesen:

Mein Ziel ... [war], den Kampf der Stände unter sich ... zu vernichten ..., daß jeder im Volke seine Kräfte frei ... entwickeln könne ... [Es kommt darauf an], auf solche Weise das Volk zu nötigen, König und Vaterland dergestalt zu lieben, daß es Gut und Leben ihnen gern zum Opfer bringe ...
Eine allgemeine National-Repräsentation [d. h. ein preußisches Parlament, muß geschaffen werden] ... Jeder aktive Staatsbürger ..., er treibe Landwirtschaft, ... Handel ... [oder] ein bürgerliches Gewerbe ..., sei durch geistige Bande an den Staat geknüpft, habe ein Recht auf Repräsentation ... Durch eine Verbindung des Adels mit den anderen Ständen wird die Nation zu einen Ganzen verkettet ... Diese Verbindung wird zugleich ... die allgemeine Pflicht zur Verteidigung des Vaterlandes lebhaft begründen, und ... Eifer für die Regierung in jedem Stande erzeugen ... Von der Erziehung und dem Unterricht der Jugend [ist] zu erwarten ... Liebe zu Gott, König und Vaterland.

(E. Botzenhat, Freiherr vom Stein ..., Bd. 2, Berlin 1936, S. 583 ff.)

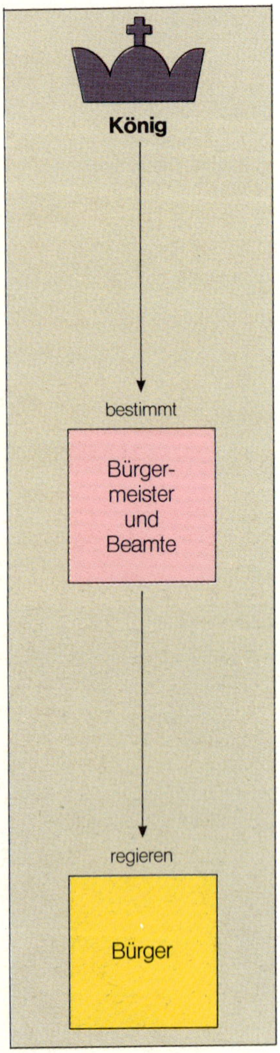

112.1 *Absolutistische Städteordnung*

Zunächst wurden dementsprechend die Bauern aus der Erbuntertänigkeit befreit. Sie waren nun nicht mehr mit Kind und Kindeskind persönlich an den Besitzer des Landes, das sie bebauten, gebunden, wie es ähnlich bei mittelalterlichen Leibeigenen der Fall gewesen war. Dienste, die an den Hof gebunden waren, blieben aber bestehen. Andere, die bis dahin wie mittelalterliche Hörige Frondienste zu leisten hatten, mußten dies von nun an nicht mehr. Sie wurden alle „freie Leute", wie es im entsprechenden Edikt (= Verordnung) des Königs hieß; sie waren nur noch den allgemeinen Gesetzen und vertraglichen Abmachungen unterworfen wie alle anderen Staatsbürger auch.

Für diese Befreiung von den alten Bindungen mußten sie die Gutsherren „gerecht entschädigen". Das geschah dadurch, daß sie entweder Teile ihres Landes abtraten (420000 ha) oder auch Land verkauften (450000 ha), um die Ablösesumme aufzubringen. Aber sie gewannen aus der Aufteilung der Allmende rund 600000 ha. Entsprechend wurden auch die Juden befreit, die ebenfalls unter besonderen Einschränkungen gelitten hatten:

§ 1 Die in unseren Staaten [Landesteilen] jetzt wohnhaften ... Juden sind für ... preußische Staatsbürger zu achten. **§ 2** ... unter der Verpflichtung, daß sie [sich] bei Führung ihrer Handelsbücher ..., bei Abfassung ihrer Verträge und ... Willenserklärungen der deutschen Sprache, und bei ihren Namensunterschriften ... deutscher oder lateinischer Schriftzüge bedienen. **§ 8** Sie können daher akademische Lehrstühle ... erwerben, auch alle erlaubten Gewerbe ... treiben. **§ 15** Sie sind gehalten, alle den Christen ... obliegende bürgerliche Pflichten zu erfüllen.

(E. R. Huber, Dokumente, Bd. I, Stuttgart 1961, S. 45 f.)

Auch die städtische Bürgerschaft erhielt mehr Rechte. Wer ein Haus besaß oder ein Jahreseinkommen von mehr als 200 Talern hatte, durfte Stadtverordnete wählen. Von 146000 Bürgern in Berlin waren es nur 10000, die diese Bedingungen erfüllten. Diese Stadtverordneten hatten das Recht, über sämtliche Gemeindeangelegenheiten zu beschließen. Das war ein erster Schritt auf dem Weg zu der vom Freiherrn vom Stein ins Auge gefaßten National-Repräsentation, die aber in Preußen noch lange auf sich warten ließ.

Wilhelm von Humboldt erkannte, daß all diese neuen Rechte und Pflichten nur wahrgenommen werden konnten, wenn die Staatsbürger gebildete Leute waren, die ihre Entscheidungen abwägen und gründlich bedenken konnten. Darum widmete er sich der Schul- und Universitätsreform.

Die militärischen Reformer schafften das Söldnerheer ab und schufen auf der Grundlage der allgemeinen Wehrpflicht eine Volksarmee. Vorher schon waren die brutalen Strafen wie das Spießrutenlaufen verboten worden. Die Reformer verlangten zudem, daß die Soldaten von ihren Vorgesetzten anständig und menschlich behandelt wurden. Sie wandten sich gegen den blinden Gehorsam gegenüber Befehlen und forderten, daß die Soldaten notfalls auch selbständig entscheiden sollten. Voraussetzung gerade dafür war natürlich wieder eine gute Schulbildung.

Viele dieser Reformen wurden aber nicht in dem Sinne verwirklicht, wie sie ursprünglich gedacht waren, oder hatten nicht die angestrebte Auswirkung.

1. Welche Reformziele werden in den Denkschriften von 1807 und 1808 genannt? Wie versuchte man, sie zu verwirklichen?
2. Vergleiche die Steinsche Städteordnung mit der heutigen Städteordnung (Bd. 5/6, S. 177).
3. Warum beruft sich die Bundeswehr noch heute auf die damaligen militärischen Reformer?

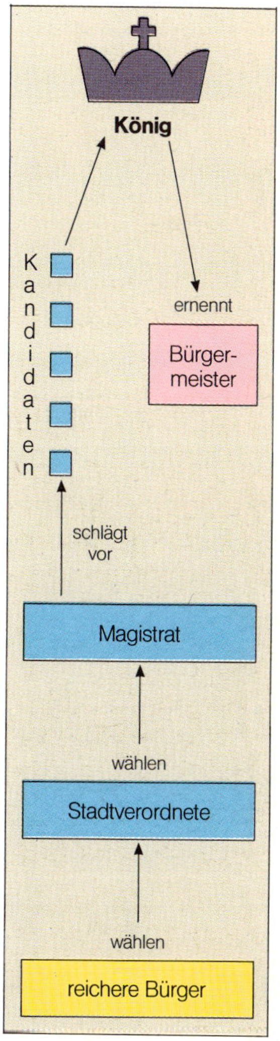

***113.1** Steinsche Städteordnung*

Der Niedergang Napoleons I.

Wie die napoleonische Vorherrschaft in Europa zerbrach

1807 hatte Rußland ein Bündnis mit Frankreich geschlossen und war der Kontinentalsperre beigetreten. 1810 aber öffnete der Zar die russischen Häfen wieder vollständig für britische Schiffe, um das russische Korn verkaufen und die dringend benötigten britischen Waren einführen zu können. Zudem wurde dem Zaren und seinen Beratern immer deutlicher, daß Napoleon keinen gleichrangigen Herrscher neben sich dulden würde (vgl. S. 106). So wuchsen die Spannungen und trieben Rußland und Frankreich allmählich wieder auseinander.

Um Rußland in das System der Kontinentalsperre zurückzuzwingen, entschloß sich Napoleon zum Krieg. Er stellte aus Franzosen, Rheinbundtruppen sowie preußischen und österreichischen Abteilungen ein Heer von mehr als einer halben Million Soldaten (610000 Mann) zusammen und griff im Juni 1812 an. Nach drei Monaten stand er nach für beide Seiten verlustreichen Schlachten bereits in Moskau. Aber der Zar, der sich mit seinem Hof von dort abgesetzt hatte, war auf Drängen seiner Ratgeber trotzdem nicht zu Verhandlungen bereit.

Für Napoleon wurde es mit der Zeit immer schwieriger, seine Truppen zu versorgen und die Nachschubwege gegen ständige russische Angriffe zu sichern. Die Russen brannten im übrigen Moskau nieder und vernichteten damit die Quartiere der französischen Hauptarmee. So sah Napoleon sich schließlich im Oktober genötigt, den Rückzug anzutreten. Der Winter brach herein, die Russen griffen die abziehenden Truppen ständig an. Das war das Ende der „Großen Armee". Der nördliche Flügel, auf dem die Preußen standen, und der südliche mit den Österreichern blieben dagegen weitgehend verschont; sie waren kaum in Kämpfe verwickelt gewesen.

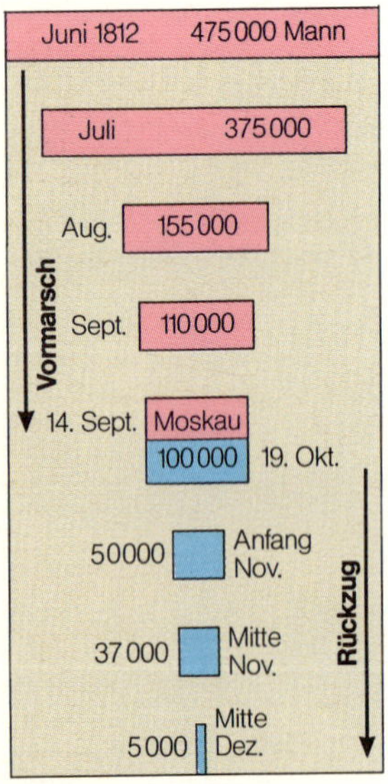

114.1 Stärke der Hauptarmee, ohne Nord- und Südflügel

Ein württembergischer Offizier schilderte den Rückzug 1812 so:

Was wir in diesen langen Nächten zu leiden hatten, kann nicht geschildert werden. Das schnell auflodernde Feuer schrumpfte auf einer Seite die auftauenden Glieder zusammen, während auf der entgegengesetzten Seite der Frost doppelt empfunden wurde. Die zerlumpten Kleider wurden durch darauffallende Kohlen immer mehr bis auf die Haut durchlöchert. Das Ungeziefer, welches man scharenweise auf dem Leibe trug, setzte sich durch die Wärme in Tätigkeit und marterte uns bis zur Verzweiflung. Endlich stellte sich, wenn man auf das äußerste erschöpft war, der Schlaf ein. Die Augen fielen zu, das Feuer erlosch, und viele erlebten den folgenden Tag nicht mehr. Doch noch unglücklicher waren jene, denen noch das zurücktretende Blut im Herzen rollte. Mit erfrorenen Händen und Füßen waren sie nicht mehr vermögend aufzustehen. Sie kämpften mit schrecklicher Todesangst, sahen ihre Kameraden weiterziehen und sich hilflos dem qualvollsten Tode preisgegeben ...

(Zeiten u. Menschen, B 3, S. 96)

General Yorck war der Oberbefehlshaber der preußischen Truppen, die den Nordflügel der Hauptarmee sichern sollten. Er schloß ohne Erlaubnis seines Königs nach langem Zögern und heftigem Ringen mit sich selbst schließlich einen Waffenstillstand mit den russischen

Truppen. Zu guter Letzt trat er sogar auf deren Seite. Der Widerstand in der Bevölkerung Preußens gegen die Franzosen wuchs. 1813 endlich rief auch der preußische König sein Volk zur Erhebung und zur Bildung von Freiwilligenkorps auf. Dieser Appell fand ein begeistertes Echo. Wer nicht kämpfen konnte, spendete bereitwillig für die Ausrüstung der Truppen.

Es kam zu einem russisch-preußischen Bündnis, dem sich Schweden und Großbritannien anschlossen. Österreich zögerte zunächst, trat aber bald auch bei. Der Rheinbund löste sich auf; seine Mitglieder, bis auf Sachsen, wandten sich ebenfalls gegen Napoleon.

Napoleon war inzwischen von Frankreich mit eine neuen Armee von 400000 Soldaten herangerückt. Nach wechselvollen Kämpfen im Jahre 1813 (z. B. Völkerschlacht bei Leipzig, 16. bis 19. Okt. 1813) überschritten die Verbündeten Anfang 1814 die französische Grenze und rückten in Paris ein. Napoleon wurde auf die Insel Elba im Mittelmeer verbannt. Die Sieger traten zu einem Friedenskongreß in Wien zusammen. Frankreich wurden die Grenzen von 1792 garantiert.

Aber Napoleon floh im März 1815 von Elba nach Frankreich, wo ihm wieder viele Anhänger zuströmten. Er stellte ein neues Heer von 80000–100000 Mann auf. Britische und preußische Truppen schlugen ihn jedoch bei Waterloo im heutigen Belgien vernichtend und setzten so seiner Macht ein endgültiges Ende. Nunmehr wurde er unter britischer Bewachung auf die Insel St. Helena verbannt, wo er 1821 starb.

1. Warum griff Napoleon Rußland an?
2. Welche Gründe führten zum Ende der Herrschaft Napoleons?
3. Erkläre, warum Napoleon zum Nationalhelden werden konnte.

115.1 *Versprengte französische Soldaten auf dem Rückzug. (Farbige Zeichnung von Faber du Faur)*

So wie dieser französische Offizier auf dem Bild hatten viele Offiziere ihre Frauen auf den Feldzug mitgenommen. Sie waren sich sicher gewesen, daß sie in keine besondere Gefahr geraten könnten.

Der Wiener Kongreß

Wie Europa und die Welt auf dem Wiener Kongreß neu geordnet wurden

Die auf dem Wiener Kongreß durch ihre Fürsten und Gesandten versammelten Mächte hatten sich die Aufgabe gestellt, die europäische Staatenwelt, die Napoleon völlig durcheinandergewirbelt hatte, neu zu ordnen. Rußland forderte ganz Polen, und Preußen wollte sich das Königreich Sachsen einverleiben. Dadurch kam es zu starken Spannungen zwischen den Mächten. Vor allem dem russischen Ansinnen wollte Österreich nicht nachgeben. Weil Preußen sich auf die russische Seite stellte, wandte sich Österreich schließlich auch gegen die Annektion (= Einverleibung eines fremden Gebietes) Sachsens durch Preußen. Der Konflikt spitzte sich so zu, daß Österreich, Großbritannien und Frankreich im Januar 1815 sogar ein geheimes Bündnis gegen Preußen und Rußland miteinander schlossen. Es kam aber doch nicht zum Krieg, sondern man einigte sich im wesentlichen auf folgende Regelungen:

I. Aus den ehemaligen österreichischen Niederlanden (das heutige Belgien) und Holland sowie Luxemburg wurde das Königreich der Vereinigten Niederlande gebildet.
II. Preußen wurde im Westen stark vergrößert. Es erhielt die später so genannte Rheinprovinz und die Gebiete der späteren Provinz

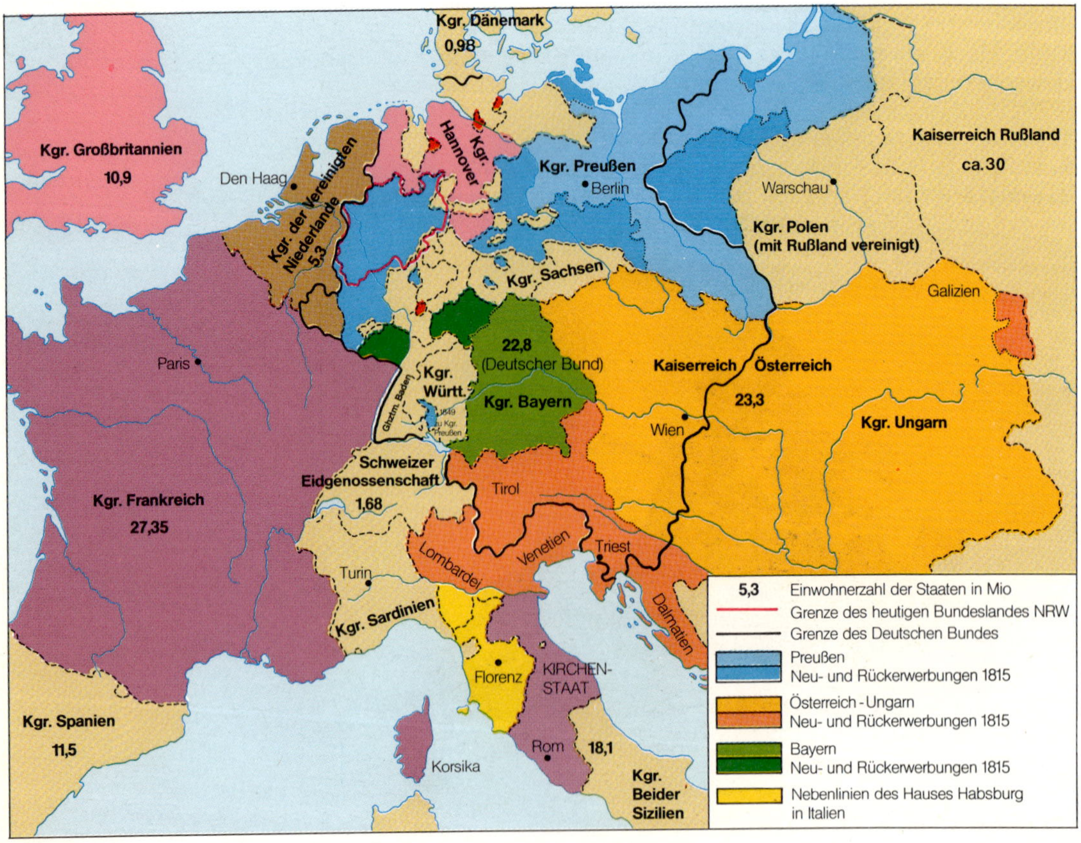

***116.1** Europa nach dem Wiener Kongreß*

1 Wellington 2 Hardenberg 3 Metternich 4 Castlereagh 5 Talleyrand 6 W. von Humboldt

117.1 *Führende Staatsmänner auf dem Wiener Kongreß*

Westfalen. In Mitteldeutschland wurde ihm die Hälfte des Königreiches Sachsen zugeschlagen und an der Ostsee das bis dahin noch schwedische Pommern samt Rügen von Dänemark.

III. Die Schweiz wurde im Westen erweitert; ihre Neutralität und Unverletzlichkeit wurden garantiert.

IV. Das Königreich Piemont-Sardinien wurde geschaffen.

V. Österreich erhielt Oberitalien. In den mittelitalienischen Fürstentümern wurden Herrscher aus dem Haus Habsburg eingesetzt.

VI. Ein polnisches Königreich mit eigener Verfassung und Verwaltung wurde geschaffen, jedoch durch Personalunion mit Rußland verbunden, d. h. der russische Zar war nun zugleich polnischer König.

VII. Großbritannien wurden einige Gebiete zugesprochen, die es während der Auseinandersetzung mit Napoleon besetzt hatte.
Dies waren Helgoland, Malta, das Protektorat (= Schutzherrschaft) über die Ionischen Inseln, das Kapland und Ceylon.

1. Welchen Sinn haben die Regelungen der Punkte I–IV? Betrachte die Europakarte 116.1 und vergleiche diese Bestimmungen mit denen des Friedens von Utrecht (siehe S. 42).

2. Warum waren vor allem Österreich, aber auch Großbritannien und Frankreich gegen die Ausweitung Rußlands? Vgl. auch Karte 43.1.

3. Erkläre, welche Bedeutung die Erwerbungen von 1815 für Großbritannien hatten. Denke dabei an die Interessen Großbritanniens, wie sie sich schon 1713 und 1763 gezeigt hatten (siehe S. 42 und 45).

4. Welche Bedeutung haben die damaligen Großmächte in der heutigen Weltpolitik?

Was auf dem Wiener Kongreß aus Deutschland wurde

Auf dem Wiener Kongreß wurde auch der Deutsche Bund gegründet, der an die Stelle des 1806 aufgelösten alten Deutschen Reiches trat. In ihm schlossen sich 37 Fürsten und 4 Freie Reichsstädte (Hamburg, Bremen, Lübeck und Frankfurt) zusammen. Seine Verfassung war die Deutsche Bundesakte vom 8. Juni 1815. Darin heißt es:

Artikel 1. Die souveränen Fürsten und Freien Städte Deutschlands ... vereinigen sich zu einem beständigen Bunde, welcher der Deutsche Bund heißen soll. **Artikel 4.** Die Angelegenheiten des Bundes werden durch eine Bundesversammlung besorgt, in welcher alle Glieder ... durch ihre Bevollmächtigten [vertreten werden]. **Artikel 5.** Österreich hat bei der Bundesversammlung den Vorsitz. **Artikel 9.** Die Bundesversammlung hat ihren Sitz zu Frankfurt am Main. **Artikel 11.** Alle Mitglieder des Bundes versprechen, sowohl ganz Deutschland als jeden einzelnen Bundesstaat gegen jeden Angriff in Schutz zu nehmen, und garantieren sich gegenseitig ihre sämtlichen unter dem Bunde begriffenen Besitzungen. **Artikel 13.** In allen Bundesstaaten wird eine landständische Verfassung stattfinden.

(H. Meyer u. a., Grundzüge ..., Quellenband II, Frankfurt 1966, S. 64 f.)

Nicht alle Deutschen waren mit dieser Verfassung einverstanden. Der ehemalige preußische Reformer, der Freiherr vom und zum Stein, schrieb zum Beispiel enttäuscht:

Unsere neuen Gesetzgeber haben an die Stelle des alten Deutschen Reiches ... einen Deutschen Bund gesetzt ohne Haupt, ohne Gerichtshöfe, schwach verbunden für die gemeine Verteidigung. Die Rechte des einzelnen sind durch nichts gesichert als die unbestimmte Erklärung, „daß es Landstände geben solle", ohne daß etwas über deren Befugnisse festgestellt ist [Artikel 13]; ... Von einer so fehlerhaften Verfassung läßt sich nur ein sehr schwacher Einfluß auf das öffentliche Glück Deutschlands erwarten, und man muß hoffen, daß die politischen Grundsätze, von denen mehrere Kabinette sich noch nicht losmachen können, nach und nach durch die öffentliche Meinung, die Freiheit der Presse und das Beispiel zerstört werden, welches mehrere Fürsten geben zu wollen scheinen, indem sie ihren Untertanen eine weise und wohltätige Verfassung erteilen.

(W. Wulf, Hrsg., Restauration und Liberalismus ..., Geschichtl. Quellenhefte, H. 8, Frankfurt 1974, S. 16)

1. Beschreibe die Aufgaben des Deutschen Bundes nach Artikel 11.
2. Wozu verpflichtet Artikel 13 die Mitglieder des Deutschen Bundes?
3. Was mißfällt dem Freiherrn vom Stein, und worauf will er hinaus?
4. Welche politischen Ziele müssen sich aus der Streulage der preußischen Länder ergeben? Was bedeutete der Artikel 5 für den preußischen Staat?
5. Auch die Bundesrepublik Deutschland besteht aus Ländern (GG Art. 20–37). Beschreibe den Unterschied zum Deutschen Bund von 1815.
6. Vergleiche Nordrhein-Westfalen mit dem gleichen Gebiet 1789/1815.
7. Erkläre die Namen der heutigen Bundesländer Rheinland-Pfalz und Nordrhein-Westfalen.

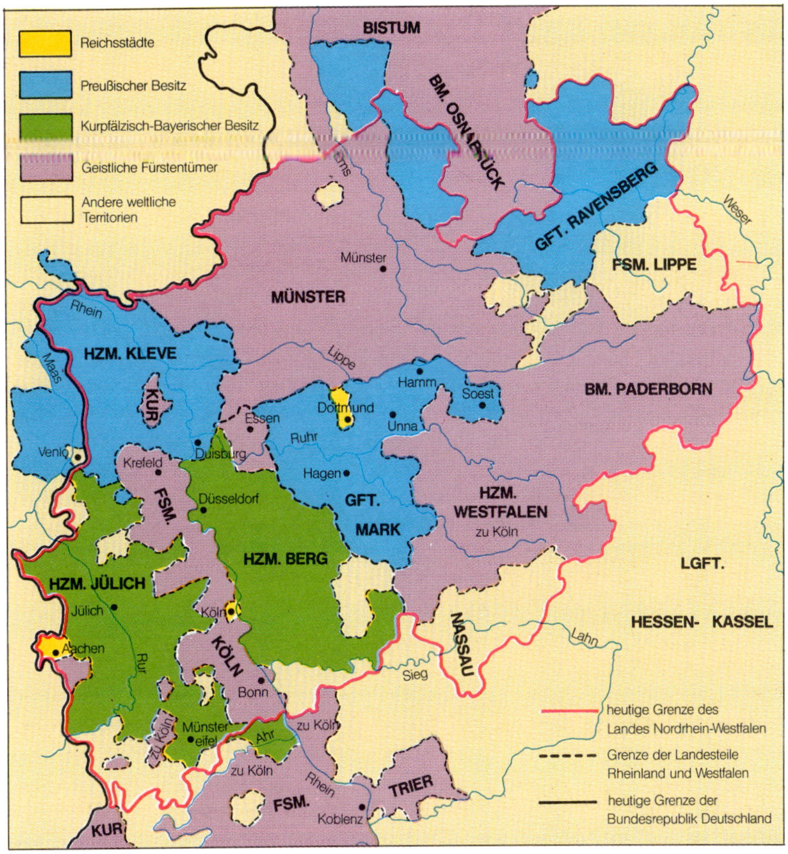

119.1 *Das Gebiet des heutigen Nordrhein-Westfalens im 18. Jh.*

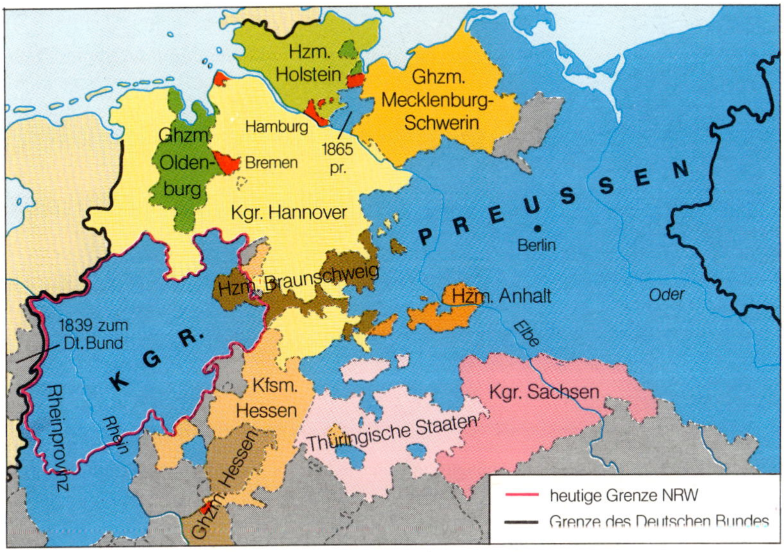

119.2 *Das Gebiet des heutigen Nordrhein-Westfalens im Jahre 1815*

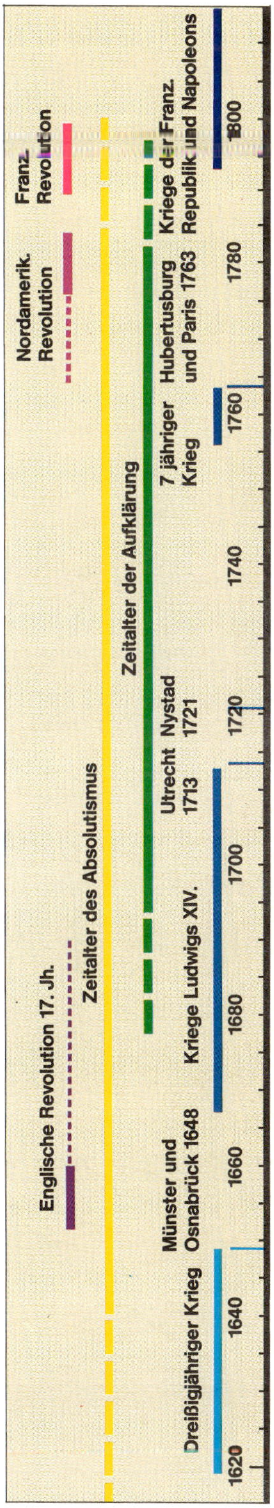

Die Industrialisierung und ihre sozialen Folgen

Bevölkerungswachstum und Bevölkerungsbewegung im 19. Jahrhundert

Warum im 19. Jh. die Bevölkerung stark anwuchs und welche Probleme dadurch entstanden

Bis zum Beginn des 19. Jh. wuchs die Bevölkerung auf der Erde nur langsam. Dann aber stieg sie auf dem ganzen Erdball sprunghaft an. Einige Gründe dafür sind bekannt, andere fraglich. So starben z. B. früher viele Säuglinge schon nach wenigen Tagen oder Wochen aufgrund schlechter hygienischer Verhältnisse. Zahlreiche Mütter starben kurz nach der Geburt ihres Kindes. Schwere unheilbare Krankheiten verseuchten ganze Landstriche. Im 19. Jh. entdeckten Forscher die Erreger mancher Krankheiten. Sie entwickelten auch Medikamente, mit denen sie z. B. Pocken und Cholera bekämpfen konnten.

Das Dorf Bodmann am Bodensee zählte 731 Einwohner um 1807. Insgesamt lebten 110 Familien im Dorf. Ein mittelgroßes Dorf, ... 1807 starben ... 46 Menschen, davon 20 ... noch kein halbes Jahr alt, 6 unter einem Jahr, 11 unter 10 Jahren, 1 unter 20 Jahren, 3 zwischen 20 und 60 Jahren und 5 über 60 Jahren. ... es wurden 34 Kinder getauft.

(Zahlen aus dem Gräflich von Bodmannschen Archiv, Schloß Bodmann)

Lebenserwartung

1875	*Männer*	*36 Jahre*
	Frauen	*38 Jahre*
1919	*Männer*	*46 Jahre*
	Frauen	*50 Jahre*
1985	*Männer*	*70 Jahre*
	Frauen	*77 Jahre*
2000		*100 Jahre (?)*

Hungersnöte forderten noch in der ersten Hälfte des 19. Jh. viele Todesopfer. Durch Verbesserung und Vermehrung der landwirtschaftlichen Produkte konnten jetzt aber immer mehr Menschen ernährt werden (s. S. 122 f.). Viele Bauernsöhne und -töchter, die jetzt frei von Leibeigenschaft, Frondienst und Heiratsbeschränkungen (vgl. S. 112 f.) waren, verließen ihre Heimat. Sie zogen zunächst in die nähergelege-

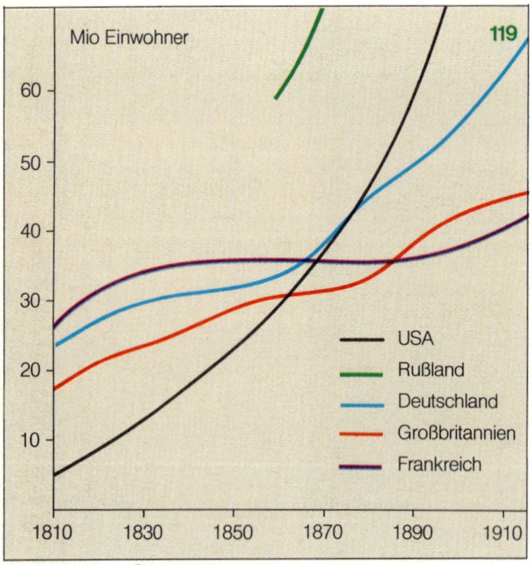

***120.1** Bevölkerungsentwicklung in europäischen Staaten und in den USA*

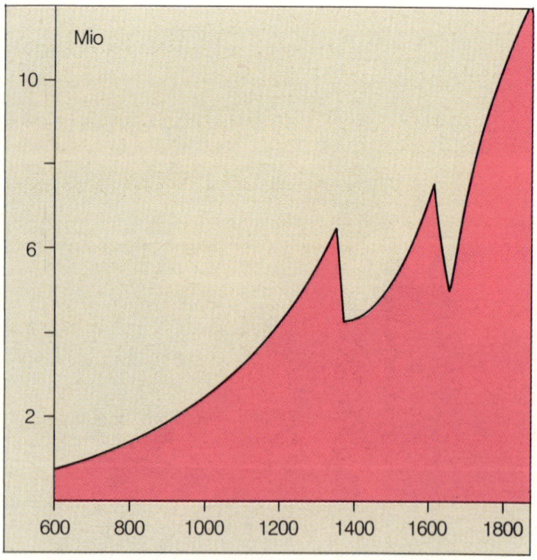

***120.2** Bevölkerungsentwicklung auf dem Gebiet der Bundesrepublik Deutschland*

Es lebten in Bochum			1816	1910	Es lebten auf dem Gebiet der Bundesrep. Deutschl.	
1816	2500	Rheinland	1910000	4093000	1816	13,7 Mio
1835	3402	Westfalen	1140000	3800000	1870	20,4 Mio
1865	12407	Waldeck	52000	62000	1910	35,6 Mio
1895	53478	Berlin	198000	2071000	1950	50,0 Mio
1905	116596				1987	61,0 Mio
1910	133660					
1985	387100					

***121.1** Entwicklung der Bevölkerung in Deutschland*

nen städtischen Bezirke, so nach Berlin, Sachsen und Schlesien, nach Wuppertal z. B. aus dem Oberbergischen. Nach 1860 setzte eine gewaltige Bevölkerungsbewegung von Ost nach West in das Ruhrgebiet ein. Zu den Arbeitssuchenden gehörten auch zahlreiche Polen. Viele Auswanderer hofften, in den USA schnell ihr Glück zu machen, manche von ihnen verließen ihre Heimat aus Furcht vor Hungersnöten bei stark wachsender Bevölkerung. Der Engländer Robert Malthus stellte die Behauptung auf, daß die Landwirtschaft in Kürze nicht mehr in der Lage sein werde, diese vielen Menschen zu ernähren. Er forderte daher die jungen Leute auf, später zu heiraten und durch Enthaltsamkeit die Zahl der Geburten zu beschränken. In der sog. „Dritten Welt" ist das Problem der Geburtenregelung heute eine Frage von großer Bedeutung. Die Geburtenregelung wird oft vom Staat unterstützt, aber die Menschen können sich nur schwer von überlieferten Auffassungen trennen, z. B., daß viele Kinder eine Altersversorgung bedeuten.

1. Überlege, warum in der Bundesrepublik zur Zeit die Geburtenrate so niedrig ist. Vergleiche mit Zahlen in der Dritten Welt.

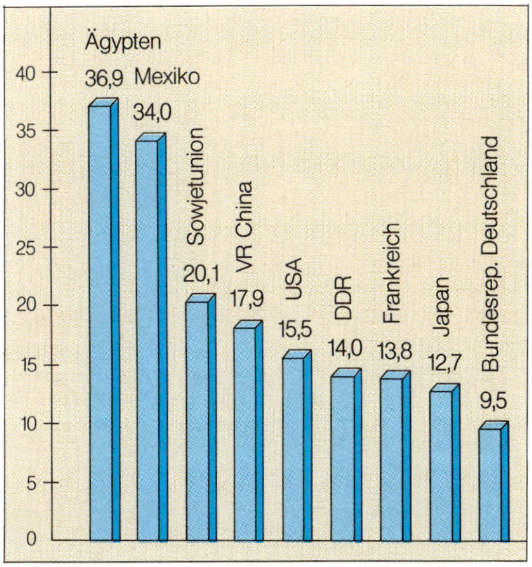

***121.2** Lebendgeborene (je 1000 Einwohner) in Industrieländern und Ländern der Dritten Welt 1985*

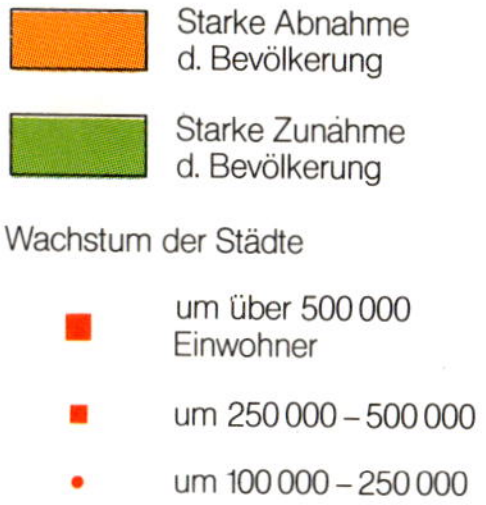

***121.3** Bevölkerungsentwicklung und Städtewachstum 1850–1910*

Veränderungen in der Landwirtschaft

Wie im 19. Jahrhundert die Erträge gesteigert wurden

Die düsteren Voraussagen von Robert Malthus erfüllten sich nicht. Landwirtschaft und Gewerbe konnten die zunächst besorgniserregenden Probleme nach und nach mildern.

In England betrieben adelige Großgrundbesitzer ihre Güter immer mehr nach kaufmännischen Gesichtspunkten. Sie schufen große Acker- und Weideflächen, indem sie verpachtetes Land einzogen oder bäuerliche Besitzungen aufkauften. Diese umgaben sie mit Hecken. Die Felder konnten nun viel leichter bearbeitet werden als die früher weit auseinanderliegenden Einzelflächen. So steigerten sie die Erträge. Der Stand der kleinen Bauern und Pächter ging dadurch jedoch unter. Viele Bauern wurden Landarbeiter auf den großen Gütern, andere suchten Arbeit in den Städten, manche gerieten in Armut.

Die Erträge der Äcker in England wurden u. a. durch die Fruchtwechselfolge verbessert. In Deutschland erkannte diese Möglichkeit zuerst der Arzt Albrecht Thaer aus Celle (1752–1828). Er fand heraus, daß jede Pflanze von ganz bestimmten Nährstoffen aus der Erde lebt. Wenn man, so schrieb er, ein Feld mehrere Jahre hintereinander mit der gleichen Frucht bebaue, so müsse der Boden ermüden. Auf seinen Versuchsfeldern wechselte Thaer daher die Pflanzen jedes Jahr. Auf Kartoffeln folgte z. B. Weizen, auf Zuckerrüben Gerste, auf Runkelrüben Roggen, auf eine Blattfrucht also immer eine Halmfrucht. Thaer wollte die Bauern anleiten, diese wissenschaftlichen Erkenntnisse zu nutzen und ihre Betriebe nach kaufmännischen Gesichtspunkten zu leiten. Er schrieb:

Die Landwirtschaft ist ein Gewerbe, welches zum Zwecke hat, durch die Produktion ... pflanzlicher und tierischer Stoffe Gewinn zu erzeugen oder Geld zu erwerben. Je höher dieser Gewinn ... ist, desto vollständiger wird dieser Zweck erfüllt. Die vollkommene Landwirtschaft ist also die, welche den ... höchsten ... Gewinn ... aus dem Betriebe zieht.

1 dt = 100 kg

(Grundsätze der rationellen Landwirtschaft, 1. Bd., Berlin 1809–1812, S. 3)

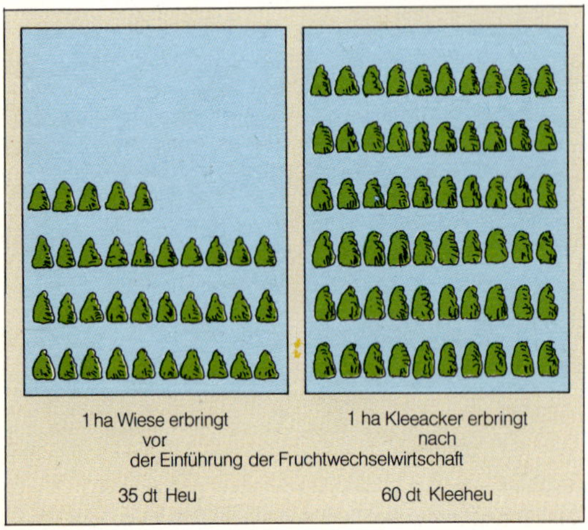

122.1 *Futtergewinnung*

122.2 *Getreideanbau*

123.1 *Sensenmäher, um 1860. (Gemälde, 1899)*

123.2 *Mähdrescher in der UdSSR, 1980*

Albrecht Thaer hatte mit seinen Versuchen zur Fruchtwechselwirtschaft und Betriebsführung eine neue Entwicklung in der Landwirtschaft in Deutschland eingeleitet. Der entscheidende Durchbruch gelang aber erst dem jungen Professor aus Gießen, Justus Liebig. Er erkannte, daß die Pflanzen ihre Nahrung der Erde, dem Wasser und der Luft entnehmen. Auch die Fruchtwechselwirtschaft, so lehrte er, müsse auf die Dauer den Boden auslaugen. Daher begann er mit der Herstellung von künstlichem Dünger. Wir wissen heute allerdings, daß der Gebrauch von Kunstdünger auch erhebliche Nachteile mit sich bringt. Liebig schrieb:

Als Prinzip des Ackerbaus muß angesehen werden, daß der Boden in vollem Maße wieder erhalten muß, was ihm genommen wird . . . Der Landwirt wird . . . in den Stand gesetzt sein . . . über jeden seiner Äcker mit Genauigkeit vorauszubestimmen, welche Stoffe . . . er hinzufügen muß . . ., um die Fruchtbarkeit zu steigern . . .

(I. Strube, Justus von Liebig, Stuttgart 1975, S. 82 f.)

Ertragssteigerung je ha in Doppelzentnern				Jährlicher Milchertrag je Kuh	
	Weizen	Roggen	Kartoffeln		
um 1800	10,3	9	80	um 1800	1000 l
um 1860	13	11,2		um 1880	1400 l
um 1895	16,9	13,9	117	um 1955	3000 l
um 1955	30,1	25,1	227		
1984*	63	44	338	1984*	4600 l
* Bundesrepublik Deutschland					

1. Vergleiche die Erkenntnisse von Thaer und Liebig miteinander.
2. Welche Probleme hat uns der Kunstdünger gebracht?
3. Überlege, warum wir heute vor „Butterbergen", „Weinseen" und „Obstbergen" stehen.

Verbrauch von chemischem Dünger *(Phosphat, Kalk Stickstoff, Kali) je ha*

1883	1 kg
1913	6 kg
1950	150 kg
1970	287 kg
1983	384 kg

Anteil der Beschäftigten in der Land- und Forstwirtschaft

1800	62 %
1825	59 %
1850	55 %
1875	49 %
1900	38 %
1914	34 %
1984*	5,5 %

** Bundesrepublik Deutschland*

Maschineneinsatz im Deutschen Reich:

Mähmaschinen	
1882	20000
1907	300000
Dreschmaschinen	
1882	375000
1907	1500000

Erste Spinnmaschinen in England und Deutschland

Wie in England und Deutschland die Textilindustrie entstand

Fast in jedem Haus standen in England im 18. Jahrhundert noch die alten fußgetriebenen Spinnräder und Webstühle. Der größte Teil der Garne und Tuche wurde in Heimarbeit für den eigenen Verbrauch hergestellt. Der wachsende Handel aber erhöhte den Absatz von Kleidungsstoffen aller Art. Erfinderische Menschen bauten deshalb breitere Webstühle. Zwei Männer, an beiden Seiten des Stuhles stehend, konnten nun zwischen sich das Schiffchen mit dem Schußfaden rasch durch die Kettfäden hin- und herschieben. Tuche konnten daher schneller und in breiteren Lagen gewebt werden. Der Engländer Kay baute im Jahre 1733 einen Webstuhl, den nur ein Mann zu bedienen brauchte. Mit Hilfe von zwei Holzhämmern, die er von seinem Platz aus mit einer Leine bewegte, trieb er das nun auf Rollen laufende Schiffchen schnell hin und her. Jetzt konnten Tuche in beliebiger Breite hergestellt werden. Die Arbeiter an den Spinnrädern konnten den zunehmenden Garnbedarf der Weber bald nicht mehr decken. Schon arbeiteten fünf Spinner für einen einzigen Weber. 1767 baute James Hargreaves eine Spinnmaschine, die gleichzeitig acht Fäden spinnen konnte. 1769 gelang es dem Engländer Arkwright, eine wassergetriebene Spinnmaschine zu bauen. In der Stadt Cromford errichtete er ein Unternehmen, das rasch aufblühte. Mit Arkwrights Erfindung war der Anfang des Fabriksystems gemacht. Die nicht mehr durch Menschenhand angetriebene Maschine bestimmte fortan Arbeitstempo und Arbeitsrhythmus.

Nahe der Stadt Ratingen entstand 1748 die erste Spinnfabrik auf dem westeuropäischen Kontinent. Ihr Gründer, der Elberfelder Kaufmann Johann Gottfried Brügelmann, hatte von der aufsehenerregenden Erfindung Arkwrights gehört. Ihm fiel auf, daß viele Kunden die englischen Baumwolltuche bevorzugten. Sie waren nämlich viel feiner und preiswerter als die deutschen Erzeugnisse, die immer noch in Handarbeit hergestellt wurden. Brügelmann erkannte, daß er eine Maschine benötigte, die der englischen gleich war. Die Engländer hüteten jedoch sorgfältig ihr Geheimnis. Sogar die Ausfuhr von Teilen stellten sie unter Todesstrafe. Dennoch gelang es Brügelmann, in den Besitz einer englischen Spinnmaschine zu kommen. Er schrieb:

[Ich wandte mich] an meinen in Engelland wohnenden guten Freund ... und ... durch Kostenaufwand und große Gefahr wurde mir endlich vor zwey Jahren eine Kratz Maschine verschafft, welche die Baumwolle reiniget und säuberet. Von dieser konnte ich aber keinen Gebrauch machen, in dem solche mit der Spinn- und übrigen Maschine verbunden werden mußte ... Im vorigen Jahr erhielt ich endlich das Modell.

(M. L. Baum, Brügelmann, Düsseldorf 1961, S. 14 f.)

124.1 *G. Brügelmann (1750–1802)*

Brügelmann ließ nach diesem Modell eine Spinnmaschine bauen. Dann pachtete er ein Stück Land bei Ratingen an der Anger und errichtete dort ein Fabrikgebäude. Im Sommer 1784 wurde die wassergetriebene Maschine in Gang gesetzt. Brügelmann nannte seine Fabrik auch Cromford. Die Erzeugnisse aus dem neuen Cromford waren bald sehr begehrt. Brügelmann achtete darauf, daß sein Herstellungsverfahren geheim blieb. Dennoch entstanden in den nächsten Jahren im Bergischen Land, im Rheinland und an der Ruhr weitere Spinnfabriken.

Nicht überall war das ganze Jahr ausreichende Wasserkraft vorhanden. Hier konnte eine weitere bedeutende Erfindung eingesetzt werden.

1. Inwiefern bestimmt fortan die Maschine das Arbeitstempo und den Arbeitsrhythmus des Menschen?
2. Erklärt, wodurch der technische Fortschritt in der Textilindustrie in Gang gesetzt wurde (vgl. auch S. 80/81).

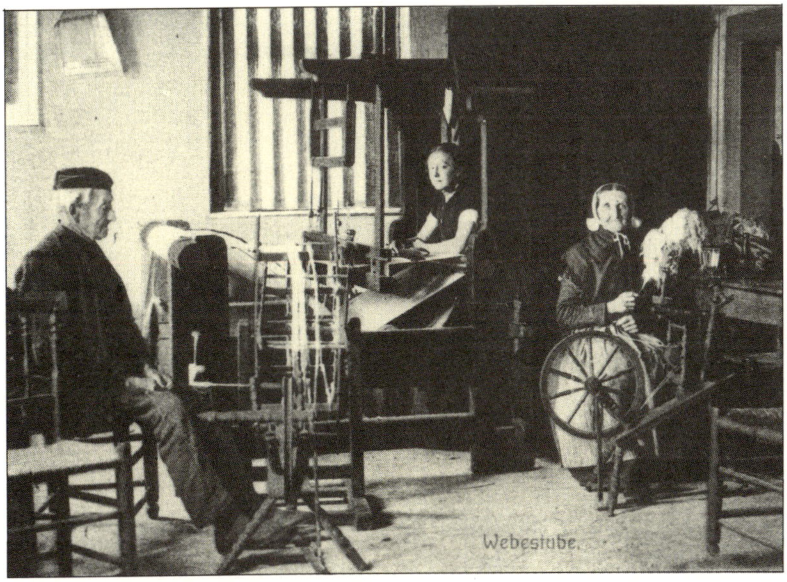

125.1 *Ländliche Webstube, um 1900 (nachempfundene Darstellung)*

Zahl der Beschäftigten in Cromford bei Ratingen

1784	70–80
1797	226
1849	350
1858	410

Die ersten mechanischen Spinnereien in unserer Heimat

1784	Cromford
1788	Hattingen
1799	Barmen
1802	Mülheim
1816	Aachen

125.2 *Brügelmanns Fabrik, 1789*

125.3 *Arkwrights 8fädige Spinnmaschine, 1771*

Veränderungen durch die Dampfmaschine

Wie durch die Erfindung der Dampfmaschine die Industrialisierung vorangetrieben wurde

Eine neue Antriebskraft

Der begabte Mechaniker James Watt arbeitete als junger Mann in einer Werkstatt der Universität Glasgow. Im Jahre 1763 erhielt er den Auftrag, dampfgetriebene Pumpen technisch zu verbessern. James Watt wußte, daß die Bergleute seit etwa 1715 mit diesen Pumpen das einströmende Grundwasser aus den Gruben zu fördern versuchten. Leider war der Erfolg nur mäßig. Die Kessel waren nicht druckfest genug und explodierten daher häufig. Nicht umsonst bezeichneten die Bergarbeiter diese Wasserpumpen als Feuerteufel. James Watt experimentierte jahrelang. Endlich gelang ihm die Konstruktion einer von der Kraft des Dampfes getriebenen, gleichmäßig und schnell arbeitenden Maschine. Mit diesen Dampfmaschinen konnten die neuen produzierenden Maschinen angetrieben werden. Welche Auswirkungen James Watt von seiner Erfindung auf das gesamte wirtschaftliche Leben erwartete, beschrieb er mit folgenden Worten:

Nun vermag die Maschine in unseren Fabriken, Mühlen und anderen Betrieben die Wasser-, Wind- und Pferdekraft zu ersetzen. Jetzt braucht die Fabrik nicht mehr zur Kraft zu gehen, sondern diese geht überall dahin, wo es dem Unternehmer am zweckmäßigsten ist.

(A. Carnegie, James Watt, Berlin 1927, S. 94 f.)

Dampfmaschinen im übrigen Europa um 1800

Frankreich 200
Deutschland 3

Allerdings vollzog sich dieser Wandel nicht schlagartig. In manchen Fabriken arbeitete die Dampfmaschine nur, wenn das Wasserrad nicht genügend Kraft lieferte, um die Arbeitsmaschine anzutreiben. Noch bis zum Ende des 19. Jahrhunderts zogen Pferde mit Gütern beladene und auf Schienen laufende Wagen. In der Handelsschiffahrt wurden erst nach 1900 die Segelschiffe durch Dampfschiffe endgültig verdrängt.

Bereits im Jahre 1800 gab es in England etwa 5000 Dampfmaschinen. Eine einzige Dampfmaschine konnte in den Fabriken viele Spinnmaschinen, Webstühle, Mühlen, Druckerpressen oder die Hämmer in den Eisenwerken antreiben. An Dampfmaschinen angeschlossene Pumpen entwässerten die Gruben. Deshalb konnten jetzt Kohlenflöze in größerer Tiefe abgebaut werden. Dadurch wurde die von der Eisenindustrie dringend gewünschte Steigerung der Steinkohlenförderung möglich. Der Amerikaner Robert Fulton führte im Jahre 1807 auf dem Hudson einer staunenden Menge das erste Dampfschiff vor. Wenige Jahre später baute der Engländer George Stephenson die erste Lokomotive, indem er die Dampfmaschine auf Räder setzte und auf Schienen laufen ließ. Fürst von Pückler schrieb im Jahre 1826 an seine Frau:

126.1 *J. Watt (1736–1819)*

[Wir] müssen in der Zeit der tausendundeinen Nacht leben, da ich heute ein Wesen gesehen, was alle Phantasiegebilde ... zu überbieten scheint. Höre, was das erwähnte Ungetüm alles leistet. Als erstes ... frißt es nichts als Holz und Kohlen. Es wird nie müde und schläft nie. Es ist keinen Krankheiten unterworfen ... Es ist hier eine Wasserpumpe, dort ein Bergmann, hier ein Schiffer, dort ein Baumwollspinner, ein Weber, ein Schmied- und Hammerknecht oder ein Müller ... sollte aber in ihm etwas in Unordnung geraten ... so warnt es sogleich durch lautes Klingeln seine Herrschaft vor Unglück. Endlich ist es so folgsam, obgleich seine

Stärke der von hundert Pferden gleichkommt, daß ein Kind von vier Jahren mit dem Druck seines kleinen Fingers jeden Augenblick seine ungeheure Arbeit zu hemmen imstande ist.

(Nach: Geschichte in Quellen, Das bürgerliche Zeitalter, München 1980, S. 110 f.)

Manche Menschen warnten jedoch vor den möglichen Gefahren dieser umwälzenden technischen Veränderung. In einem Artikel, der im Jahre 1818 in der „Kölnischen Zeitung" erschien, heißt es:

Eine Maschine macht oft die Arbeiten von tausend Menschen entbehrlich und bringt den Gewinn, den sonst alle diese Arbeiter teilen, in die Hände eines einzigen. Mit jeder abermaligen Vervollkommnung einer Maschine werden neue Familien brotlos; jede neuerbaute Dampfmaschine vermehrt die Zahl der Bettler, und es steht zu erwarten, daß sich bald alles Vermögen in den Händen einiger tausend Familien befindet und der übrige Teil des Volkes als Bettler in ihre Dienstbarkeit geraten werden. Muß nicht jeder Menschenfreund schmerzlich ergriffen werden von dem Gedanken, daß es dahin kommen kann und aller Wahrscheinlichkeit nach dahin kommen muß? Wir sind der Meinung, daß der Schaden, den unsere Gewerbe durch das englische Maschinenwesen erleiden, obwohl er sehr fühlbar ist, bei weitem leichter ertragen werden kann als der Druck, der aus dem Flor [= Blüte] der zu sehr durch Maschinen vervollkommneten Fabriken erwachsen würde, die Deutschland mit drei bis vier Millionen Bettlern bevölkern würden.

(Nach: Geschichte in Quellen, Das bürgerliche Zeitalter, S. 114)

1. Welche Vorteile brachte die Erfindung von James Watt den Fabriken?
2. Vergleicht den Brief Pücklers mit dem Artikel aus der „Kölnischen Zeitung". Stellt die unterschiedlichen Auffassungen gegenüber.
3. Diskutiert über die Sorgen, die in der „Kölnischen Zeitung" ausgedrückt werden. Wie beurteilen wir heute technische Entwicklungen?

***127.1** Englisches Kohlenbergwerk. (Gemälde eines unbekannten Künstlers, um 1790)*

Die Entwicklung der Eisenbahn

Wie mit Eisenbahnen Menschen und Güter schneller befördert werden konnten

Postkutsche Anfang 19. Jh. Reisedauer von Berlin nach

Hamburg	*36 Std.*
Köln	*82 Std.*
München	*81 Std.*
Dresden	*23 Std.*

Punkt zehn Uhr ... Es war kalt am Bielefelder Bahnhof, doch niemand redete vom Wetter, der Bundesverkehrsminister nicht, der Bundesforschungsminister nicht und nicht der „Landesvater". Dafür war die Rede vom Anbruch eines neuen Eisenbahnzeitalters ... Dann dröhnen elektronische Fanfaren. Der 114 Meter lange, 305 Tonnen schwere und 11 000 PS starke Star ist eingetroffen. Staunen und Beifall unter den 55 Zaungästen ... 77 Millionen Mark hat der ICE gekostet, 60% bezahlte der Steuerzahler, den Rest teilten sich Bundesbahn und Industrie.

(Neue Ruhr Zeitung v. 27. 11. 1985)

... 315, 316, 317 Stundenkilometer ... Leichtfüßig erreicht der ICE zwischen Gütersloh und Neubeckum diese Traumgrenze ... Die 100 Ehrengäste ... spüren es kaum. Leises Rauschen, sanftes Rumpeln, ... erinnern daran, daß man noch auf der Erde ist.

(Westdeutsche Allgemeine Zeitung v. 11. 1. 1985)

... die Feier des Geburtstages unseres ... geliebten Königs ... [ist] noch durch eine zweite, ... die Eröffnung der Cöln-Mindener Eisenbahn verherrlicht [worden]. Schon am Vorabend ... kündigte das Geläute aller Glocken die ... Feier an. Nachmittags versammelten sich die Königlichen und städtischen Behörden ... bestiegen die Equipagen und fuhren ... nach dem Bahnhofe, der mit Laubguirlanden und Fahnen stattlichst decorirt war ... In dem ... großen Saale des Bahnhofs wurde die Ankunft des Zuges erwartet ... Endlich um 6 Uhr langten die Erwarteten an, begrüßt von dem Donner der Böller, der ... Musik und dem Jauchzen der Menge.

(Mindener Sonntagsblatt v. 18. 10. 1847)

Kaum 12 Jahre zuvor, 1835, hatte der erste Eisenbahnzug in Deutschland die 6 km lange Strecke von Nürnberg nach Fürth in nur neun Minuten bewältigt. Die Lokomotive, den „Adler", hatten Arbeiter in England gebaut, die Wagen und Schienen stammten aus deutschen Werkstätten und Eisenfabriken. Viele Zeitgenossen hatten vor der Einführung dieser neumodischen Erfindung gewarnt. Ärzte versicherten, die hohe Geschwindigkeit müsse unweigerlich Gehirnkrankheiten nach sich ziehen. Bauern befürchteten, ihre Hühner würden aus Angst vor dem fauchenden, qualmenden und rasenden Ungetüm keine Eier mehr legen.

Reisedauer mit der Eisenbahn Ende 19. Jh. von Berlin nach

Hamburg	*282 km*	*5 Std.*
Köln	*522 km*	*10 Std.*
München	*569 km*	*11 Std.*

Männer wie Friedrich Harkort und Friedrich List erkannten, daß die Eisenbahnen von nun an früher weit voneinander entfernt liegende Gebiete wirtschaftlich und politisch eng miteinander verbinden konnten. Mit Eisenbahnen, so schrieben sie, würde man Personen und Güter rasch über weite Strecken befördern können. In einem Bericht über den Bau einer Eisenbahnverbindung zwischen Köln und Minden heißt es schon im Jahre 1832:

1985 von Köln nach

Hannover	*288 km*	*2 Std. 49 Min.*
München	*576 km*	*6 Std. 46 Min.*

Dem Kohlenschatz der Ruhrgebirge ... wird ein neuer Markt eröffnet. Für die Gegenden, welche reich an Getreide und rohen Produkten sind, wird der Absatz in die Fabrik- und Berggegenden möglich ... Warenzüge, die sonst auf verschiedenen Straßen ... sich mühsam dem Rheine nähern, müssen sich nothwendig auf dieser Eisenbahn konzentrieren.

(Mittheilungen über die Anlage einer Eisenbahn, ... Minden 1832)

***129.1** Die Fahrt der ersten Eisenbahn von Nürnberg nach Fürth, 1835*

Bereits 1850 war die Eisenbahn das wichtigste Verkehrs- und Transportmittel. Beim Ausbau des Eisenbahnnetzes in den nächsten Jahrzehnten fanden viele Menschen Arbeit und Brot. Allein beim Bau der Trassen, beim Verlegen der Schienen, beim Errichten von Stellwerken und Bahnhöfen wurden 570000 Männer während der Wirtschaftskrise 1871–80 beschäftigt. Sie waren vorher Tagelöhner, Kleinbauern, Landarbeiter und Handwerker gewesen. Die meisten von ihnen zogen als sog. Wanderarbeiter umher. Sie waren völlig herausgerissen aus den Gemeinschaften ihrer Familien und zogen mit dem Trassenbau Strecke um Strecke immer weiter in die Ferne. Sie arbeiteten bis zu 14 Stunden täglich. Ihre Löhne waren gering. In Baracken führten sie ein unstetes Leben und wurden ständig von der Polizei kontrolliert.

Vermögende Männer gründeten Gesellschaften und verkauften Anteilscheine (Aktien). Später finanzierten auch die Regierungen aus wirtschaftspolitischen und strategischen Gründen den Eisenbahnbau.

1. Beschreibe die Vorteile des Eisenbahnbaus für die Entwicklung der Industrie.

2. Warum ist die Bedeutung der Eisenbahn heute zurückgegangen?

Das deutsche Eisenbahnnetz

1835	*6 km*
1840	*549 km*
1850	*6044 km*
1870	*19575 km*
1900	*51391 km*
1922	*57652 km*
1984	*30905 km**
	*14226 km***

** Bundesrep. Deutschland*
*** DDR*

Entwicklung neuer Industrien

Wie große Eisenwerke und Tiefbauzechen entstanden

Eisenindustrie und Tiefbauzechen

Im Jahre 1811 gründete der Unternehmer Friedrich Krupp in Essen eine Fabrik zur Erzeugung von Eisen. Vor allem interessierte ihn die Herstellung eines harten und zugleich geschmeidigen Gußstahls. Dieser war besonders gefragt. Nach jahrelangen Experimenten gelang ihm erstmals ein einwandfreier Stahlguß, wie er in England bereits seit Jahrzehnten bekannt war. Erst sein Sohn Alfried erreichte auf Dauer die englische Qualität. Ein halbes Jahrhundert nach der Gründung der Firma waren die Erzeugnisse der Kruppschen Werke weltbekannt, von den nahtlosen Eisenbahnrädern bis zu Kanonen. Im 19. Jh. entstanden auch in Schlesien und an der Saar weitere Ballungszentren der Stahlindustrie. An Rhein und Ruhr wurden die Firmen Mannesmann, Thyssen, Haniel, die Henrichshütte und der Bochumer Verein für Gußstahlfabrikation gegründet. Ein zeitgenössischer Autor schrieb im Jahre 1911:

Beschäftigte bei Krupp

1811	7
1835	67
1851	704
1861	2000
1873	16000
1912	37000

Welche Mengen von Eisen verbraucht ein moderner Wohnhausbau! ... aus eisernen Gurten, Rippen und Bändern [wölben sich] die Bahnhofshallen ... und das höchste Bauwerk der Welt, der Eiffelturm, ... ein Wahrzeichen der neuesten Eisenzeit, ist ganz aus Eisen. Ebenso, vielleicht in noch höherem Maße ... spielt zur Kriegszeit das Eisen die Hauptrolle.

(A. Wurm, Stahl und Eisen, Kempten und München 1911, S. 4)

130.1 *Die Gußstahlfabrik Krupp in Essen 1852*

130.2 *Die Gußstahlfabrik Krupp in Essen 1912*

131.1 *Die Zeche Dannenbaum. 1961 begann hier der Bau des Opel-Werkes in Bochum-Laer.*

Im Jahre 1799 wurde zum erstenmal mit einer von Franz Dinnendahl gebauten Dampfmaschine an der Ruhr das Wasser aus größeren Tiefen an die Oberfläche gepumpt. Jetzt konnten im Ruhrgebiet und im Aachener Raum auch Kohlenflöze (= Kohlenschichten) in tieferliegenden Schichten erschlossen werden. Damit begann das Zeitalter der Tiefbauzechen.

Weil der Bedarf an Steinkohle in der Eisenindustrie, vor allem für den Bau von Eisenbahnen und Maschinen, ständig wuchs, entschloß sich 1859 die Grubenleitung der Zeche Dannenbaum einen Tiefbauschacht anzulegen. 1860 hatte dieser Schacht eine Tiefe von 80 m erreicht. In einem Bericht darüber heißt es:

Über dem Schacht stand ein Malakoffturm [viereckiger Turm aus Ziegelstein, benannt nach einem russischen General], in dem die Seilscheiben auf einem hölzernen Gerüst gelagert waren. Als Seile dienten Hanfseile. Die Kohlen wurden . . . in Kübeln zutage gefördert. Im März 1862 wurden Förderwagen angeschafft . . ., im Schacht Förderkörbe eingebaut . . . und statt der Hanfseile Drahtseile von 36 mm Durchmesser verwandt. Je Korb durften 10 Mann ein- und ausfahren.

(W. Bündemann, Altenbochum, Gestern, Heute, Altenbochum 1978, S.78)

1. Erkundige dich nach der Entwicklung des Bergbaus und der Eisenindustrie in deiner Heimat.
2. Wie kam es zum Anstieg der Steinkohlenförderung im 19. Jh.?
3. Warum stockt heute der Absatz bei der Steinkohle?

Belegschaft und Förderung der Zeche Dannenbaum

1861	*108 Beschäftigte*
	22 t/Tag
1910	*3091 Beschäftigte*
	24201 t/Tag

Anzahl der Zechen und Beschäftigten im Aachener Raum und im Ruhrgebiet

1861	*277*	*28697*
1910	*194*	*353347*

Chemische Industrie und Elektroindustrie

Wie neue Industriezweige entstanden

Bis weit in das 19. Jahrhundert hinein färbten die Menschen Garne und Stoffe mit Farben, die sie aus Wurzeln, Blüten, Blättern, Purpurschnekken und Erden gewannen. So wurde z. B. selbstgewebtes, ungebleichtes Leinen in Lehmgruben mit fettem Lehm eingerieben, mit Wasser übergossen und eine Woche lang in dieser Farbbrühe liegengelassen. Dann hatte es durch aus dem Lehm aufgesogene Eisenoxide einen schönen braunen Naturton bekommen.

Beschäftigte bei Bayer und Weskott im Jahre 1863:

12 Arbeiter
1 Lehrling
1 Angestellter

Beschäftigte bei den Farbenfabriken Bayer AG in Leverkusen und Wuppertal

1963:	*1985:*
61500	*61600*
davon	*davon*
2100	*3239*

als Chemiker, Physiker, Ingenieure, Ärzte, Apotheker Biologen und Juristen

Beschäftigte der Firma weltweit, 1985:

174800

Erzeugte Produkte:

ungefähr 6000

Im 19. Jh. entdeckten Chemiker, daß man aus Steinkohlenteer, der bei der Gasgewinnung entstand, künstliche Farben herstellen konnte. Die Färber und die Käufer bevorzugten diese Farben, weil mit ihnen leichter, preiswerter und dauerhafter gefärbt werden konnte. Den Kunden, vor allem den Damen, gefielen die leuchtenden Teerfarben besser als die matten, aus der Natur gewonnenen Farben. Bald entstanden auf deutschem Boden zahlreiche Farbenfabriken. In Elberfeld gründeten Friedrich Bayer und Johann Friedrich Weskott 1863 eine Fabrik zur Erzeugung von Teerfarben. Der Betrieb litt aber unter dem scharfen Konkurrenzkampf, den die einzelnen Firmen gegeneinander führten. Der junge Chemiker Carl Duisberg (1861–1935) rettete den gefährdeten Betrieb. Er entdeckte viele neue, noch schönere Farbstoffe. Duisberg regte auch die Herstellung von Heilmitteln aus Teer an. Die Fabrik wurde vergrößert, bald war der Raum in Elberfeld zu eng. Duisberg ließ neue Anlagen im heutigen Leverkusen errichten und gab den beiden Betrieben unterschiedliche Aufgaben. In Elberfeld wurden Heilmittel hergestellt, Leverkusen wurde zum Schwerpunkt der Farbenproduktion.

Im Laufe der nächsten Jahrzehnte wurde Deutschland führend im Bereich der chemischen Industrie. Auch in anderen großen Fabriken, z. B. in der Badischen Anilin- und Soda-Fabrik (BASF), wurden zahlreiche Farben, Heilmittel und andere chemische Produkte erzeugt.

132.1 *Versuchslabor bei Bayer, 1863*

132.2 *Modernes Labor bei Bayer, 1965*

In dieser Zeit entstand auch noch ein weiterer neuer Industriezweig, die Elektroindustrie. 1833 entwickelten Gauß und Weber den Telegraphen, Bosch eröffnete 1886 eine „Werkstätte für Feinmechanik und Elektrotechnik".

Einer der bahnbrechenden Erfinder und Entdecker in diesem Bereich war der Ingenieur und Industrielle Werner von Siemens. Heute trägt ein weltbekannter Elektrokonzern seinen Namen.

Siemens gründete im Jahre 1847 mit dem Mechaniker Halske eine „Telegraphenbauanstalt". Mit dem elektrischen Telegraphen konnte man nun in wenigen Minuten Nachrichten über Hunderte von Kilometern weitergeben. Werner von Siemens baute auch den ersten Dynamo und den ersten Elektromotor. Mit dem Dynamo konnte man Strom in großen Mengen erzeugen. Die erste elektrische Straßenbahn der Welt fuhr im Jahre 1881 in Berlin-Lichterfelde. Siemens hatte sie konstruiert; sie wurde von Elektromotoren angetrieben. Über den Elektromotor als Antriebsmittel für Fahrzeuge schrieb Siemens:

Vor der Dampfmaschine hat die elektrische den großen Vorzug, daß die Maschinen leicht sind und an jedem Wagen angebracht werden können, daß sie nicht pusten, spucken, Asche und glühende Kohlen auf die Straße fallen lassen, daß sie außerordentlich schnell zu bewegen sind . . . Kurz, wohin man blickt, sieht man Vorteile für das elektrische System.

(K. H. Ludwig, Der Aufstieg der Technik im 19. Jh. Quellen- und Arbeitshefte, Stuttgart 1976, S. 38)

1. Welche Erzeugnisse der chemischen Industrie kennst du im Haushalt und im Auto?
2. Beschreibt einen Tag ohne Elektrizität.
3. Warum werden Sondermülldeponien eingerichtet?

Eine moderne Straßenbahn kann eine Stundengeschwindigkeit von 80 km erreichen, ein Schnellzug 200–300 km.

133.1 *Die erste Straßenbahn, 1881*

133.2 *Moderne Straßenbahn heute*

Automobile und Flugapparate

Wie durch den „Otto-Motor" eine neue technische Entwicklung eingeleitet wurde

Nikolaus August Otto hatte als Kind häufig mit einem Modell der Dampfmaschine gespielt. Später fragte er sich, ob es nicht auch andere Energien gäbe, die Maschinen antreiben könnten. Er experimentierte jahrelang und entwickelte Gemische aus Gas, Luft und Benzin. Ein Zufall brachte die Lösung. Darüber berichtet Ottos Freund Eugen Langen, der Konstrukteur der Wuppertaler Schwebebahn:

Eines Tages, im Sommer 1875, bastelte er wieder an seinem Verbrennungsmotor. Er ließ Gas einströmen, und entzündete es dann im Zylinder. Es verbrannte mit einem leisen Knall, und der Motor machte auch einige Umdrehungen. Das Ganze war nicht sehr beeindruckend . . . Ziemlich niedergeschlagen, denn in diesem Motor steckten all seine Ersparnisse . . ., griff Otto von neuem nach der Kurbel, um den Motor anzudrehen. „Verdammtes Biest!" brummte er dabei wütend. „Dir werde ich es schon zeigen . . ." Er ließ das Gas einströmen und riß weiter an der Kurbel. In seinem Jähzorn verpaßte er den richtigen Augenblick, in dem er das Gasgemisch entzünden mußte. Der Kolben war weitergeglitten und hatte das Gasgemisch zusammengepreßt, ehe er die Zündung ausgelöst hatte. Als dies endlich geschah, hatte der Kolben fast seinen höchsten Punkt erreicht. Mit einem lauten Knall und nie beobachteter Gewalt begann der Motor zu laufen, und Otto konnte gerade noch die Kurbel loslassen, sonst hätte ihm diese den Arm zerschmettert.

(H. W. Gaebert, Der große Augenblick in der Technik, Bayreuth 1971, S. 171)

134.1 *Massenverkehr zur Ferienzeit auf der Autobahn*

Gottlieb Daimler führte Ottos Erfindung weiter. Er baute einen Otto-Motor, der mit einem Benzin-Luft-Gemisch angetrieben wurde, in ein hölzernes Zweirad ein. Die Kraft des Motors wurde auf die Räder übertragen. Mit dem seltsamen Gefährt fuhr er knatternd durch seinen großen Garten in Cannstatt. 1886 baute er einen Motor sogar in eine Droschke ein und fuhr nun vierrädrig, von staunenden Zuschauern ungläubig betrachtet, durch die Straßen der Stadt. Der Siegeszug des Automobils (Selbstbeweger) begann.

134.2 *Die Versuchsmaschine, 1876*

134.3 *G. Daimler und sein Sohn Adolf, 1886*

Ein entscheidender Fortschritt war die Einführung des Fließbands durch Henry Ford 1913 in Detroit, USA. Dadurch konnte die Montagezeit für ein Auto von 12 auf 6 Stunden gesenkt werden, die Autos wurden billiger und für mehr Menschen erschwinglich. Für den Fließbandarbeiter heißt dies, daß er einen bestimmten Handgriff immer wieder und wieder machen muß, und zwar in einem Tempo, das vom Band diktiert wird. Heute können wir uns ein Leben ohne Auto gar nicht mehr vorstellen. Es hat dem Menschen unbegrenzte Beweglichkeit (Mobilität) gebracht. Er kann die kleinsten Orte und Großstädte ansteuern. Aber Blechlawinen verstopfen auch tagtäglich Dörfer und Städte, zur Ferienzeit auch kilometerlang dreispurige Autobahnen. Die Umweltbelastungen durch Auto- und Industrieabgase wachsen für den Menschen und die gesamte Umwelt. 1985 wurde bei uns der erste Smog-Alarm ausgelöst.

1891 erfüllte sich ein anderer Menschheitstraum. Otto Lilienthal (1848–1896) baute vogelähnliche Flügel aus leichtem Weidenholz und bespannte sie mit wachsgetränkten Baumwolltüchern. In der Nähe Berlins ließ er einen Hügel aufschütten. Mit seinen Schwingen sprang er herab, schwebte in der Luft und flog 30 m weit. So führte er Hunderte von Luftsprüngen aus und erreichte schließlich Weiten bis zu 400 m.

Angeregt durch seine Erfolge, bauten die Brüder Wright in Kitty Hawk (USA) einen Otto-Motor in einen Gleitflugapparat. Dieser schwebte 1903 erstmals 12 Sekunden in der Luft und landete 60 Meter vom Startplatz entfernt. Nun konnte sich der Mensch mit einer Maschine auch im Luftraum frei bewegen. 1909 überflog ein Franzose den Ärmelkanal, 1911 erreichte ein Flugzeug die Höhe von 4000 Metern und die abenteuerliche Geschwindigkeit von 160 km in der Stunde. Die Luftfahrt entwickelte sich in einem immer schneller werdenden Tempo.

1. Beschreibe die Autoentwicklung von 1886 bis heute.
2. Autos und Flugzeuge haben die Verkehrsmöglichkeiten der Menschen entscheidend verändert. Nenne auch Nachteile.

Pkw-Bestand in der Bundesrepublik Deutschland

1900	*600 (Pkw + Lkw)*
1913	*22800*
1929	*519100*
1958	*2915803*
1967	*10231555*
1985	*ca. 31 Mio (Pkw + Lkw)*

Weltproduktion 1984 Pkw und Lkw

Japan	*7,2/4,0 Mio*
USA	*6,7/2,4 Mio*
Bundesrepublik Deutschland	*3,9/0,3 Mio*
Frankreich	*3,4/0,5 Mio*

1874 hatte Lilienthal gemeinsam mit seinem Bruder erste Versuche unternommen. 1895 schließlich baute er den Doppeldecker, mit dem er im Jahr darauf abstürzte.

***135.1** Erster Motorflug der Brüder Wright, 1903*

***135.2** Lilienthal beim Flug mit einem Gleiter*

Soziale Folgen und Fragen

Wie die Industrialisierung die Wohnverhältnisse veränderte

Entstehung von Großstädten

Um 1800 war Deutschland ein Agrarstaat. Der größte Teil der Bevölkerung lebte auf dem Land oder in kleinen Städten. Im Jahre 1871 gab es in Deutschland nur acht Großstädte mit mehr als 100000 Einwohnern. Das heutige Ruhrgebiet war – abgesehen von kleinen Industrieanlagen – bis zur Mitte des 19. Jahrhunderts geprägt von Einzelgehöften, Dörfern und kleinen Städten. Diese Städte lagen vor allem am alten Hellwege (heute B 1 bzw. A 430). Im Jahre 1849 zählten die jetzigen Großstädte Dortmund, Bochum und Essen zusammen nicht einmal 21000 Einwohner. Ihre Ausdehnung entsprach ungefähr den heutigen Stadtkernen.

Die schnell wachsenden Zechen und Fabriken zogen nach 1870 wie Magnete die Menschen aus der Nähe und aus der Ferne an. Dörfer und Kleinstädte sprengten ihre uralten Grenzen, wuchsen in die umliegenden Bauernschaften hinein und entwickelten sich zu Großstädten. Die arbeitenden Menschen drängten zunächst in die wenigen vorhandenen Wohngebiete. Zur Abhilfe errichtete man große Häuser mit möglichst vielen kleinen Wohnungen, die Kasernen glichen und deshalb auch so genannt werden. Mangel an Wohnraum und das Spekulantentum trieben die Mieten in die Höhe und machten die Armen noch ärmer. Aus Aachen wird berichtet:

> ... Vielfach wurden in einem Zimmer zwei Familien angetroffen, welche ihren Anteil an der Stube durch Kreidestriche abgetrennt haben. In solchen Räumen wohnen, kochen und schlafen die Armen ... Die Überbevölkerung in den Arbeiterstraßen mit ihren schmalen, nicht sehr großen Häusern ist eine ganz außerordentliche und sticht grell ab von den Straßen der fashionablen [vornehmen] Welt. Je ärmer die Armen sind, desto tiefer in die Hintergebäude oder höher in die Dachkammern ziehen sie. Hier sucht sie niemand anders auf als der Kaplan, der Arzt, der Armenpfleger, der Steuerbote, der Exekutor [Gerichtsvollzieher] ...

(Brennpunkte der Kirchengeschichte, Paderborn 1976, S. 197)

Die Villen der Reichen lagen in bevorzugten Stadtteilen, die von dem Qualm aus den Fabrikschornsteinen nicht erreicht werden konnten. Um 1860 gab es aber auch schon Unternehmer, die menschenwürdige Wohnungen für ihre Arbeiter errichten ließen. Die Siedlungen der Firma Krupp, die dorfähnlichen Wohnzentren des Bochumer Vereins für Gußstahlfabrikation und die im ganzen Ruhrgebiet verbreiteten Zechenkolonien mit Ställen und Gärten sind zum Teil noch heute bewohnt.

In den Städten mußten neue, breite, gepflasterte Straßen gebaut werden, um schwere Lastfuhrwerke zu tragen. Wichtig war ebenfalls die Anbindung des Eisenbahnnetzes an die Städte. Die Versorgung der Menschen mit Wasser, Heizung und Licht bereitete hohe Kosten, ebenso der Bau immer neuer Schulen und die Anlage von einer Kanalisation. Für die Lösung all dieser Probleme wurden zusätzliche Arbeitskräfte eingestellt, zahlreiche Familien zogen zu.

1. Erkundigt euch, wie sich in eurem Heimatort die Wohnverhältnisse seit dem 19. Jh. verändert haben.

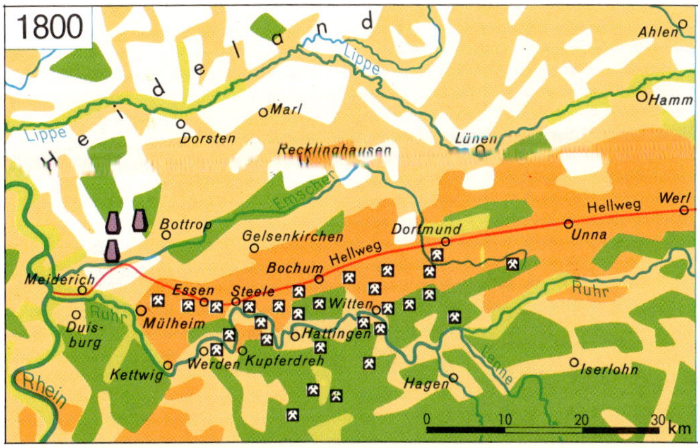

Im Bauernland an der Ruhr gibt es viele kleine Kohlengruben und einige kleine Eisenhütten.

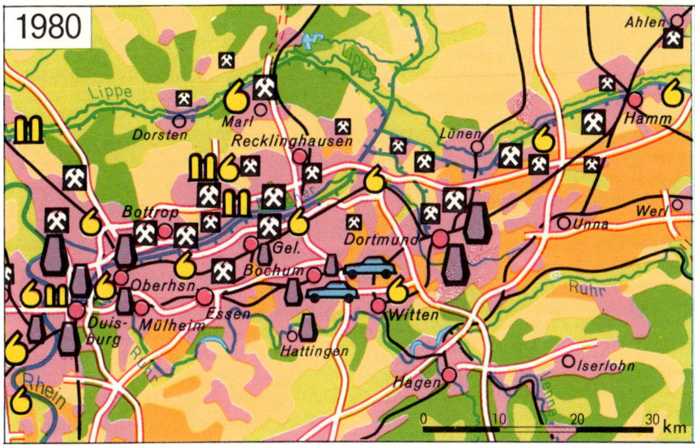

Das Ruhrgebiet ist zu einer großen Stadt zusammengewachsen. Die Kohle wird in wenigen großen Schachtanlagen gefördert. Große Stahlwerke, Chemiewerke, Erdölraffinerien und andere Fabriken machen das Ruhrgebiet zu einem der größten Industriezentren der Welt. Ein dichtes Verkehrsnetz (Autobahnen, Eisenbahnen, Wasserwege) ermöglicht den schnellen Transport von Gütern und Menschen und verbindet das Ruhrgebiet mit allen Ländern Europas.

__137.1__ Die Entwicklung des Ruhrgebietes

__137.2__ Arbeiterwohnhaus, Wuppertal um 1890

__137.3__ Villa des Unternehmers Vorwerk, Wuppertal

In welche Not viele Menschen zu Beginn der Industrialisierung gerieten

Verarmung und Proletarisierung

Auch die Verbesserungen in der Landwirtschaft konnten wegen der rasch wachsenden Bevölkerung (s. S. 120) nicht verhindern, daß viele Tagelöhner und Landarbeiter verarmten. Vor allem in Baden, Württemberg und Hessen besaßen zwischen 1830 und 1850 88 % der Landbevölkerung ein so niedriges Einkommen, daß von einer Massenarmut, die wir Pauperismus nennen, gesprochen werden muß. In einem Lexikon von 1846 heißt es:

Pauperismus ist da vorhanden, wo eine zahlreiche Volksklasse sich durch die angestrengte Arbeit höchstens das notdürftigste Auskommen verdienen kann, auch dessen nicht sicher ist, in der Regel schon von Geburt an und auf Lebenszeit solcher Lage geopfert ist, . . . darüber immer tiefer in Stumpfsinn und Rohheit versinkt.

(Brockhaus Enzyklopädie, 1846)

Unter dem Pauperismus litten aber ab 1840 auch andere Berufs- und Bevölkerungsschichten: die Spinner und Weber in Schlesien, Sachsen und Westfalen. Mit ihren Garnen und Stoffen, die sie in mühseliger und zeitraubender Heimarbeit anfertigten, konnten sie einerseits mit den in den Fabriken maschinell hergestellten Produkten nicht mehr konkurrieren. Die wachsende Industrie war andererseits nur langsam in der Lage, die herbeiströmenden Arbeitsuchenden aufzufangen. Viele lebten daher zunächst noch lange von Gelegenheitsarbeiten, vom Betteln und vom Hausieren. Die Fabrikbesitzer standen selbst unter dem Druck eines harten Wettbewerbs. Um billig produzieren zu können, mußten sie ihre Betriebe erweitern oder mit neuen Maschinen ausstatten. Deshalb und weil viele Menschen Arbeit suchten, zahlten sie sehr niedrige Löhne.

1867 verdiente ein Bergarbeiter im Monat etwa 16 Taler (1 Taler = 30 Silbergr., 1 Silbergr. = 12 Pfennige).

Für eine vierköpfige Familie betrugen die täglichen Kosten:

Miete	*3 Silbergr. 9 Pf.*
5 Pfd. Brot	*4 Silbergr. 10 Pf.*
6 Pfd. Kartoffeln	*3 Silbergr. 4 Pf.*
½ Pfd. Fleisch	*4 Silbergr. 3 Pf.*
1/6 Pfd. Butter	*2 Silbergr.*
1/10 Salz	*1 Pf.*
Kaffee	*9 Pf.*
Milch und Zucker	*5 Pf.*
Öl auf der Grube und Seife	*1 Silbergr. 5 Pf.*

oder im Monat 20 Taler, 25 Silbergroschen.

Licht, Heizung, Kleidung, Schulgeld und Steuern sind nicht eingerechnet.

(O. Hue, Die Bergarbeiter, Bd. 2, Stuttgart 1913, S. 171)

Eine Arbeiterfamilie konnte nur existieren, wenn Frau und Kinder mitarbeiteten. Es gab keine Unfallversicherung, keine Krankenkasse, keine Altersversorgung. In armseligen Wohnungen, unterernährt, abgearbeitet und anfällig gegen Krankheiten, wuchs in Deutschland eine neue Bevölkerungsschicht heran. Ihr einziger Besitz waren viele Kinder. Daher wurden sie Proletarier genannt (proles: Nachkomme, vgl. auch Bd. 1, S. 82). Über das Elend dieser Menschen wird erzählt:

Am lautesten hatten die Klagerufe aus dem Industriebezirke Solingen getönt, der recht eigentlich den Herd des Trucksystems [= Lohnzahlung in Waren] bildete. Hier stand die schamlose Ausbeutung der Arbeiter in vollster Blüte . . . Entweder waren sie durch Vertrag zum Lohnempfang in Waren gezwungen, oder sie erhielten, sei es zwangsweise, sei es durch Verlockung, Vorschüsse in Waren auf ihren Lohn, die ihnen am Löhnungstage in bar abgezogen wurden. Die Waren, die der Fabrikherr eigens zu diesem Zwecke in möglichst schlechter Qualität anschaffte, . . . bestanden in der Regel in beschädigten, altmodisch gewordenen Artikeln, . . . Luxusgegenständen, Lebensmitteln jeder Art, Kaffee, Branntwein, Tabak . . . Der Arbeitgeber setzte ihren Preis willkürlich weit über ihrem realen Wert durch die Drohung fest, die Arbeit zu verweigern, wenn sie zu demselben nicht angenommen würden, und die Arbeiter waren genötigt, sie sofort mit Verlust, zuweilen in demselben Hause zu verkaufen, um nur die notwendigsten Lebensbedürfnisse sich verschaffen zu können.

(G. K. Anton, Gesch. d. preuß. Fabrikgesetzgebung, Leipzig 1891, S. 140 f.)

139.1 Arbeiterfamilie um 1900

Es war am 8. Mai 1878, als ich in der damals noch selbständigen Gemeinde Oespel bei Dortmund als drittes Kind geboren wurde. Nach mir schenkte meine Mutter noch weiteren sechs Kindern das Leben, und meine Eltern hatten alle Mühe und Not, um mit ihren neun Kindern und dem Schicksal fertig zu werden. Mein Vater war – genauso wie meine älteren Brüder und später auch ich – Bergmann, und er bekam damals für eine neunstündige Schichtzeit ganze 2,66 Mark. Damit mußte er seine Familie ernähren und kleiden . . . Nicht selten war es auch noch so, daß der ohnehin karge Lohn durch Fehlschichten infolge Absatzmangels weiter geschmälert wurde. So war es denn auch wohl kaum ein Wunder, daß wir Kinder keine Lederschuhe kannten, sondern im Sommer barfuß laufen mußten und in der kälteren Jahreszeit uns mit Holzschuhen – die wir Klotschen nannten – begnügten. Lederschuhe durften wir manchmal sonntags anziehen; wobei natürlich der Genauigkeit halber erwähnt werden muß, daß diese Lederschuhe sich von einem Kind zum anderen vererbten und deshalb immer ziemlich ausgetragen waren. Nicht anders war es mit der Kleidung . . . Erst lange nach meiner Jugendzeit lernte ich auch Butter . . . kennen.

(A. Schmidt, Lang war der Weg, Bochum 1958, S. 9 f.)

Im Jahre 1890 kostete:

1 kg Rindfleisch	*1,27 RM*
1 kg Schweinefl.	*1,43 RM*
1 kg Speck	*1,68 RM*
1 kg Butter	*2,24 RM*
1 kg Weizenmehl	*0,33 RM*
1 kg Erbsen	*0,23 RM*
1 kg Bohnen	*0,30 RM*
1 kg Linsen	*0,49 RM*
1 kg Kartoffeln	*0,07 RM*

Ein Vergleich beider Listen ist möglich, wenn man 10 Silbergr. = 1,20 RM setzt.

1. Erkläre, wie es zur Bildung eines Proletariats im 19. Jahrhundert kam.

2. Wie lange mußte damals ein Arbeiter für bestimmte Grundnahrungsmittel wie Brot, Kartoffeln (s. S. 138) und ein Paar Schuhe arbeiten? Wie ist das heute?

Versuche zur Lösung der sozialen Frage

Karl Marx und Friedrich Engels

Wie Karl Marx und Friedrich Engels die gesellschaftlichen Verhältnisse ändern wollten

Das Elend der Fabrikarbeiter erschütterte viele aufmerksame Menschen. Gelehrte, Geschäftsleute und Männer der Kirchen suchten die Lage der Arbeiter zu bessern.

Karl Marx, der Begründer der nach ihm benannten Lehre (Marxismus), wurde im Jahre 1818 als Sohn eines Rechtsanwaltes in Trier geboren. Nach dem Studium in Bonn und Berlin arbeitete er als Journalist bei der „Rheinischen Zeitung" in Köln. In seinen Artikeln kritisierte er heftig die gesellschaftlichen und politischen Verhältnisse in Deutschland. Er fiel den Kontrolleuren der Regierung auf und erhielt Schreibverbot. Aus diesem Grund verließ Karl Marx seine Heimat. Er hielt sich 1848 vorübergehend wieder in Deutschland auf und lebte dann bis zu seinem Tod im Jahre 1883 in London. Finanziell ging es ihm zeitlebens schlecht. Er hätte in Armut leben müssen, wenn ein reicher Freund ihn nicht ständig unterstützt hätte.

Dieser Freund hieß Friedrich Engels. Er stammte aus einem begüterten Elternhaus. Sein Vater besaß Textilfabriken in Wuppertal-Barmen, Engelskirchen und sogar in Manchester. Im Alter von 30 Jahren übernahm der junge Engels dort eine leitende Stellung. Er sah nicht nur die Vorteile der fortschreitenden Industrialisierung, sondern auch die Schattenseite, das von Sorgen und Armut geprägte Leben der Arbeiter in den Fabriken. In seinem Buch „Die Lage der arbeitenden Klassen in England" faßte er im Jahre 1845 seine Eindrücke zusammen:

Es ist nichts Ungewöhnliches, daß ein Mann, seine Frau, vier bis fünf Kinder und zuweilen noch Großvater und Großmutter in einem einzigen Zimmer von zehn bis zwölf Fuß im Quadrat gefunden werden, worin sie arbeiten, essen und schlafen ... oft ist eine ganze ... Familie in einem Bett zusammengedrängt ... oft wohnte mehr als eine Familie in einem einstubigen, feuchten Keller, in dessen pestilenzialischer Atmosphäre zwölf bis sechzehn Menschen zusammengedrängt waren.

(Nach: Geschichte in Quellen, Das bürgerliche Zeitalter, S. 745 ff.)

Karl Marx und Friedrich Engels waren davon überzeugt, daß die Geschichte der Menschheit bisher jeweils aus ständigen Kämpfen zweier gesellschaftlicher Gruppen bestanden habe. Diese Gruppen nannten sie Klassen. Zu allen Zeiten handelte es sich nach der Auffassung von Karl Marx und Friedrich Engels um Kämpfe der Unterdrückten gegen ihre Unterdrücker. Es waren Kämpfe der Sklaven gegen die Freien, der Plebejer gegen die Patrizier, der Leibeigenen gegen die Grundherren. Im Zeitalter der Industrialisierung waren nun die Arbeiter die Unterdrückten. Sie sollten sich in einem neuen Klassenkampf gegen ihre Unterdrücker, das besitzende Bürgertum, zur Wehr setzen. Gemeinsam verfaßten Marx und Engels 1848 das „Kommunistische Manifest". Darin heißt es:

Ein Gespenst geht um in Europa – das Gespenst des Kommunismus. Alle Mächte des alten Europa haben sich zu einer heiligen Hetzjagd gegen dieses Gespenst verbündet ... die Kommunisten überstützen überall jede revolutionäre Bewegung gegen die bestehenden gesellschaftlichen und politischen Zustände. Die Kommunisten verschmähen es, ihre Ansichten und Absichten zu verheimlichen. Sie erklären es offen, daß ihre Zwecke nur erreicht werden können durch den gewaltsamen Umsturz aller bisherigen Gesellschaftsordnung. Mögen die herrschenden Klassen vor einer kommunistischen Revolution zittern. Die Proletarier haben nichts zu verlieren als ihre Ketten. Sie haben eine Welt zu gewinnen. Proletarier aller Länder, vereinigt euch!

(K. Marx/F. Engels, Manifest der kommunistischen Partei, Berlin-Ost 1983, S. 83)

Karl Marx hielt den Sturz der herrschenden Klasse für unvermeidlich. Er sah für die Zukunft eine freie klassenlose Gesellschaft, das Paradies auf Erden, den wahren Kommunismus voraus. In dieser Gesellschaft würde es keine Herrschenden und damit auch keine Unterdrückten, keine Besitzenden und damit auch keine Besitzlosen mehr geben.

Diese Ideen von Karl Marx und Friedrich Engels haben seitdem die gesamte Welt erfaßt. In vielen Staaten versuchen Politiker diese Ideen in die Praxis umzusetzen.

1. Wie haben Karl Marx und Friedrich Engels die Geschichte der Menschheit gedeutet? Erläutere die genannten Beispiele.
2. Erkläre, was Karl Marx unter dem Begriff der „freien, klassenlosen Gesellschaft" verstand.
3. Zeitungen, Rundfunk und Fernsehen informieren euch täglich über Verhältnisse in kommunistischen Staaten. Sammelt solche Informationen und sprecht darüber.

141.1 *Karl Marx (1818–1883)*

141.2 *Friedrich Engels (1820–1895)*

Wie versucht wurde, die Not der Arbeiter zu lindern

Kirchen und Unternehmer

In früheren Zeiten lebten die Gesellen in den Häusern und Familien ihrer Meister. Während der Industrialisierung verließen zahlreiche Handwerksgesellen jedoch freiwillig oder gezwungen ihre Heimat. Sie arbeiteten gemeinsam mit den jungen Männern, die vom Lande kamen, in den neuen Fabriken.

142.1 *Adolph Kolping (1813–1865)*

Ohne die häusliche und familiäre Bindung zum Meister und fern von der Heimat verwahrlosten viele dieser jungen Leute jedoch bald. Diese Entwicklung beunruhigte viele ernsthafte Männer. Der Hauptlehrer Johann G. Breuer gründete nach dem Vorbild eines evangelischen Jünglingsvereins in Elberfeld einen „Katholischen Gesellenverein". Im Heim dieses Vereins fanden die jungen Arbeiter Unterkunft, Rat und Hilfe. Als der katholische Priester Adolph Kolping 1845 nach Elberfeld kam, arbeitete er sofort tatkräftig mit. Bald entstanden neue Gesellenvereine. Als er 1865 starb, umfaßte sein Werk in Deutschland, Österreich und in der Schweiz 418 Vereine mit 24600 Mitgliedern. 1855 hat er über den Sinn der nach ihm benannten Vereine gesagt:

Diese jungen Männer werden bald ... Familienväter ... und der muß wahrlich stockblind sein, der nicht einsieht, daß es von größter Wichtigkeit ist, ob dieser oder jener junge Mann ... ein frommer pflichttreuer Familienvater oder ein ... Elendsvermehrer, ein ehrenwerter Bürger der Stadt und des Staates oder eine stets sich vermehrende Last der Gemeinde wird.

(Rheinische Volksblätter 1855, S. 236)

In ähnlicher Weise wirkte auf evangelischer Seite Johann Hinrich Wichern. 1833 gründete er in Hamburg das „Rauhe Haus", in dem Kinder aus armen Familien aufgenommen wurden. Sie lebten dort und arbeiteten. 1848 schuf er die „Innere Mission". Menschen aus schwie-

142.2 *Das erste Gesellenhaus Kolpings in Köln*

142.3 *Die Arbeiterkolonie Wilhelmsdorf in der Senne*

rigen sozialen Verhältnissen fanden und finden hier Unterkunft und Essen. Der Mainzer Bischof W. E. von Ketteler setzte sich dafür ein, daß von staatlicher Seite Reformen eingeleitet wurden. Die Arbeiter sollten einen ausreichenden Lohn erhalten und in ihrer Menschenwürde geachtet werden.

143.1 *Friedrich von Bodelschwingh (1831–1910)*

Selbstlos kümmerte sich auch der Pastor Friedrich von Bodelschwingh um Menschen in Not. Er leitete ein Pflegehaus für epileptische Kinder bei Bielefeld und nannte es „Beth-El", Haus Gottes. Er schloß die Kranken zu Familiengruppen zusammen, leitete sie zu sinnvollen Arbeiten an und gab ihnen so neuen Lebensmut. Gleichzeitig half er den Entwurzelten, den Bettlern und Landstreichern durch den Bau von „Arbeiterkolonien". Über eine Kolonie in der Senne heißt es:

Da steht ein großes Fachwerkhaus . . ., ein kleineres daneben, dahinter Stallungen und Scheunen, . . . Alle . . . Arbeiten werden möglichst von den Kolonisten selbst besorgt, auch die Wäsche; im Waschhaus befindet sich auch der Baderaum . . . Die meisten bleiben drei bis vier Monate . . . Die Tageslosung ist die einfache, altbewährte: „Bete und Arbeite!"

(Ausstellung „100 Jahre Wilhelmsdorf", Verteilschrift)

Im Jahre 1885 gründete Bodelschwingh den Verein „Arbeiterheime". Dies war die erste deutsche Siedlungsbausparkasse. In wenigen Jahren entstanden in der Umgebung Bielefelds etwa 200 Häuser mit Ställen, Gärten und jeweils 2000 m^2 Grund und Boden. Für seine „lieben Brüder von der Landstraße" baute er zahlreiche „Herbergen zur Heimat". Eine gute Mahlzeit „bezahlten" sie mit einer Stunde Arbeit.

Aber auch einige Unternehmer erkannten, daß hungernde und unzufriedene Arbeiter auf Dauer keine gute Arbeit leisten konnten. Der englische Unternehmer R. Owen richtete kurz nach 1800 in seiner Baumwollspinnerei einen Laden ein, wo seine Arbeiter billig Lebensmittel einkaufen konnte, er erhöhte die Löhne und verkürzte die Arbeitszeit. Eine Arbeitersiedlung und eine eigene Schule für die Arbeiterkinder wurden eingerichtet. In Deutschland folgten die Unternehmer Krupp und Ernst Abbe, der die Zeiss-Werke in Jena leitete, diesem Beispiel. Die Not der großen Masse der Arbeiter wurde dadurch nur geringfügig besser, es war wie ein Tropfen auf den heißen Stein. Der Unternehmer Werner von Siemens ging darum noch einen wichtigen Schritt weiter. In einem Brief an ein Tochterunternehmen in London schrieb er 1872:

Unsere Absicht war, durch . . . eine Pensionskasse in der Lösung der sozialen Frage einen entscheidenden Schritt vorwärts zu machen und dieselbe in ihrem unvermeidlichen Fortgange dadurch wenigstens für uns ungefährlich zu machen. Für diesen berechtigten Teil halten wir die den Arbeitern . . . zu gebende Sicherheit einer sorgenfreien Existenz im Alter und der Existenz ihrer Familie bei ihrem frühzeitigen Tode. Es wird in immer weiteren Kreisen als eine Pflicht der Arbeitgeber aufgefaßt, in diesem Sinne für ihre Arbeiter, deren Kräfte sie ausnützen, Sorge zu tragen . . .

(Werner von Siemens, Briefe, hrsg. von F. Heintzenberg, S. 248 ff.)

1. Warum halfen Kolping und Bodelschwingh den Menschen in Not?
2. Wie und warum versuchten die Unternehmer zu helfen?

144.1 *Aus einer Urkunde für Schulze-Delitzsch*

144.2 *Wissen ist Macht. (Plakat von 1897)*

Wie Handwerker, Bauern und Arbeiter durch Zusammenschlüsse ihre Lage verbesserten

Hilfe durch Selbsthilfe

Der ehemalige Richter Hermann Schulze-Delitzsch aus Leipzig und der Bürgermeister Wilhelm Raiffeisen aus Hamm an der Sieg gründeten Vereinigungen von Handwerkern und Bauern, die sie Genossenschaften nannten. Die Genossenschaften der Handwerker kauften z. B. große Mengen an Leder oder Holz, die der Bauern z. B. Saatgut. Daher erhielten sie erhebliche Preisnachlässe. Die Genossenschaften gründeten eigene Banken. Diese gaben zinsgünstige Vorschüsse für den Ankauf von Maschinen. So konnten Handwerker und kleine Landwirte mit der Zeit wieder wettbewerbsfähig werden. Hermann Schulze-Delitzsch schrieb über das Bildungsanliegen dieser Genossenschaft:

Das einzige richtige Ziel . . . ist und bleibt, die Menschen zur Selbsthilfe zu erziehen. Die . . . Beibringung nützlicher . . . Fertigkeiten, Gewöhnung an Sparsamkeit, Fleiß und tüchtige Lebenshaltung, darauf kommt es vor allen Dingen an.

(Nach: Brusatti u. a., Sozialpolitik, München 1962, S. 130 f.)

Die Genossenschaftsbanken halfen auch Tagelöhnern und Arbeitern. Dies beschrieb F. Harkort (1793–1880) auf anschauliche Weise:

Es geschieht, daß eine Tagelöhnerfamilie Futterabfälle . . . besitzt, allein das Geld zum Ankauf des Schweins fehlt . . . Da tritt die Bank ein und leiht 7 Thaler. Das Schwein wird eingestellt und nimmt jede Woche um 10 Silbergroschen zu. Nun trägt der Mann wöchentlich 10 Silbergroschen . . . ab und nach 21 Wochen ist er im Besitz eines Tieres, das den Wert von 14 Thalern hat. Ohne diesen Anstoß hätte er weder gespart noch sein Futter verwertet . . .

(F. Harkort, Über Volksbanken, S. 7)

1883 gab es im Deutschen Reich über 1000 Genossenschaftsbanken mit etwa 1150000 Mitgliedern. In den Geschäften von 186 Konsumgenossenschaften konnten Arbeiterfamilien gute Waren preiswert einkaufen.

Gewerkschaftliche Vereinigungen, wie sie in England schon seit dem Ende des 18. Jh. bestanden, waren in Deutschland verboten. Vielerorts wurden daher zunächst sogenannte „Arbeiterbildungsvereine" gegründet, in denen die Arbeiter durch Vorträge oder Gespräche ihr Wissen vermehrten. Insgeheim jedoch, wenn sich die Mitglieder nicht belauscht oder beobachtet fühlten, sprachen sie über die Gründung von Gewerkschaften und diskutierten Lösungsmöglichkeiten der brennenden sozialen Probleme. Die Unternehmer besaßen die Fabriken und die Zechen, die Arbeiter besaßen nur ihre Arbeitskraft. Nach 1869 durften schließlich auch in Deutschland Gewerkschaften gegründet werden. Über ihre Ziele schrieb August Bebel, einer der führenden Männer in der Arbeiterbewegung:

Die Gewerkschaft erstrebt Erhöhung des Lohnes nach Maßgabe der Verhältnisse des Arbeitsmarktes, Verkürzung der Arbeitszeit, Herbeiführung menschenwürdiger Zustände im Betrieb, Rechtsschutz, Arbeitslosenunterstützung; sie kämpft ferner gegen die Herabsetzung der Löhne und die Verlängerung der Arbeitszeit, mit einem Worte gegen Verschlechterung der Arbeitsbedingungen.

(A. Bebel, Gewerkschaftsbewegung, Stuttgart 1900, S. 14 f.)

In zähen Verhandlungen suchten nun die Gewerkschaftler ihre Ziele durchzusetzen. Wenn sich die Unternehmer den Forderungen der Gewerkschaften widersetzten, kam es zu Streiks. Dann ruhte die Produktion in den betroffenen Betrieben. Ein solcher Streik brach im Ruhrgebiet am 4. Mai 1889 aus. Er dauerte viele Wochen. Mit Hilfe von Polizei und Militär wollten die Zechenbesitzer die Bergleute zwingen, an ihre Arbeitsplätze zurückzukehren. Darüber kam es zu Unruhen. Der Oberbürgermeister von Bochum berichtete am 10. Mai 1889:

Am Abend . . . sammelte sich . . . eine Menschenmenge in der Nähe des Rathhauses an. Nachdem die . . . Polizeibeamten die Menge durch drei verschiedene vom Rathhause abgehende Straßen gedrängt hatten, kamen den Beamten zwei Militair-Commandos zur Hülfe . . . Ein Teil der Menge . . . gelangte bis zum Kreuzungspunkt der Bahnhof-Friedrich und Kreuzstraße. Dort sollen dem einen Militair-Commando Steinwürfe entgegengeschleudert worden sein . . . In Folge dessen ließ der commandoführende Offizier . . . dreimal . . . Feuer geben . . . Bei dieser Gelegenheit sind zwei Personen, ein Fleischergeselle und ein Fabrikarbeiter getödtet, während vier andere Personen verwundet worden sind.

(W. Köllmann u. a., Der Bergarbeiterstreik . . ., Bochum 1969, S. 68)

Im Spätsommer des Jahres 1889 gründeten die Bergarbeiter in Westfalen und im Rheinland eine große Gewerkschaft. Nun galt auch hier, was der Dichter Georg Herwegh einige Jahre zuvor geschrieben hatte:

Mann der Arbeit, aufgewacht!
Und erkenne deine Macht!
Alle Räder stehen still,
Wenn dein starker Arm es will.

1. Beschreibe den Unterschied zwischen Genossenschaften und Gewerkschaften.
2. Wie haben sich die Aufgaben der Gewerkschaften bis heute ausgeweitet?

Gewerkschaftsmitglieder in Deutschland

1869 etwa 77000
1891 etwa 280000
1900 etwa 850000
1913 bei ca. 65 Mio Einwohnern etwa 3000000
1980 bei ca. 61 Mio Einwohnern 7,6 Mio (DGB)

Warum der technische Fortschritt zugleich auch eine Bedrohung darstellt

Fortschritt und Bedrohung

Durch die Industrialisierung hat sich in einem gewaltigen geschichtlichen Sprung innerhalb von zwei Jahrhunderten das Leben der Menschen entscheidend verändert. Maschinen helfen ihnen und entlasten sie von schwerer körperlicher Arbeit. Unsere Landwirtschaft kann etwa sechsmal so viele Menschen ernähren wie in den Jahrhunderten vor der Industrialisierung. Eisenbahnen, Autos und Flugzeuge erhöhen die Mobilität. Die Menschen fliegen zum Mond, Weltraumsonden steuern ferne Sterne an, Chips speichern das Wissen der Menschheit. Ein Chip von der Größe eines Fingernagels faßt den gesamten Text der Heiligen Schrift.

146.1 *Sterbender Wald*

Die Frage, wohin die industrielle Entwicklung die Menschen führt, wird unterschiedlich beurteilt. Ein angesehener Professor für Wirtschaftswissenschaften schrieb vor 25 Jahren:

Die Jüngeren unter uns haben . . . Aussicht, das Jahr 2000 selbst zu erleben . . . Diese Welt des Jahres 2000 kann wirklich eine schöne, eine wunderschöne Welt sein . . . niemand auf der Erde wird dann mehr zu hungern brauchen . . . Und ebenso kann der Kampf gegen die Armut gewonnen sein . . . Hohe Leistung je Arbeitskraft schafft hohe Einkommen. Jede Familie wird sich eine menschenwürdige Wohnung leisten können . . . Ein sehr großer Teil der Familien kann in der Welt des Jahres 2000 in Einfamilienhäusern mit einem Stückchen Garten leben . . . Für die Verwendung [des] Urlaubs werden den Menschen phantastische Möglichkeiten zur Verfügung stehen. Flugreisen werden bis dahin so billig sein, daß jeder Arbeiter auf der ganzen Welt sein Urlaubsziel frei wählen kann; sei es am Nordkap oder auf einer Südseeinsel . . . Noch größer als das Wunder des Freiseins von Hunger und Armut aber wird das Wunder der Sicherheit sein. Die . . . Abrüstung und damit die Abschaffung des Krieges wird den Menschen . . . Sicherheit verleihen.

(F. Baade, Der Wettlauf zum Jahre 2000, Berlin 1960, S. 127 f.)

1980 erarbeiteten Wissenschaftler im Auftrag des amerikanischen Präsidenten Carter eine Studie, in der es heißt:

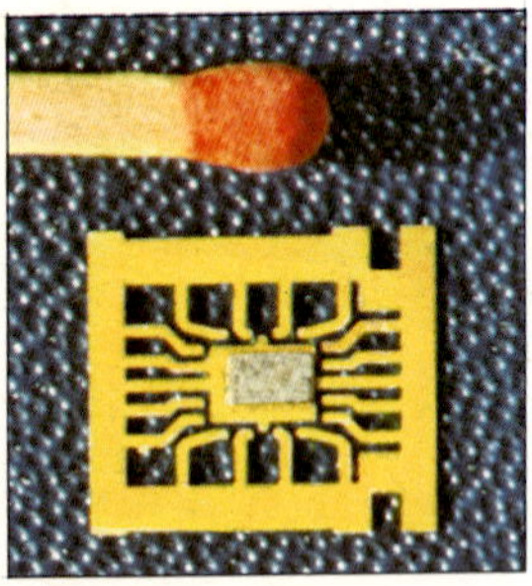

146.2 *Chip*
Dieses elektronische Bauteil ist das „Gehirn" eines Mikrocomputers:

– ca. 5 mm lang, 4 mm breit
– weniger als 1 mm dick

Es heißt „Mikroprozessor", „integrierter Schaltkreis" oder „Chip".

Wenn sich die gegenwärtigen Entwicklungstrends fortsetzen, wird die Welt im Jahre 2000 noch übervölkerter, verschmutzter, ökologisch noch weniger stabil und für Störungen anfälliger sein als die Welt, in der wir heute leben . . . Für Millionen und Abermillionen der Allerärmsten wird sich die Aussicht auf Nahrungsmittel und andere Lebensnotwendigkeiten nicht verbessern. Für viele von ihnen werden sie sich verschlechtern. Sofern es im Bereich der Technologie nicht zu revolutionären Fortschritten kommt, wird das Leben für die meisten Menschen auf der Welt im Jahre 2000 ungewisser sein als heute – es sei denn, die Nationen auf der Welt arbeiten entschlossen darauf hin, die gegenwärtigen Entwicklungstrends zu verändern . . .

(Global 2000, Der Bericht an den Präsidenten, Frankfurt 1981, S. 25)

Ob die Menschheit mit der schnellen Entwicklung in allen technischen Bereichen Schritt halten kann und ob diese Entwicklung allen zugute kommt, ist fraglich. In vielen Ländern der Dritten Welt wird die Technik übernommen, aber nur wenige Menschen haben Vorteile davon.

Dennoch ist der Fortschritt in den Industrieländern unübersehbar. Die Menschen hier sind reich an Nahrungsmitteln, Kleidung und Wohnraum. Waschmaschine und Wäschetrockner haben der Mutter den früher mühsamen Waschtag längst abgenommen. Taschenrechner lösen selbst komplizierteste Aufgaben in Sekundenbruchteilen, Fernsehsender jagen Bilder und Informationen rings um den Erdball, Roboter arbeiten wie Menschen an Fließbändern, Computer steuern z. B. die Herstellung großer Motoren und Autos. Die medizinische Betreuung der Menschen wird von Jahr zu Jahr besser.

Jedoch sind auch die Bedrohungen, die sich aus dem technischen Fortschritt ergeben, unverkennbar und zugleich beängstigend. Giftstoffe gelangen auf vielfältige Weise in Abwässer und Flüsse. Die Abgase von Industrieanlagen, Autos und Flugzeugen verseuchen die Luft und beschwören Smoggefahr herauf. Von knapper werdenden Energiereserven und Wassermangel ist die Rede. Viele Schadstoffe gelangen in gelöster Form als saurer Regen in den Boden; wichtige Nährstoffe werden gelöst und aus dem Boden ausgewaschen. Die Bäume leiden darunter, sie sterben. Mit Sorge beobachten wir, wie große Waldflächen langsam absterben. Die Ausrottung von Pflanzen- und Tierarten nimmt ständig zu. 20 % aller Pflanzen und Tiere werden bis zum Jahre 2000 vernichtet sein, wenn die Zerstörung ihrer Lebensräume weiterhin zunimmt. Die menschliche Arbeit wird in vielen Bereichen von Maschinen ersetzt, die immer schneller und wirtschaftlicher arbeiten. Die Arbeitslosigkeit wächst, gleichzeitig haben die arbeitenden Menschen immer mehr Freizeit. Aber können alle Menschen diese Freizeit sinnvoll und schöpferisch gestalten? Wir werden immer älter, aber wer hilft uns, dieses Alter als Chance neuer Entfaltung zu begreifen? Wie kann die Hochrüstung, die, wenn sie eingesetzt wird, in wenigen Sekunden ganze Teile der Erde zerstören wird, begrenzt oder gar abgebaut werden? Können wir dazu beitragen, daß die Länder der Dritten Welt die Armut und den Hunger überwinden?

Der Menschheit stellen sich also für die Zukunft viele schwierige Aufgaben. Eine Lösung wird nicht einfach sein. Der Schriftsteller Hoimar von Ditfurth ist sehr pessimistisch:

Es steht nicht gut um uns. Die Hoffnung, daß wir noch einmal, und sei es um Haaresbreite, davonkommen könnten, muß als kühn bezeichnet werden. Wer sich die Mühe macht, die überall schon erkennbaren Symptome der beginnenden Katastrophe zur Kenntnis zu nehmen, kann sich der Einsicht nicht verschließen, daß die Chancen unseres Geschlechts, die nächsten beiden Generationen heil zu überstehen, verzweifelt klein sind. Das eigentümlichste an der Situation ist die Tatsache, daß fast niemand die Gefahr wahrhaben will.

(H. v. Ditfurth, So laßt uns denn . . ., Hamburg 1985, S. 7)

1. Kann der einzelne dazu beitragen, daß die Umweltgefahren vermindert werden?
2. Warum brauchen wir den technischen Fortschritt?
3. Inwiefern ist er zugleich bedrohlich für die Menschheit?
4. Worauf kommt es nach Ditfurth und nach Global 2000 an, wenn wir den Untergang der Menschheit verhindern wollen?

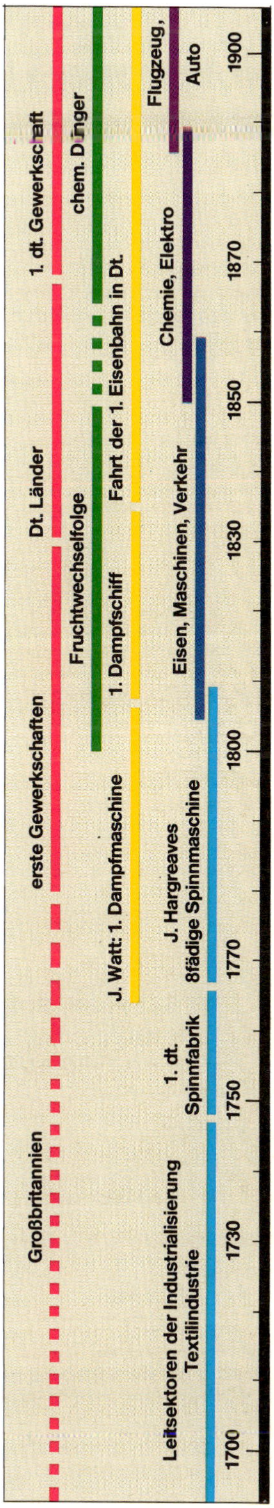

Das Ringen um Freiheit und Einheit in Europa 1815–1849

Deutschland nach dem Wiener Kongreß

Was die Bürger in Deutschland nach 1815 erwarteten und warum ihre Wünsche nicht in Erfüllung gingen

Die Wiederherstellung der alten Ordnung im Deutschen Bund

Nach der Beseitigung der französischen Fremdherrschaft Napoleons hofften viele Deutsche, es würde nun ein neues Reich, ein Staat für alle Deutschen entstehen. Was sie sich darunter vorstellten, hatte der ehemalige preußische Minister Freiherr vom Stein 1812 so formuliert:

Dynastien: Herrschergeschlechter

Ich habe nur ein Vaterland, das heißt Deutschland . . . so bin ich auch nur ihm und nicht einem Teil desselben von ganzem Herzen ergeben. Mir sind die Dynastien in diesem Augenblick großer Entwicklung vollkommen gleichgültig, es sind bloß Werkzeuge; mein Wunsch ist, daß Deutschland groß und stark werde, um seine Selbständigkeit, Unabhängigkeit und Nationalität wieder zu erlangen . . . Mein Glaubensbekenntnis ist Einheit.

(Freiherr vom Stein, Ausgewählte Schriften, Jena 1919, S. 178)

Zugleich sollte dieses Deutsche Kaiserreich ein freiheitlicher Nationalstaat sein. Besonders die gebildeten und die besitzenden Bürger wollten an der Regierung ihres Staates beteiligt sein und forderten daher mehr politische, persönliche und wirtschaftliche Rechte –, sie wollten mehr Freiheit. Sie wollten mitbestimmen und nicht Untertanen ihrer Fürsten sein. Um deren Alleinherrschaft zu beenden, verlangten sie von ihnen einen Vertrag, eine sogenannte Verfassung. Darin sollten ihnen die gewünschten Rechte von ihrem Fürsten zugesichert werden.

Was ist des Deutschen Vaterland?

Was ist des Deutschen Vaterland?
Ist's Preußenland? Ist's Schwabenland?
Ist's, wo am Rhein die Rebe blüht?
Ist's, wo am Belt die Möwe zieht?
O nein! nein! nein!
Sein Vaterland muß größer sein!

Was ist des Deutschen Vaterland?
So nenne endlich mir das Land!
So weit die deutsche Zunge klingt
Und Gott im Himmel Lieder singt!
Das soll es sein!
Das, wack'rer Deutscher, nenne dein!

(Nationale Symbole, Hrsg. Bundeszentrale für pol. Bildung, Bonn 1985, S. 5)

148.1 *Die erste und sechste Strophe des Gedichts, das Ernst Moritz Arndt 1813 während der Befreiungskriege schrieb.*

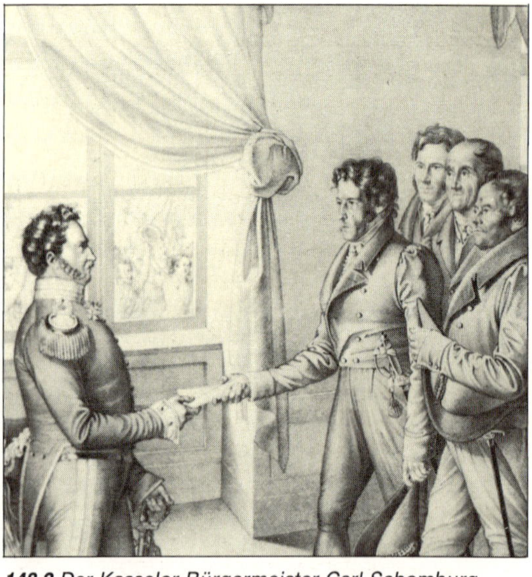

148.2 *Der Kasseler Bürgermeister Carl Schomburg überreicht dem Kurfürsten von Hessen die Bittschrift zur Ausarbeitung einer Verfassung.*

Doch die Hoffnungen auf den freiheitlichen Nationalstaat erfüllten sich zunächst nicht. Die Fürsten wollten die wiedererlangte Herrschaft in ihren Staaten weder mit ihren Untertanen teilen, noch teilweise an einen deutschen Nationalstaat abgeben. Die Nachbarländer Großbritannien, Rußland und Frankreich waren ebenfalls gegen ein Deutsches Kaiserreich. Sie befürchteten, ein Kaiserreich aller Deutschen würde zu mächtig werden. Die deutschen Fürsten gründeten statt dessen den Deutschen Bund, einen Staatenbund mit 37 selbständigen Fürstentümern und vier Städten. Nur wenige Fragen durften auf der Bundesversammlung dieser Staaten in Frankfurt am Main von den Gesandten der Fürsten und Städte geregelt werden. Für Beschlüsse war immer eine Zweidrittelmehrheit oder manchmal sogar die Einstimmigkeit erforderlich. Um den Herrschaftsanspruch der Fürsten zusätzlich zu sichern, schlossen 1815 der Zar von Rußland, der Kaiser von Österreich und der König von Preußen ein brüderliches Bündnis, die Heilige Allianz genannt. Wie ein großes christliches Reich wollten sie gemeinsam ihre Länder regieren. Wie Familienväter wollten sie für ihre Untertanen sorgen und allen Bedrohungen ihrer fürstlichen Herrschaftsgewalt gemeinsam entgegentreten.

149.1 Klemens Fürst Metternich (1773–1859)

In der Französischen Revolution hatten die Bürger erklärt, sie alle bildeten die Nation (= Volk), sie alle seien Glieder des Staates. Sie hätten daher das Recht auf Mitregierung. Das Volk und der Staat seien nicht Eigentum des Fürsten, sondern der Fürst regiere nur im Auftrag des Volkes und für das Volk. Dies war der Grundgedanke des freiheitlichen Nationalstaats. Demgegenüber erklärte ein Verteidiger der alten Rechte der Fürsten, der Professor Karl Ludwig von Haller:

Die Fürsten ... herrschen nicht aus anvertrauten, sondern aus eigenen Rechten ... Es ist ihnen keine Gewalt von dem Volk übertragen worden ..., sondern sie besitzen diese Macht ... durch sich selbst ... Sie sind also nicht von dem Volk gesetzt oder geschaffen, sondern ... sie sind die Stifter und Väter dieses wechselseitigen Verbandes. Das Volk ist ursprünglich nicht vor dem Fürsten, sondern im Gegenteil der Fürst [ist] vor dem Volk, gleich wie der Vater vor seinen Kindern ...

(K. L. v. Haller, Restauration ... Bd. 1, Winterthur 1816, S. 86)

149.2 Wiederherstellung der alten Ordnung, Karikatur von Voltz, 1819. Der rückschrittliche Geist erhält einen Eselskopf. Er reitet auf seinem adligen Stammbaum und trägt die uralten Rechte. Er tritt die Mütze der Freiheit und die Waage der Gerechtigkeit mit Füßen.

Der österreichische Staatskanzler Fürst Metternich warnte entschieden vor politischen Veränderungen und der Beteiligung der Bürger an der Regierung der Staaten. Frankreich sei durch die Ideen der Freiheit und Gleichheit in das Chaos gestürzt worden, und Napoleon habe dann ganz Europa mit Krieg überzogen. Als der Großherzog von Baden in einer Verfassung die Beteiligung der Bürger an den Staatsgeschäften zugesagt hatte, schrieb Metternich in einem warnenden Brief nach Baden: Eine glückliche Zukunft sei nur zu erreichen, wenn die Erhaltung der bestehenden Ordnung die wichtigste Sorge im Staat bleibe. Wenn man dem Unglück dieses Jahrhunderts, den kommenden Stürmen widerstehen wolle, dürften Veränderungen nur nach reiflichem Überlegen vorgenommen werden.

1. Mit welcher Begründung müssen wir den Satz eines Kaisers ablehnen: „Ich brauche keine Gelehrten, sondern gehorsame Untertanen?“
2. Wo liegen nach E. M. Arndt die Grenzen des Deutschen Vaterlandes?
3. Welche Bürgerrechte sind nach unserem Grundgesetz unantastbar?

Warum Studenten und Professoren als Demagogen verfolgt wurden

Der Ruf nach Einheit und Freiheit

Zunächst gab es nur wenige Bürger, die für mehr politische Rechte und Freiheiten protestieren wollten. Die Mehrheit der Bevölkerung, meist Bauern und Handwerker, konnte noch nicht lesen, und Zeitungen wurden nur in wohlhabenden Familien gehalten. Die meisten Menschen hatten wenig Freizeit neben ihrer täglichen Arbeit. Auch waren sie froh, daß nach 20 Jahren Krieg endlich Frieden herrschte. Die große Mehrheit der Menschen war zufrieden, wenn die Fürsten mit ihren Regierungen für Ruhe und Ordnung sorgten und die Bürger in Ruhe von ihrer Arbeit leben konnten. Eine kleinere Zahl beklagte jedoch die Alleinherrschaft der Fürsten, die politische Passivität und den Untertanengeist des Volkes. Diese Bürger wollten mehr Freiheit und ein großes deutsches Vaterland. Zu ihnen gehörten viele Studenten und auch Professoren, wie der Bonner Geschichtsprofessor Ernst Moritz Arndt.

1815 schlossen sich an der Universität Jena Studenten unter der Führung von Teilnehmern an den Befreiungskriegen zur Deutschen Burschenschaft zusammen. Sie wollten „deutsche" Burschen (= Studenten) sein. Nach wenigen Jahren gab es sie an fast allen Universitäten. Im Oktober 1817 trafen sich etwa 500 Burschenschaftler zu ihrer ersten Zusammenkunft in Eisenach. Sie feierten auf der Wartburg die 300jährige Wiederkehr der deutschen Reformation und den 5. Jahrestag des Sieges über Napoleon in der Völkerschlacht bei Leipzig. Mit dieser Feier wollten sie alle Deutschen an die Notwendigkeit des deutschen Nationalstaats erinnern. Am Abend veranstalteten

Am Schluß des Wartburgfestes, von dem hier ein Ausschnitt gezeigt wird, wurden verbrannt: Bücher, in denen die Fürstenherrschaft verherrlicht oder die deutsche Einheit abgelehnt wurde, ein Korporalstock (Korporal = Unteroffizier), ein Haarzopf, wie ihn fürstliche Diener trugen, und ein preußischer „Schnürleib" (Unterjacke eines berittenen Soldaten).

150.1 *Studenten verbrennen Herrschaftszeichen und Bücher.*

151.1 Der Denkerklub, Spottbild auf die Unterdrückung der Meinungsfreiheit nach den Karlsbader Beschlüssen

die Studenten einen Fackelzug und eine Verbrennung (s. Abb. 150.1). Diese Aktionen erregten großes Aufsehen und machten die Fürsten noch mißtrauischer gegenüber den Forderungen nach Einheit und Freiheit.

Zwei Jahre später wurde der russische Gesandte August von Kotzebue in Frankfurt am Main von dem Theologiestudenten und Burschenschaftler Karl Ludwig Sand ermordet. Als Schriftsteller hatte Kotzebue sich über die Burschenschaftler lustig gemacht, als diese seine Bücher auf dem Wartburgfest als „undeutsche Schandschriften" in das Feuer geworfen hatten. Nach dem Attentat beschlossen einige Fürsten unter dem Vorsitz von Staatskanzler Metternich in der damals österreichischen Stadt Karlsbad in Nordböhmen scharfe Maßnahmen gegen die nationale und freiheitliche Bewegung. Vier Wochen später wurden diese „Karlsbader Beschlüsse" von dem Deutschen Bundestag in Frankfurt am Main als gültiges Gesetz für alle Staaten des Deutschen Bundes verkündet. Die Deutsche Burschenschaft wurde verboten, die Universitäten wurden streng überwacht, Zensoren überprüften die Zeitungen und Bücher vor dem Druck. Wer die bestehende staatliche Ordnung kritisierte, wurde als Demagoge (= Volksaufwiegler) verfolgt. Keine deutsche Universität durfte einen so beschuldigten Professor wieder einstellen.

In der Abbildung stehen rechts auf der Tafel die „Gesetze des Denker-Clubs":

I. Der Präsident eröffnet präzise 8 Uhr die Sitzung.
II. Schweigen ist das erste Gesetz dieser gelehrten Gesellschaft.
III. Auf das kein Mitglied in Versuchung geraten möge, seiner Zunge freyen Lauf zu lassen, so werden beim Eintritt Maulkörbe ausgeteilt.
IV. Der Gegenstand, welcher in jeweiliger Sitzung durch ein reifes Nachdenken gründlich erörtert werden soll, befindet sich auf einer Tafel mit großen Buchstaben deutlich geschrieben.

1. Erkläre, warum nur wenige Bücher Einheit und Freiheit forderten.
2. Warum müssen wir „Bücherverbrennungen" ablehnen?
3. Vergleicht die Karlsbader Beschlüsse mit unseren Grundrechten.

Der Zollverein – ein erster Schritt zur deutschen Einheit

Warum die wirtschaftliche Einheit in Deutschland angestrebt wurde

Die politische Aufteilung des Deutschen Bundes in 39 selbständige Bundesstaaten bedeutete zugleich eine wirtschaftliche Trennung. In jedem Bundesstaat gab es eigene Gesetze und Bestimmungen über die Produktion von Waren, Ein- und Ausfuhr von Waren, Steuern, Zollabgaben, Maße, Münzen und Gewichte. Darunter litten besonders die Bürger, die mehr produzieren und mehr Handel treiben wollten. Die Zunahme des Gewerbes und der Industrie, die besseren Verkehrsmittel und die Vermehrung der Bevölkerung erforderten immer dringlicher die Beseitigung der Wirtschafts- und Zollgrenzen. Im Jahre 1819 war deshalb der „Allgemeine Deutsche Handels- und Gewerbeverein" gegründet worden. Er klagte über diese Zustände und schrieb an den Deutschen Bundestag in Frankfurt:

Maut: Gebühr für Brücken- und Straßenbenutzung

Um von Hamburg nach Österreich, von Berlin in die Schweiz zu handeln, hat man zehn Staaten zu durchschneiden, zehn Zoll- und Mautverordnungen zu studieren, zehnmal Durchgangszoll zu bezahlen . . . Trostlos ist der Zustand für Männer, welche wirken und handeln möchten. Mit neidischen Blicken sehen sie hinüber über den Rhein, wo ein großes Volk vom Kanal bis an das Mittelländische Meer . . . auf freien Flüssen und offenen Landstraßen Handel treibt, ohne einem Mautner zu begegnen.

(H.-J. Schoeps, Preußen, Berlin 1968, S. 353)

***152.1** Friedrich List (1789–1846)*

Diesen Text hatte Friedrich List verfaßt, der in vielen Reden und Denkschriften die wirtschaftliche Einheit Deutschlands forderte. 1817 war er mit 28 Jahren Professor für Staatswissenschaft an der Universität Tübingen geworden. Wegen seiner Reformideen mußte er jedoch nach zwei Jahren seine Professur abgeben. 1820 wurde er in den ersten württembergischen Landtag gewählt. Als er dort jedoch öffentlich ungerechte Beamte angriff, wurde er wegen „Aufreizung gegen Staatseinrichtungen" angeklagt, vom König aus der Abgeordnetenversammlung ausgeschlossen und zu 10 Monaten Festungshaft verurteilt. Nach 5 Monaten stellte man ihn vor die Wahl: noch 5 Monate Haft oder Auswandern. List ging in die USA und wurde ein erfolgreicher Unternehmer. 5 Jahre blieb er dort, forderte jedoch weiterhin in Briefen die politische und wirtschaftliche Einheit Deutschlands:

ökonomisch: wirtschaftlich

Provinzialinteressen: Interessen der einzelnen Länder und Städte

Der Zollverein soll die Deutschen ökonomisch zu einer Nation verbinden . . . durch die Beschützung seiner inneren Produktivität die materielle Kraft der Nation stärken; er soll durch Verschmelzung der einzelnen Provinzialinteressen das Nationalgefühl wecken und heben. Das deutsche Volk [fühlt], daß [ein wirtschaftliches] Schutzsystem das einzige Mittel ist . . ., nationalen Sinn zu erzeugen.

(F. List, Schriften, Reden, Briefe, Bd. VII, Berlin 1929, S. 444)

Nach und nach erkannten viele Fürsten die Vorteile großer Wirtschaftsgebiete und daher die Notwendigkeit der Abschaffung aller Zölle. Am 1. Januar 1834 trat der Deutsche Zollverein in Kraft. Dazu gehörten u. a. die Bundesstaaten Preußen, Bayern, Württemberg, Sachsen, die Thüringischen Staaten, Hessen und Hessen-Kassel (siehe Karte 116.1). Von diesem Tag an herrschte in den 18 zugehörigen Bundesstaaten Freiheit des Handels und Verkehrs. Die Regierungen versprachen, für ein einheitliches Münz-, Maß- und Gewichtssystem zu sorgen. Außerdem gestatteten sie den „Untertanen" anderer Bundesstaaten, Arbeit in ihrem Land zu suchen. Vor dem 1. Januar 1834 warteten an den Zollgrenzen schon seit Tagen lange Wagenzüge. Als die Schlagbäume um die Mitternachtsstunde dann für immer oben blieben, jubelten die Menschen. Die übrigen Bundesstaaten traten bis 1867 dem Zollverein bei. Österreichs Beitritt aber wurde von Preußen verhindert.

Das Königreich Preußen hatte sich am stärksten um die Gründung des Deutschen Zollvereins bemüht. Die Abschaffung der Zölle und damit die Stärkung von Wirtschaft und Handel war jedoch nur einer der Gründe. Die dahinterstehenden preußischen Interessen erläuterte der preußische Finanzminister Motz seinem König im Jahre 1829:

Wenn es wahr ist, daß Zölle nur die Folge politischer Trennung verschiedener Staaten sind, so muß es auch wahr sein, daß Einigung dieser Staaten zu einem Zoll- und Handelsverbande zugleich auch Einigung zu einem und demselben politischen System mit sich führt. – Preußen muß heute wünschen, mit allen den Staaten, die nur von wahrhaft deutschem Interesse geleitet und Preußen mit offenem Vertrauen ergeben sind ... [sich] in jeder Beziehung, politisch und wirtschaftlich, recht innig und recht eng zu verbinden. – In dieser ... Verbindung wird erst wieder ein ... verbündetes, von innen und von außen festes und freies Deutschland unter dem Schutz und Schirm von Preußen bestehen.

(H. J. Schoeps, Preußen, Berlin [8]1968, S. 345)

1. Welches Ziel verfolgte Preußen langfristig mit dem Zollverein?
2. Welche Bedeutung haben heute noch die Landes- und Bundesgrenzen in Nordrhein-Westfalen?
3. Erkläre die Vorteile großer Wirtschaftsgebiete an der EG.
4. Können die Gedanken des Ministers Motz auf die EG übertragen werden?

153.1 *„Gränzverlegenheit", Karikatur aus dem Jahre 1848*

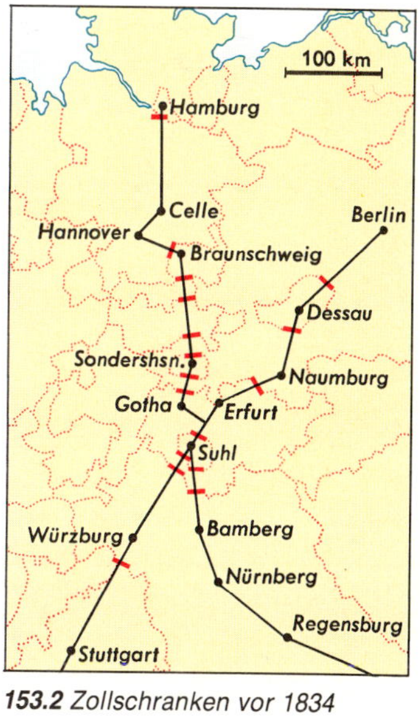

153.2 *Zollschranken vor 1834*

Nationale und revolutionäre Bewegungen in Europa

Freiheitskämpfe der Griechen und Polen – Revolution in Frankreich

Warum Griechen, Franzosen und Polen zu den Waffen griffen

Der Wunsch nach Freiheit und nationaler Einheit bewegte auch das Volk der Griechen. Die Griechen wurden seit 400 Jahren von den Türken beherrscht. Trotzdem hatten die Türken ihnen die christliche Religion und ihre griechische Kultur nicht genommen. Nun wollten die Griechen unter Führung der griechisch-orthodoxen Kirche und der wohlhabenden Bürger einen freien griechischen Staat gründen. 1822 erklärten sie ihre Selbständigkeit. Es kam zu Kämpfen mit den Türken. Freiwillige aus vielen europäischen Staaten halfen den Griechen. 1827 überfielen Großbritannien, Frankreich und Rußland mit ihren Kriegsschiffen ohne Kriegserklärung die türkische Flotte und vernichteten sie. Die Griechen gründeten jetzt ihren eigenen Staat. 1832 wählten sie Otto von Wittelsbach aus dem bayerischen Königshaus zum griechischen König. Der Kaiser von Österreich hatte die Griechen nicht unterstützt, denn die türkische Herrschaft war nach seiner Auffassung gesetzmäßig.

Kammer: Versammlung von Abgeordneten = Parlament

Nach der Verbannung Napoleons 1814 regierte in Frankreich wieder ein König. Es war Ludwig XVIII. (1814–24), ein Bruder des 1793 hingerichteten Ludwig XVI. Er bestätigte in einer neuen Verfassung die wichtigsten Rechte und Freiheiten der Bürger: Gleichheit vor dem Gesetz, Religionsfreiheit, Pressefreiheit, Unverletzlichkeit des Eigentums. Besonders wichtig war der Artikel 18. In ihm wurde festgelegt, daß jedes Gesetz in der Kammer des Adels und in der Kammer der Bürger frei beraten und mit Mehrheit beschlossen werden müsse. Dann erst durfte der König das Gesetz in Kraft setzen. Aber nur wenige Männer durften wählen. Sie mußten 30 Jahre alt sein und wenigstens 300 Franken im Jahr an Steuern zahlen. Das waren von etwa 30 Millionen nur 100000 Franzosen. Wer als Abgeordneter gewählt werden wollte, mußte 40 Jahre alt sein und wenigstens 1000 Franken im Jahr an Steuern zahlen. Davon gab es in Frankreich nur etwa 16000 Männer.

Nach dem Tod von Ludwig XVIII. wollte sein Bruder, Karl X. (1824–30), dem Adel den früheren Besitz zurückgeben und die Rechte der katholischen Kirche ausweiten. Die Mehrheit der Bürger im Parlament war damit nicht einverstanden. Daraufhin löste der König 1830 das Parlament widerrechtlich auf und beendete die Pressefreiheit. Es kam zu einem Aufstand in Paris. Vor allem Arbeiter, Studenten und Journalisten vertrieben die Truppen und den König. Die Schüler der Militärakademie hatten die Führung übernommen und geholfen, die Waffen zu besorgen. Der König floh nach England. Das Parlament der Bürger wählte den Herzog von Orleans, Louis Philippe (1830–48), zum neuen König. Sein Titel lautete „König der Franzosen von Gottes Gnaden und durch den Willen des Volkes". Das Volk nannte ihn deshalb Bürgerkönig. Das Wahlrecht der Bürger wurde erweitert, nun konnten 240000 Franzosen wählen.

Auf dem Wiener Kongreß war der größere Teil Polens als Königreich Rußland zugefallen. Der Zar von Rußland regierte in Personalunion auch Polen, d. h. er war zugleich König von Polen. Die Polen aber wollten einen unabhängigen, nationalen Staat mit eigenem Parlament. Nach der Juli-Revolution in Frankreich vertrieben sie die Russen und bildeten eine eigene Regierung. In der Erklärung des polnischen Reichstages vom 20.12.1830 wurden u. a. die folgenden Gründe genannt:

Der öffentliche Unterricht wurde verderbt ... man führte neue Lasten [Steuern] ein ... Verleumdung und Spionage waren bis in das Innere der Familien eingedrungen ... Die persönliche Freiheit ... wurde verletzt; die Gefängnisse wurden überfüllt; Kriegsgerichte verurteilten Bürger, deren ganzer Fehler es gewesen war, sich der Korruption [Bestechung] des Geistes ... entziehen zu wollen.

(E. Meyer, Deutschland und Polen 1772–1914, Stuttgart 1977, S. 33)

Nur zehn Monate konnte sich die polnische Freiheitsbewegung gegen die heranrückende russische Armee verteidigen. Vergeblich baten die Polen Preußen und Österreich um Hilfe. Aber beide Staaten fürchteten diese nationale Bewegung, weil sie selbst Gebiete besaßen, in denen überwiegend Polen wohnten (vgl. die Karten 47.1 und 116.1). Der russische Zar ließ die Aufständischen hart bestrafen. Viele wurden zum Tode verurteilt, andere nach Sibirien verbannt. Einigen gelang die Flucht in westeuropäische Länder. Polen wurde eine russische Provinz. Erst 1917 entstand wieder ein polnischer Staat.

1. Welches gemeinsame Ziel verfolgten Griechen, Franzosen und Polen?
2. Vergleiche das Wahlrecht der französischen Verfassung von 1814 mit dem Wahlrecht in der Bundesrepublik Deutschland.
3. Warum sollten in Frankreich nur wohlhabende und ältere Männer als Abgeordnete tätig sein? Wie ist diese Auswahl wohl begründet worden?

***155.1** Empfang König Ottos I. von Griechenland in Athen 1832. (Gemälde von P. v. Hess, 1839)*

Warum 30000 Menschen zur Schloßruine Hambach zogen

Auswirkungen der Freiheitskämpfe auf die Deutschen

Viele deutsche Staaten hatten von ihren Herrschern nach dem Wiener Kongreß bereits Verfassungen erhalten. Als die Nachrichten aus Frankreich und Polen eintrafen, gaben weitere Fürsten in Deutschland ihren Bürgern Parlamente. Jetzt konnten Abgeordnete bei Gesetzen auch in diesen Bundesstaaten mitbestimmen. So geschah es z. B. in Hannover, Sachsen, Kurhessen und Braunschweig. An einigen Orten gab es auch Aufstände, in deren Verlauf Bauern die Abgabenlisten ihrer Grundherren vernichteten. In Braunschweig stürmten Studenten und Handwerker sogar das Schloß und zündeten es an. Den radikalen Anhängern einer freiheitlichen Verfassung für alle Deutschen ging es jedoch nicht schnell genug.

Sogar der reformwillige bayerische König wurde in der freien Presse seines Landes angegriffen, obwohl er die Pressefreiheit selbst verkündet hatte. Aus Sorge vor der revolutionären Entwicklung löste er 1831 den Landtag (Parlament) auf. Darauf gingen viele Abgeordnete und Schriftsteller in die entfernte, aber zu Bayern gehörende Rheinpfalz. Zur Erinnerung an die Verkündung der bayerischen Verfassung riefen sie alle Deutschen auf, zu einem großen politischen Fest am 26. Mai 1832 auf den Hambacher Schloßberg zu kommen. Etwa 30000 Menchen kamen, darunter viele Studenten und Handwerker. Als Symbole der Freiheit wehten polnische und französische Fahnen, dazu Fahnen mit den „deutschen" Farben Schwarz-Rot-Gold. Auf dieser Demonstration wurden scharfe Reden gegen die Fürsten und den Deutschen Bund gehalten. Radikale forderten ein geeintes republikanisches Deutschland, die Absetzung aller Fürsten und ein Bündnis aller europäischen Staaten. Einer der Hauptredner schloß seine Rede mit den Worten:

156.1 *Die Göttinger Sieben: der Jurist W. F. Albrecht, der Historiker Fr. Chr. Dahlmann, der ev. Theologe H. Ewald, der Literaturhistoriker G. G. Gervinus, der Physiker W. Weber und die Germanisten J. und W. Grimm. Die Gebrüder Grimm gaben das „Deutsche Wörterbuch" (16 Bände) und die bekannte Sammlung von Märchen heraus. – Jeder von ihnen war auf seinem Forschungsgebiet ein bedeutender Wissenschaftler.*

> Wir widmen unser Leben der Wissenschaft und der Kunst, wir messen die Sterne, prüfen Mond und Sonne ... aber die Regungen der Vaterlandsliebe sind uns unbekannt ... selbst der leise Wunsch, nur erst wieder ein Vaterland, eine freimenschliche Heimat zu erstreben, ist Verbrechen ... Es lebe das freie, das einige Deutschland! Hoch leben die Polen, der Deutschen Verbündete! Hoch leben die Franken, der Deutschen Brüder, die unsere Nationalität und unsere Selbständigkeit achten! Hoch lebe jedes Volk, das seine Ketten bricht und mit uns den Bund der Freiheit schwört! Vaterland – Volkshoheit – Völkerbund hoch!

(T. Klein, Der Vorkampf deutscher Einheit ..., Ebenhausen 1914, S. 43 ff.)

Der österreichische Staatskanzler Metternich war empört. Er verpflichtete alle Staaten des Deutschen Bundes, gegen diese nationale und liberale Bewegung vorzugehen. Die Folgen des „Hambacher Festes" waren Einschränkung der Abgeordnetenrechte, Aufhebung der Rede- und Versammlungsfreiheit. Hunderte kamen in die Gefängnisse. Die politische Entwicklung schien rückwärts zu laufen. 1837 wagte es der neue König von Hannover, Ernst August, sogar, die Verfassung für ungültig zu erklären. Als sieben Göttinger Professoren dagegen protestierten, wurden sie ausgewiesen. Jahrelang durften sie an keiner anderen Universität lehren. Viele Bürger in allen deutschen Staaten unterstützten diese Professoren. Als Bürger aus Elbing in Ostpreußen ihnen ein zustimmendes Schreiben sandten und veröffentlichten, wurden sie von dem preußischen Innenminister mit den Worten zurechtgewiesen:

Dem Untertan ziemt es nicht, an die Handlungen des Staatsoberhauptes den Maßstab seiner beschränkten Einsicht anzulegen und sich in dünkelhaftem Übermute ein öffentliches Urteil über die Rechtmäßigkeit der selben anzumaßen . . .

(W. Pöls, Hrsg. Historisches Lesebuch, Bd 1, Frankfurt 1966, S. 124 f.)

Zu dieser Zeit schrieb der Dichter Hoffmann von Fallersleben am 26. August 1841 auf Helgoland ein Lied an Deutschland. Er wollte damit den Wunsch nach Einheit, Recht und Freiheit für alle Deutschen zum Ausdruck bringen. Die erste Strophe dieses Liedes begann mit den Worten: „Deutschland, Deutschland über alles, über alles in der Welt“. Als die Insel Helgoland 1890 an das Deutsche Reich kam, erklang dieses Lied zum erstenmal als feierliche Hymne. Zu Beginn des Ersten Weltkrieges wurde sie von vielen Kriegsfreiwilligen beim Sturm auf feindliche Stellungen gesungen. 1922 erklärte der damalige Reichspräsident Friedrich Ebert dieses Lied zur deutschen Nationalhymne. Am 2. Mai 1952 wurde die 3. Strophe von Bundespräsident Theodor Heuss zur Hymne der Bundesrepublik Deutschland bestimmt.

1. Woran sollten die polnischen und französischen Fahnen erinnern?
2. Erklärt das Schlußwort: „Vaterland – Volkshoheit – Völkerbund hoch“.
3. Was hätten die Elbinger Bürger dem Minister antworten können?
4. Nenne Gründe, warum nur die dritte Strophe des Deutschlandliedes zur Hymne der Bundesrepublik bestimmt wurde.
5. Welche Möglichkeiten haben wir heute, gegen eine Verletzung der Verfassung durch Regierung oder Parlament vorzugehen?

***157.1** Hoffmann von Fallersleben (1798–1874)*

Sein Deutschlandlied wurde am 1. Sept. 1841 vom Hamburger Verleger Julius Campe mit der Musik aus dem Kaiserquartett von Haydn gedruckt. Als Lied wurde es im Oktober von Hamburger Turnern bei einem Fackelzug zu Ehren des demokratisch und großdeutsch gesinnten Professors Friedrich Welcker wahrscheinlich zum erstenmal öffentlich gesungen.

***157.2** Das Hambacher Fest. (Zeitgenössischer Holzschnitt)*

Wie es zur Februarrevolution in Frankreich kam

Politische Unzufriedenheit und soziales Elend: Revolution 1848

In den Jahrzehnten nach dem Wiener Kongreß begann die Bevölkerung in vielen Staaten Westeuropas, sich stärker als früher zu vermehren. Das hatte viele Gründe. Die Aufhebung der Heiratsbeschränkungen, die Steigerung der landwirtschaftlichen Erträge und die bessere Sorge für die Gesundheit führten dazu (vgl. S. 120–123). So reichte bald die Versorgung der wachsenden Bevölkerung nur bei guten Ernten. Bei Mißernten mußten Nahrungsmittel über weite Entfernungen herbeigeschafft werden. Als Transportmitel gab es zu dieser Zeit nur die Pferdegespanne. Mehrfach kam es in diesen Jahren in Europa zu Aufständen hungernder Menschen. Sie konnten den auf das Zwei- oder Dreifache gestiegenen Brotpreis nicht bezahlen. Es gab auch nicht genug Arbeit oder sie wurde so niedrig bezahlt, daß die Löhne nicht zum Leben reichten. Oft arbeiteten Familien Tag für Tag von früh um sechs bis abends um neun, und doch hatten sie nicht genug zu essen. Da die große Mehrheit keine politischen Rechte besaß, glaubten die Menschen leicht, daß eine Veränderung der politischen Zustände ihnen helfen könnte. Der Politiker Friedrich von Gentz schrieb 1830 an einen Freund:

Ich fürchte ... nur ein Einziges. Und das ist die wirkliche, dringende und vor der Hand unheilbare Not der unteren Volksklassen, ihre Verzweiflung und die Ausschweifungen, zu welchen gottlose Demagogen sie verleiten können. Diese Gefahr ist groß.

(Nach: Geschichte in Quellen, Das bürgerliche Zeitalter 1815–1914, S. 46)

Die Unzufriedenheit über das geringe Verständnis der Fürsten und der mitbestimmenden wenigen reichen Bürger wuchs. Der Höhepunkt war im Februar 1848 in Paris erreicht. Arbeiter, Handwerker und Studenten verlangten eine Änderung des Wahlrechts. Nicht nur 240000 Männer über 25 Jahren, sondern alle 9 Millionen Männer sollten wählen dürfen. Als die Regierung dieses ablehnte, errichteten die Demonstranten

***158.1** Französische Revolutionäre dringen im Februar 1848 in den Thronsaal ein.*

Barrikaden. Es kam zu blutigen Straßenkämpfen mit den Soldaten des Bürgerkönigs. Um weiteres Blutvergießen zu verhindern, dankte der König ab. Eine neue Regierung rief die Republik aus und führte ein neues Wahlrecht ein. Jetzt durften 9 Millionen Männer wählen. Die vielen Menschen ohne Arbeit riefen aber nicht nur nach Freiheit, sondern auch nach Brot. Die Regierung richtete staatliche Fabriken ein, doch diese arbeiteten mit hohen Verlusten und konnten nur wenige Menschen beschäftigen. Als diese Nationalwerkstätten geschlossen werden mußten, gingen die Arbeitslosen auf die Straßen und forderten die Enteignung der Reichen. Das Militär bekam den Befehl, den Aufstand niederzuschlagen. Vier Tage wurde gekämpft, 10000 Tote lagen auf den Straßen. Ein Neffe Napoleons I. wurde neuer Präsident. Vier Jahre später machte er sich zum Kaiser und nannte sich Napoleon III.

Mit den Nachrichten aus Frankreich kam diese revolutionäre Bewegung schnell nach Deutschland. In Berlin, Leipzig, Frankfurt, München und Wien begannen die Unruhen. In Baden bildete sich die erste Regierung, die von einer Mehrheit der Abgeordneten unterstützt wurde. Viele Fürsten gaben den Forderungen der Bürger nach Pressefreiheit, Versammlungsfreiheit, unabhängigen Gerichten und einem bürgerlichen Parlament nach. Die meisten bürgerlichen Politiker wollten mit den Fürsten gemeinsam regieren und keine Republik. Am 3. März 1848 forderte eine Arbeiterdelegation, wie es auch in anderen Städten geschah, vor dem Kölner Stadtrat: Allgemeines Wahlrecht, Gesetzgebung durch die Volksvertretung, Presse- und Redefreiheit, allgemeine Volksbewaffnung, Vereinigungsrecht, Recht auf Arbeit und Versorgung, allgemeine Schulpflicht.

1. Warum hat der Maler den Stuhl in die Mitte von Abb. 158.1 gestellt?
2. Warum nahm die Revolution in Frankreich ein so blutiges Ende?
3. Welche Forderungen der Arbeiter sind heute selbstverständlich?

***159.1** Arbeiter stellen am 9. 10. 1848 Forderungen an den Magistrat in Düsseldorf. (Gemälde von J. P. Hasenclever, 1849)*

Revolution in Deutschland

Wofür auf den Barrikaden gekämpft wurde, und was die Bürger erreichten

In fast allen Bundesstaaten gaben die Fürsten nach, und liberal (= freiheitlich) gesonnene Bürger übernahmen die Regierungsämter. Der Deutsche Bundestag in Frankfurt erkannte die Farben Schwarz-Rot-Gold für die Fahne der deutschen Nation an. Entscheidend wurden jedoch die Ereignisse in den Hauptstädten Wien und Berlin. In Österreich begannen die Unruhen Anfang März. Mit schwarz-rot-goldenen Fahnen zogen Studenten, Handwerker, Bürger und Arbeiter durch die Straßen Wiens. Es kam zu Straßenkämpfen. Staatskanzler Fürst Metternich forderte, durch Truppen die Ordnung wieder herzustellen. Er hatte seit 1815 überall im Deutschen Bund das Bestreben nach deutscher Einheit und Mitbestimmung der Bürger durch Verfassungen bekämpft. Doch die übrigen Berater des Kaisers wollten kein Blutvergießen und empfahlen, dem Ruf nach Freiheit nachzugeben.

In Österreich mußten die „nationalen" Forderungen der Revolution weitere Folgen haben. Je lauter die Deutschen in diesem Vielvölkerstaat nach der deutschen Nation riefen, desto lauter riefen auch die anderen Völker nach Selbständigkeit. Die Italiener vertrieben die österreichischen Soldaten aus Mailand und Venedig. Die Ungarn bildeten in ihrer alten Hauptstadt Budapest eine eigene Regierung. Die Vertreter der slawischen Völker im Kaiserreich Österreich – der Tschechen, Slowaken, Slowenen und Serben – trafen sich in Prag und verlangten ein gemeinsames Parlament mit Vertretern aller Völker in Wien. Der nationale Gedanke in der Revolution drohte das Kaiserreich aufzulösen.

Die Wiener Ereignisse wurden bald in Berlin bekannt und verschärften die vorhandenen Unruhen. Hier waren wegen wirtschaftlicher Schwierigkeiten viele Arbeiter entlassen worden. Auch Handwerker und andere Gewerbetreibende klagten über die Not und die fehlenden politischen Rechte. Nach tagelangen Protesten versprach der König am 18. März, die politischen Wünsche in einer Verfassung weitgehend zu erfüllen. Viele Bürger jubelten und strömten zum Platz vor dem Königsschloß, um ihren Sieg zu feiern. Als der König den Befehl gab, den Platz durch Soldaten zu räumen, wurden aus Versehen zwei Schüsse abgefeuert. Obwohl niemand verletzt wurde, gerieten die Menschen in eine ungeheure Erregung. Die folgende Quelle erzählt, was nun geschah:

Die Toten in Berlin, nach ihrer Berufszugehörigkeit

52 Arbeiter (z. B. bei der Eisenbahn, in Maschinen- und Textilfabriken)
115 Handwerkergesellen (z. B. Schneider, Schreiner, Schlosser, Seidenweber, Schuhmacher)
13 Lehrlinge
29 Meister
34 Briefträger, Diener, Kellner
15 Studenten und Beamte

11 Frauen (z. B. Arbeiterinnen, Dienstmägde, Schneiderinnen)

Es wird 3/4 auf 3 Uhr. Da tönt ein wüstes Geschrei von der Kurfürstenbrücke herab. Haufen flüchten durch die Königsstraße; Bürger kommen, aufgeregt bis zur rasenden Wut, knirschend, bleich atemlos. Sie rufen: „Man hat auf dem Schloßplatze soeben auf uns geschossen!" Das Straßenpflaster wird aufgerissen, die Waffenläden werden geplündert, die Häuser sind erstürmt. Beile, Äxte werden herbeigeholt. 12 Barrikaden erheben sich im Nu in der Königsstraße, aus Droschken, aus Omnibussen, ... tüchtige, musterhaft gebaute Barrikaden ... Alles ist bewaffnet, mit Mistgabeln, mit Schwertern, mit Lanzen, mit Pistolen, mit Planken; die Knaben dringen in die Häuser, um große Körbe mit Steinen auf die Dächer zu tragen ... Zwischen 4 und 5 Uhr prasseln die ersten Schüsse ... sie vermögen die Barrikaden nicht zu zerstören. Kanonendonner folgt Schlag auf Schlag; die Barrikade erschüttert; zerrissene Leichen liegen an den Straßenecken. Zwischen 5 und 6 kommt Infanterie.

Man schießt auf sie aus den Fenstern, man schleudert Steine auf sie von Dächern. Ein furchtbares Gemetzel beginnt . . .

(T. Klein, Lebensdokumente vergangener Jahrh., Bd. 9, München 1914, S. 30 f.)

Nach 14 Stunden Straßenkampf gab der König in der Nacht aus Angst vor weiterem Blutvergießen den Soldaten den Befehl zum Rückzug. In einem Aufruf „An meine lieben Berliner" beschwor er die Bevölkerung, die Barrikaden zu räumen und eine Abordnung der Bürger zu ihm zu schicken. Viele der mehr als 300 Toten wurden vor dem Berliner Dom aufgebahrt, einige in den Schloßhof getragen. Als der König auf dem Balkon erschien, kam aus der erregten Menge der Ruf: „Hut ab vor diesen Toten!" Der König tat dies und verneigte sich vor den Opfern, die gegen seine Soldaten gekämpft hatten. Um den Forderungen aus der Bevölkerung entgegenzukommen und die erregten Berliner zu beruhigen, ritt er am 21.3. mit einer schwarz-rot-goldenen Armbinde durch die Stadt. Er versprach Wahlen zu einer preußischen Nationalversammlung und erklärte, das Königreich Preußen werde in Zukunft Teil eines Deutschen Reiches sein.

Von 265 Toten ist uns das Alter bekannt:

Unter 14 Jahren	*3*
14–19 Jahre	*21*
20–24 Jahre	*55*
25–29 Jahre	*50*
30–34 Jahre	*43*
35–39 Jahre	*28*
40–49 Jahre	*46*
über 50 Jahre	*19*

1. Welche Forderungen wurden in Österreich gestellt?
2. Diskutiert das Verhalten des Königs, der gegen den Rat der Offiziere die Soldaten zurückzog und den Kampf beendete.
3. Die Adeligen, die Offiziere und die Hofbeamten waren über den Ritt des Königs entsetzt. Versucht eine Erklärung zu geben.

***161.1** Barrikadenkämpfe in Berlin, März 1848. (Zeitgenössische Darstellung)*

Welche Ziele die Abgeordneten in der Paulskirche erreichen wollten

Die erste Deutsche Nationalversammlung

Nachdem sich die Bürger mit den wichtigsten politischen Forderungen in allen deutschen Bundesstaaten durchgesetzt hatten, trafen sich etwa 500 Politiker aus ganz Deutschland in Frankfurt. Sie berieten, wie eine deutsche Volksvertretung geschaffen werden könne. Ihr Beschluß lautete, alle Männer sollen im Deutschen Bund in allgemeiner, gleicher und geheimer Wahl Abgeordnete für eine Deutsche Nationalversammlung wählen. Auch die Länderregierungen stimmten diesem Beschluß zu.

Am 18. Mai zogen 586 Abgeordnete unter dem Jubel der Bevölkerung zu ihrer ersten Sitzung in die Paulskirche in Frankfurt ein. Diese Kirche wurde gewählt, weil die Stadt keinen ausreichend großen Saal besaß, außerdem war sie durch den runden Innenraum und die Empore besonders geeignet. Diese Abgeordneten waren in ihren Wahlbezirken als Persönlichkeit gewählt worden, nicht als Vertreter einer Partei, die es damals noch nicht gab. Unter den angesehensten Personen waren die Historiker Arndt, Droysen und Dahlmann, der Göttinger Professor für deutsche Sprache Jacob Grimm, der Dichter Ludwig Uhland und der Turnvater Jahn. Die Abgeordneten waren in der Mehrheit gemäßigte Reformer, diese wollten mit den Fürsten gemeinsam regieren. Da sich die Abgeordneten, die gemeinsame Ziele verfolgten, zusammensetz-

Am Präsidententisch Heinrich von Gagern. Am Rednerpult davor der „linke" republikanische Abgeordnete Robert Blum.

***162.1** Frankfurter Nationalversammlung. Debatte am 5. 9. 1848.*

ten, entstanden mehrere große Gruppen. Vom Präsidentenplatz aus gesehen saßen links die Republikaner und Demokraten. Sie waren radikale Revolutionäre, wollten keine Zusammenarbeit mit den Fürsten und gleiches Stimmrecht für alle Bürger. In der Mitte saßen die Liberalen, die für eine Deutsche Nation und die Sicherung der Bürgerrechte eintraten, aber mit den Fürsten regieren wollten. Außerdem sollte das Wahlrecht an Besitz oder Bildung gebunden sein. Auf der rechten Seite saßen die Konservativen (konservativ = an der Tradition und den bisherigen Zuständen möglichst festhalten). Diese wollten kein ständiges Parlament, nicht die Mitregierung durch die Bürger, sondern nur eine Verfassung ausarbeiten, durch die die Rechte der Bürger gesichert wurden. Die Bildung eines Deutschen Reiches war nach ihrer Auffassung Aufgabe der Fürsten. Zum Präsidenten wählte die Mehrheit den hessischen Minister Heinrich von Gagern. Er gehörte zur liberalen Mitte und forderte ein Deutsches Reich mit einer Regierung.

Berufe der Abgeordneten

Professoren an Universitäten und Schulen	*94*
Lehrer	*30*
Geistliche	*39*
Rechtsanwälte	*106*
Ärzte	*23*
Schriftsteller	*20*
Offiziere	*18*
Richter und Staatsanwälte	*110*
Höhere und mittlere Beamte	*152*
Gutsbesitzer	*60*
Kaufleute	*35*
Fabrikanten	*14*
Handwerker	*4*
Bauern	*1*

Welche Gebiete sollten aber zum Deutschen Reich gehören? Wurde nur der deutsche Teil Österreichs in das Reich aufgenommen, entstand zwar ein „großdeutscher" Nationalstaat, aber Österreich mit seinen vielen Völkern mußte dann zerfallen. Wurde das Reich ohne die Deutschen Österreichs gebildet, entstand nur eine „kleindeutsche" Nation. Als daraufhin die österreichische Regierung erklärte, die Erhaltung des österreichischen Kaiserreichs sei eine europäische Notwendigkeit, stimmte die Nationalversammlung mit Mehrheit für die „kleindeutsche" Lösung. Damit war zugleich das Übergewicht des Königreichs Preußen in einem neuen deutschen Kaiserreich vorgezeichnet.

Die größte und bleibende Bedeutung erhielt die Verfassung der Paulskirche vom 28. März 1849 durch die Festlegung der „Grundrechte des deutschen Volkes". Die Abgeordneten beschlossen u. a.:

§ 130: Keine Verfassung oder Gesetzgebung eines deutschen Einzelstaats soll dieselben [Grundrechte] je aufheben oder beschränken können. **§ 133:** Jeder Deutsche hat das Recht, an jedem Orte des Reichsgebietes seinen Aufenthalt und Wohnsitz zu nehmen ... **§ 136:** Die Auswanderungsfreiheit ist von Staatswegen nicht beschränkt ... **§ 137:** Die Deutschen sind vor dem Gesetz gleich. Die öffentlichen Ämter sind für alle Befähigten gleich zugänglich. Die Wehrpflicht ist für alle gleich ... **§ 138:** Die Freiheit der Person ist unverletzlich. Die Polizeibehörde muß jeden, den sie in Verwahrung genommen hat, im Laufe des folgenden Tages entweder freilassen oder der richterlichen Behörde übergeben ... **§ 140:** Die Wohnung ist unverletzlich ... **§ 142:** Das Briefgeheimnis ist gewährleistet ... **§ 143:** Jeder Deutsche hat das Recht, durch Worte, Schrift, Druck und bildliche Darstellung seine Meinung frei zu äußern. **§ 144:** Jeder Deutsche hat volle Glaubens- und Gewissensfreiheit ... **§ 164:** Das Eigentum ist unverletzlich ...

(Nach: Geschichte in Quellen, Das bürgerliche Zeitalter, S. 113)

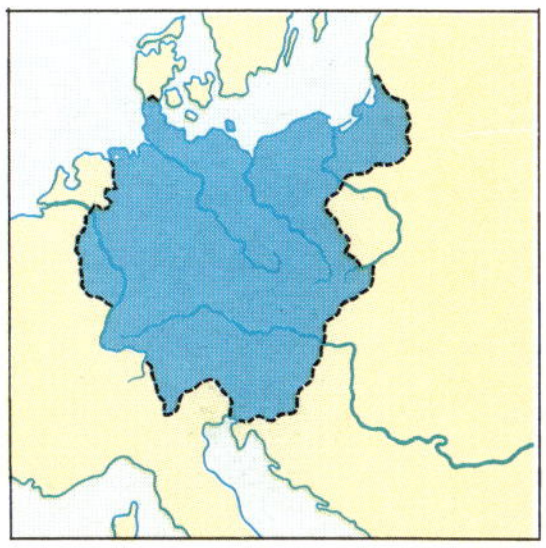

163.1 *Die großdeutsche Lösung*

163.2 *Die kleindeutsche Lösung*

1. Warum waren wohl Handwerker, Bauern und Arbeiter kaum oder gar nicht in der Nationalversammlung vertreten?
2. Wie sieht die Berufsverteilung in unserem Bundestag aus?
3. Warum ziehen heute viele unserer Bürger ein Vereinigtes Europa einem deutschen Nationalstaat vor?

Warum die Nationalversammlung die deutsche Einheit und die freiheitliche Verfassung nicht durchsetzen konnte

Das Scheitern der Revolution und das Ende der Nationalversammlung
Trotz ihrer großen Ziele und Reden konnte die Nationalversammlung keine militärische Macht schaffen. Die Bundesstaaten, besonders Preußen und Österreich, weigerten sich, ihre Truppen dem „deutschen" Parlament zu unterstellen. Die schwache Stellung der Abgeordneten wurde noch deutlicher, als radikale Demokraten und Republikaner in Frankfurt versuchten, ihre freiheitlichen und nationalen Auffassungen mit Gewalt durchzusetzen. Die Nationalversammlung forderte daraufhin Bundestruppen zu ihrem Schutz an, die den Aufstand niederschlugen.

Überall dachten die Fürsten im Herbst des Jahres 1848 bereits wieder an die Wiederherstellung ihrer früheren mächtigen Stellung. Zunächst wurden die nationalen Aufstände der Italiener in Oberitalien und der Tschechen in Prag durch österreichische Truppen niedergeschlagen. Ein erneuter Aufstand unzufrieden gewordener Arbeiter, Bürger und Studenten in Wien wurde ebenfalls durch Truppen, vorwiegend Tschechen und Kroaten, blutig beendet. Mehrere tausend Tote waren die Folge. Der demokratische Abgeordnete der Frankfurter Nationalversammlung, Robert Blum, der in Wien die Aufständischen unterstützt hatte, wurde nach den Kämpfen von Truppen standrechtlich erschossen. Der Nachfolger Metternichs, Fürst Schwarzenberg, stellte in allen Landesteilen im Namen des neuen Kaisers Franz-Joseph, der erst 18 Jahre alt war, die früheren Zustände wieder her. Der gerade gewählte Reichstag, der alle Völker Österreichs repräsentierte, wurde von ihm aufgelöst. Als daraufhin in Ungarn unter Führung Kossuths eine ungarische Republik ausgerufen wurde, bat Schwarzenberg den russischen Zaren um Hilfe, der den nationalen Aufstand mit seinen Truppen beendete. Der Kaiser verfügte eine neue Verfassung, die kaum noch Möglichkeiten der politischen Mitbestimmung enthielt. Als die Aufnahme ganz Österreichs in den deutschen Staat abgelehnt wurde, forderte Schwarzenberg die österreichischen Abgeordneten auf, die Nationalversammlung zu verlassen.

Nachdem nur noch die kleindeutsche Lösung übriggeblieben war, wählten 290 von 538 den preußischen König zum erblichen Deutschen Kaiser. Friedrich Wilhelm IV. aber lehnte die von den Abgesandten aus Frankfurt am 3. April 1849 angebotene Krone ab. Er erklärte, nur die Fürsten hätten das Recht, „die tausendjährige Krone deutscher Nation" anzubieten. In einem Brief an den preußischen Gesandten in London hatte er seine ablehnenden Gründe bereits im Dezember 1848 so formuliert: „Die Krone, die ein Hohenzoller nehmen dürfte, ist keine, die eine ... in die revolutionäre Saat geschossene Versammlung macht ..." Diese Krone sei für ihn ein „Reif aus Dreck und Letten [= Lehm] gebacken" mit dem „Ludergeruch der Revolution von 1848". Sollte die Krone der deutschen Nation wieder vergeben werden, „so bin ich es und meines gleichen, die sie vergeben werden. Und wehe dem, der sich anmaßt, was ihm nicht zukommt".

(Materialien für den Geschichtsunterricht, Bd. 4, Frankfurt, S. 275)

***164.1** Gefangene Aufständische werden in Dresden abgeführt. (Zeitgenössischer Holzstich)*

Die deutsche Einheit war mit den Fürsten nicht zu erreichen, wie es die Mehrheit der Abgeordneten gewünscht hatte. Die meisten Abgeordneten wurden von den Länderregierungen zurückgerufen oder verließen enttäuscht Frankfurt. Viele liberale Politiker waren in diesem Revolutionsjahr jedoch auch unsicher geworden. Die weitergehenden Forderungen der radikalen Demokraten nach der Republik, dem gleichen Wahlrecht für alle und nach Beseitigung sozialer Ungleichheit erschreckte die wohlhabenden Bürger, die unter den Abgeordneten die Mehrheit bildeten. Auch das Interesse der damals größten Bevölkerungsgruppe, der Bauern, an der Revolution ging stark zurück. Durch Reformgesetze in den Bundesstaaten waren ihre Abgaben gegenüber den Grundherren inzwischen stark vermindert oder ganz beseitigt worden. Umgekehrt wandten sich viele Handwerker enttäuscht von der revolutionären Bewegung ab, als sie für die Rückkehr zur alten Zunftverfassung keine Mehrheit fanden. Diese Wünsche widersprachen der liberalen Bewegung, die auch im wirtschaftlichen Bereich Freizügigkeit und freie Entfaltungsmöglichkeit für den Tüchtigen forderte.

Dort, wo in Deutschland im Mai 1849 noch einmal Aufstände ausbrachen, besonders in Baden, wurden sie von Truppen niedergeschlagen. Mehrere tausend der aufständischen Bürger wurden in den Kämpfen getötet, starben an Verwundung und Krankheit oder wurden hingerichtet. Zehntausende flohen über die Grenzen, viele wanderten in die Vereinigten Staaten aus. Der Mehrheit der Bürger war die gewohnte Ordnung mit den erwarteten wirtschaftlichen und sozialen Verbesserungen wichtiger, auch wenn dies durch die Fürsten geschah.

1. Vergleicht das Wahlrecht der Preußischen Verfassung mit dem Wahlrecht zum Bundestag.
2. Erklärt mit euren Worten, warum der preußische König die angebotene Kaiserkrone ablehnte.

Rechts im Hintergrund des Bildes spielt König Friedrich Wilhelm IV. mit dem russischen Bären. Germania fragt von Gagern: „Wat heulst'n kleener Hampelmann?" – „Ick habe Ihr'n Kleenen 'ne Krone geschnitzt, nu will er se nich!"

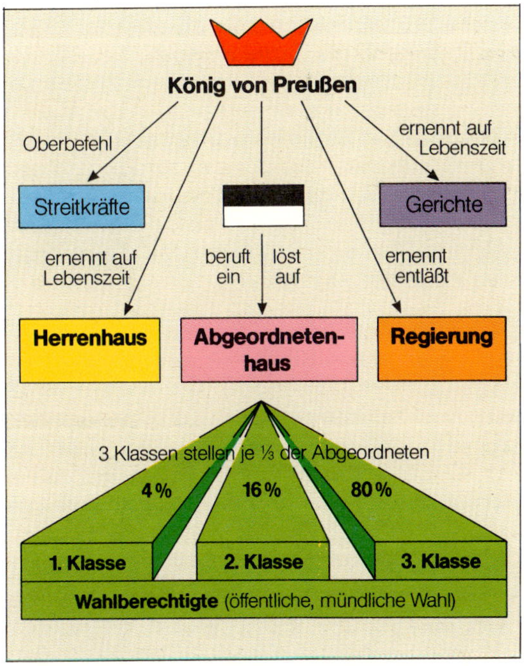

***165.1** Preußische Verfassung von 1849*

***165.2** Ablehnung der Kaiserkrone. (Karikatur v. F. Schröder)*

Nationalstaaten und Großmächte

Die Entstehung des Zweiten Deutschen Kaiserreichs

Wie der Kampf um die Vorherrschaft in Deutschland entschieden wurde

Die Lösung der „Deutschen Frage" durch Preußen

Nach der Beendigung der Revolution und der Auflösung der Nationalversammlung setzte Österreich gegen den Willen Preußens auch die Beibehaltung des Deutschen Bundestages in Frankfurt durch. Hier hatte Österreich den Vorsitz, und es konnte dafür sorgen, daß ein deutscher Nationalstaat vorläufig nicht verwirklicht wurde. Staatskanzler Schwarzenberg forderte 1860 dazu auf, überhaupt nicht von Deutschland zu reden, da es gar nicht existiere. Er habe als Soldat und Diplomat im Ausland die Erfahrung gemacht, daß dort niemand Deutschland kenne.

166.1 Otto Fürst von Bismarck (1815–1898)

In Preußen erkannten dagegen der König und seine Minister, daß die Bildung eines Deutschen Nationalstaats Österreich schwächen, vielleicht sogar aus dem Deutschen Bund herausdrängen mußte. Wie schon beim wirtschaftlichen Einfluß im Deutschen Zollverein würde Preußen dann auch die politisch führende Macht werden (vgl. S. 153). Die Mehrheit des Bürgertums stimmte dem zu, für sie war die wirtschaftliche und politische Einheit Deutschlands wichtiger als das Wahlrecht. Seit 1861 regierte in Preußen König Wilhelm I. Als die Hauptstütze seiner Macht sah er das Heer an. Das starke Bevölkerungswachstum (1810 10 Mio – 1860 18 Mio) bot die Möglichkeit, die Armee beträchtlich zu vergrößern. Gleichzeitig sollte die Dienstzeit auf 3 Jahre verlängert und die „Landwehr" aufgelöst werden. Das preußische Parlament, insbesondere die seit 1861 in der Deutschen Fortschrittpartei zusammengeschlossenen Liberalen (1/3 der Sitze), weigerten sich, die erforderlichen Gelder zu bewilligen. Sie wollten damit die Krone zwingen, die kürzere Dienstzeit und die Landwehr als „Volksheer" beizubehalten, sowie eine Liberalisierung der Verfassung und damit eine Begrenzung der Macht der Könige erreichen. Mit 318 gegen 11 Stimmen wurden die Ausgaben für die Heeresreform abgelehnt. Nun traten die Minister zurück, und der König war ohne Regierung. Als er schon den Rücktritt erwog, empfahl ihm der Kriegsminister von Roon, Otto von Bismarck zum neuen Ministerpräsidenten zu ernennen. Bismarck folgte dem Ruf. Seine Ziele erläuterte er in seiner ersten Rede am 30.9.1862:

Lebensdaten Otto von Bismarcks

1815
Geboren als Sohn eines Rittergutsbesitzers
1832–36
Studium der Rechte
1836–38
Staatsdienst als Jurist
1847–49
Konservativer Abgeordneter im Preußischen Landtag
1851–59
Gesandter am Deutschen Bundestag in Frankfurt
1859–62
Gesandter in St. Petersburg
Mai 1862
Gesandter in Paris
Sept. 1862
Ernennung zum preußischen Ministerpräsidenten

Wir haben zu heißes Blut, wir haben die Vorliebe, eine zu große Rüstung für unsern schmalen Leib zu tragen; nur sollten wir sie auch benutzen. Nicht auf Preußens Liberalismus sieht Deutschland, sondern auf seine Macht; . . . Preußen muß seine Kraft zusammenfassen und zusammenhalten auf den günstigen Augenblick, der schon einige Male verpaßt ist; Preußens Grenzen nach den Wiener Verträgen sind zu einem gesunden Staatsleben nicht günstig; nicht durch Reden und Majoritätsbeschlüsse werden die großen Fragen der Zeit entschieden – das ist der große Fehler von 1848 und 1849 gewesen –, sondern durch Eisen und Blut.

(Nach: Geschichte in Quellen, Das bürgerliche Zeitalter, S. 312)

Wenn die nationale Einigung Deutschlands vollzogen werden sollte, war nach Bismarck auf dem „Exerzierplatz Deutschland" für Preußen und

Österreich kein Platz, also könnten sich die beiden auf die Dauer nicht vertragen, einer müsse weichen oder vom andern verdrängt werden.

Nachdem sich Bismarck zuvor mit Frankreich und Italien verständigt hatte, trieb er den Gegensatz zu Österreich auf die Spitze. Als das bedrohte Kaiserreich politische Gegenmaßnahmen ergriff, beantragte Preußen den Ausschluß Österreichs aus dem Deutschen Bund. Schließlich beschloß der Bundestag die Mobilmachung gegen Preußen. Der Krieg um die Vorherrschaft in Deutschland dauerte nur drei Wochen und wurde durch den Sieg der gut ausgebildeten preußischen Truppen über die Österreicher bei Königgrätz am 3. Juli 1866 entschieden. Im Frieden von Prag mußte Österreich der Auflösung des Deutschen Bundes zustimmen. Es schied aus Deutschland aus und bildete einen neuen Staatsverband, die Doppelmonarchie Österreich-Ungarn. Schleswig und Holstein, das Königreich Hannover, das Kurfürstentum Hessen, das Herzogtum Nassau und die Reichsstadt Frankfurt wurden von Preußen annektiert. Dagegen schonte Bismarck Österreich, zunächst gegen den Willen des preußischen Königs und seiner Generäle. Die norddeutschen Staaten wurden aufgefordert, mit Preußen einen gemeinsamen Bund zu bilden. Diesem Norddeutschen Bund traten 19 Fürsten und drei Städte bei. Seine Verfassung sah einen Reichstag vor, der von allen Männern über 25 nach dem allgemeinen, gleichen und geheimen Wahlrecht gewählt wurde.

Mobilmachung: Einberufung aller Soldaten und Aufstellung der Truppen für den Kriegsfall

Doppelmonarchie: Ungarn wird ein eigenes Königreich, der Kaiser von Österreich ist zugleich der König von Ungarn

1. Inwiefern waren die neuen Grenzen für den preußischen Staat günstiger als die alten? Vergleiche die Karten 116.1 und 171.1.

2. Stelle fest, welche Staaten sich heute auf dem Gebiet der ehemaligen Doppelmonarchie befinden.

***167.1** Österreichische Verwundete nach der Schlacht von Königgrätz*

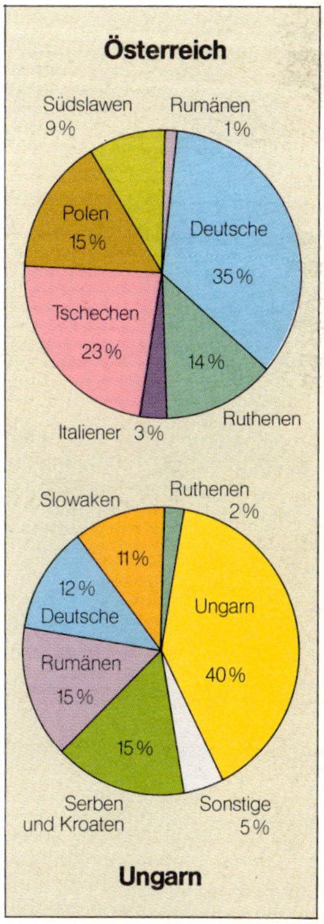

***167.2** Zugehörigkeit der Nationalitäten in der Doppelmonarchie*

Wie das Zweite Deutsche Kaiserreich gegründet wurde

Der Deutsch-Französische Krieg 1870–1871 und die Reichsgründung
Nach der Gründung des Norddeutschen Bundes war der Anschluß der süddeutschen Staaten nur noch eine Frage der Zeit. In einem Geheimabkommen hatten diese Staaten bereits 1866 für den Fall eines Kriegs mit Frankreich dem König von Preußen ihre Waffenhilfe zugesagt. Eine weitere Bindung erfolgte durch ihren Beitritt zum Deutschen Zollparlament im Jahre 1868. Die Regierung und die Presse Frankreichs betrachteten die wachsende wirtschaftliche und militärische Macht eines geeinten deutschen Reiches als Bedrohung. Schon der rasche Sieg Preußens über Österreich hatte Frankreich mit großer Sorge erfüllt.

Als die Spanier im Sommer 1870 auch noch einem Prinzen aus dem süddeutschen Zweig der Hohenzollern-Familie die Königskrone Spaniens anboten, protestierte Frankreich mit großer Schärfe. Daraufhin verzichtete der deutsche Prinz. Die empfindlich gewordenen Franzosen waren damit jedoch nicht zufrieden. Sie verlangten durch ihren Gesandten vom Preußenkönig eine Erklärung, daß auch in Zukunft niemals ein Mitglied der Hohenzollernfamilie die spanische Krone annehmen werde. Der König lehnte die in aufdringlicher Form während seines Kuraufenthalts in Bad Ems erhobene Forderung ab und sandte darüber sofort einen Bericht an Bismarck nach Berlin. Bismarck kürzte den Text so, daß die Abweisung des Gesandten durch den König verletzend wirken mußte und ließ diese zugespitzte Formulierung durch die Zeitungen veröffentlichen. Die Franzosen fühlten sich dadurch vor der Weltöffentlichkeit gedemütigt und erklärten Preußen den Krieg.

Wer hatte nun die Schuld an diesem Krieg? Französische und deutsche Historiker suchten im Jahre 1952 nach einer gemeinsamen Antwort, damit in Schulbüchern beider Länder nicht gegensätzliche Erklärungen ständen. Sie stellten fest: Bismarck habe zunächst das spanische Angebot an den Hohenzollern-Prinzen unterstützt, um Napoleon zu schwächen. Napoleon und sein Kabinett hätten dann aber durch ihre übersteigerten Gegenforderungen an den preußischen König, „sich vor Europa ins Unrecht" gesetzt, obwohl sie „den Krieg mehr fürchteten als wünschten". Zuletzt habe Bismarck durch die Kürzung und Veröffentlichung der Nachricht den Konflikt bewußt verschärft, um Frankreich eine diplomatische Niederlage zu bereiten oder es gar zu einer Kriegserklärung zu zwingen.
(Nach: Geschichte in Wissenschaft u. Unterricht, Stuttgart 1952, S. 291)

168.1 *König Wilhelm I. (1797–1888, Regierungszeit: 1857/1861–1888) nach der Schlacht von Sedan am 2. Sept. 1870*

Der Norddeutsche Bund und die süddeutschen Staaten bildeten nach der französischen Kriegserklärung eine „nationale" Einheit. Die zum Teil begeisterte Bevölkerung sah in dem Krieg die Verteidigung Deutschlands. Die hervorragend ausgebildeten und nicht unvorbereiteten Truppen konnten zur Überraschung der Franzosen mit den Eisenbahnen in kürzester Zeit an die französische Grenze transportiert werden. Nach einigen Wochen mußte sich der größte Teil der französischen Armee in den Städten Metz und Sedan mit ihrem Kaiser Napoleon ergeben. Die Franzosen setzten daraufhin ihren Kaiser ab, riefen die Republik aus und kämpften weiter. Nach der Einschließung der Hauptstadt Paris und weiteren Erfolgen der Deutschen mußte Frankreich im Friedensvertrag zu Frankfurt das Gebiet Elsaß-Lothringen abtreten und einer Kriegsentschädigung von 5 Mrd Franken in Gold zustimmen.

Bismarck hatte während des Krieges mit Frankreich die nationale Begeisterung zu Verhandlungen mit den süddeutschen Fürsten genutzt. Nach wenigen Monaten erreichte er durch finanzielle Leistungen und Anerkennung von Sonderrechten die Zustimmung der süddeutschen Staaten zu einem Deutschen Kaiserreich unter Preußens Führung. Es waren die Fürsten, nicht die Abgeordneten deutscher Parlamente, von denen der König von Preußen die Kaiserkrone erhalten sollte. Noch während der Belagerung von Paris wurde am 18. Januar 1871, dem Gründungstag des preußischen Königtums im Jahre 1701, im Schloß von Versailles das Zweite Deutsche Kaiserreich feierlich proklamiert (= ausgerufen). Der Großherzog von Baden schrieb darüber:

Um 11.30 Uhr versammelten sich . . . 2000 Offiziere, Beamte und Geistliche. Als die Fürsten sich dann um den König gestellt und die ganze Versammlung sich ihm zugewandt hatte, nahm der König ein Papier zur Hand und las etwa folgende Ansprache: Nachdem ihm die deutschen Fürsten und freien Städte die Kaiserwürde angeboten hätten, erkläre er unter dem Ausdruck des Dankes, die Krone des Reiches für sich und seine Erben annehmen zu wollen. Nun verlas der Kanzler des Reiches Bismarck, ein Manifest, und dann kam die Reihe an mich. Ich rief so laut wie möglich in die harrende lautlose Versammlung: „Seine Kaiserliche und Königliche Majestät, Kaiser Wilhelm, lebe hoch, hoch, hoch!"

(M. Wein, Ich kam, sah und schrieb, München 1964, S. 229 f., gekürzt)

1. Was bedeutete die Ausrufung des Kaisers durch einen Fürsten?
2. Warum ist es heute nicht mehr so wichtig, ob Elsaß und Lothringen zu Frankreich oder zu Deutschland gehören?
3. Warum suchte man 1952 einen gemeinsamen Schulbuchtext?

Menschenverluste im Krieg 1870–71

Deutsche

Offiziere	*1973 gefallen*
	4184 verwundet
Soldaten	*30149 gefallen*
	84304 verwundet

Franzosen

Offiziere	*2193 gefallen*
	32 Generäle
Soldaten und Zivilisten	*ca. 150000*

Gefangene	
Offiziere	*11800*
Soldaten	*357788*

***169.1** Kaiserproklamation im Spiegelsaal von Versailles, 1871. (Gemälde von A. von Werner)*

Wie das Zweite Deutsche Kaiserreich regiert wurde

Die Verfassung des Deutschen Reiches von 1871
Verfassungen machen die Machtverteilung, die Rechte, Aufgaben und Freiheiten in einem Staat sichtbar. Der Text der Verfassung war aus dem Norddeutschen Bund übernommen worden. Darin wurde das Deutsche Reich als ein Bund von 22 Fürsten und 3 Hansestädten (Bremen, Hamburg und Lübeck) bezeichnet. Als Deutscher Kaiser sollte stets der mächtigste Fürst im Reich, der König von Preußen, an der Spitze dieses Bundes stehen. Die selbständigen Fürstentümer und Städte bildeten gemeinsam den Bundesrat. In ihm waren sie je nach Größe durch eine unterschiedliche Zahl von Gesandten vertreten. In diesem Gremium fielen die wichtigen Entscheidungen über die Reichspolitik. Den Vorsitz hatte stets der Ministerpräsident von Preußen, deshalb war er in der Regel auch der Reichskanzler. Die Gesetzesentwürfe wurden mit dem Bundesrat zunächst von preußischen Ministern vorbereitet. Daher suchen wir auf Abb. 170.1 auch vergeblich nach einer Reichsregierung. Kein Reichshaushalt und kein Gesetz konnte ohne die Zustimmung des Bundesrats verabschiedet werden. Aber auch die Mehrheit der Abgeordneten des Deutschen Reichstags mußte als Vertretung des Volkes jedem Gesetz und jedem Haushalt zustimmen, bevor diese in Kraft treten konnten. Den Reichskanzler setzte jedoch der Kaiser ein. Er entschied über Krieg und Frieden, in seinem Auftrag bestimmte der Reichskanzler die Außenpolitik.

Der starke Einfluß Preußens auf das Reich hatte seinen Grund in der Größe und Macht dieses Bundesstaats (vgl. Abb. 171.1). Mehr als $^2/_3$ des deutschen Heeres bestanden aus preußischen Truppenteilen. Preußen besaß die wichtigsten und sich rasch entwickelnden Industriezentren in Deutschland. Es war daher konsequent, daß Preußen trotz seiner Zahl von nur 17 Stimmen im Bundesrat jede Verfassungsänderung verhin-

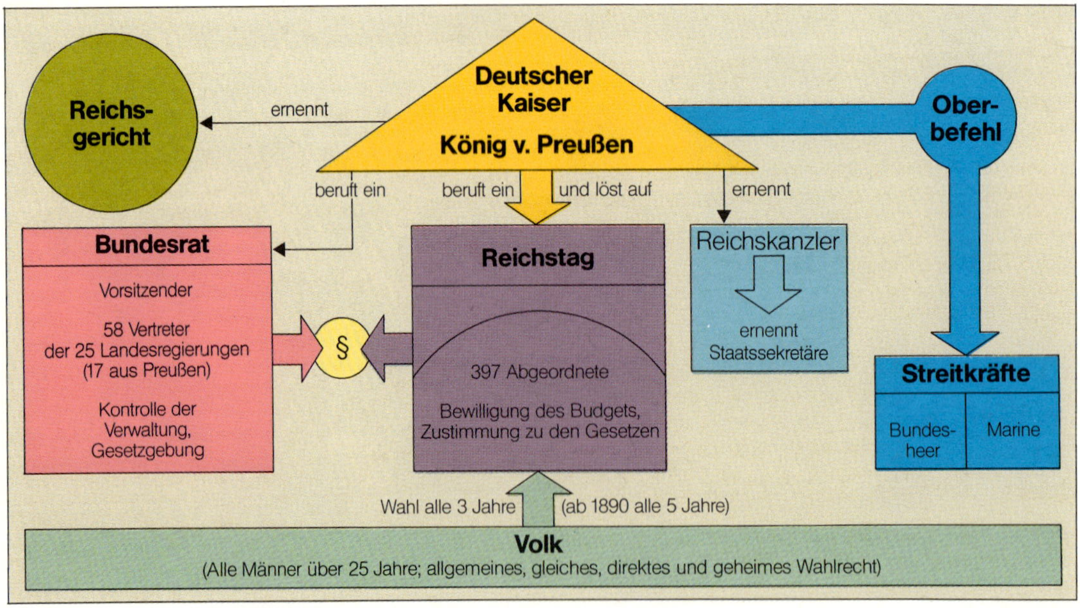

***170.1** Die Verfassung des Deutschen Reiches 1871*

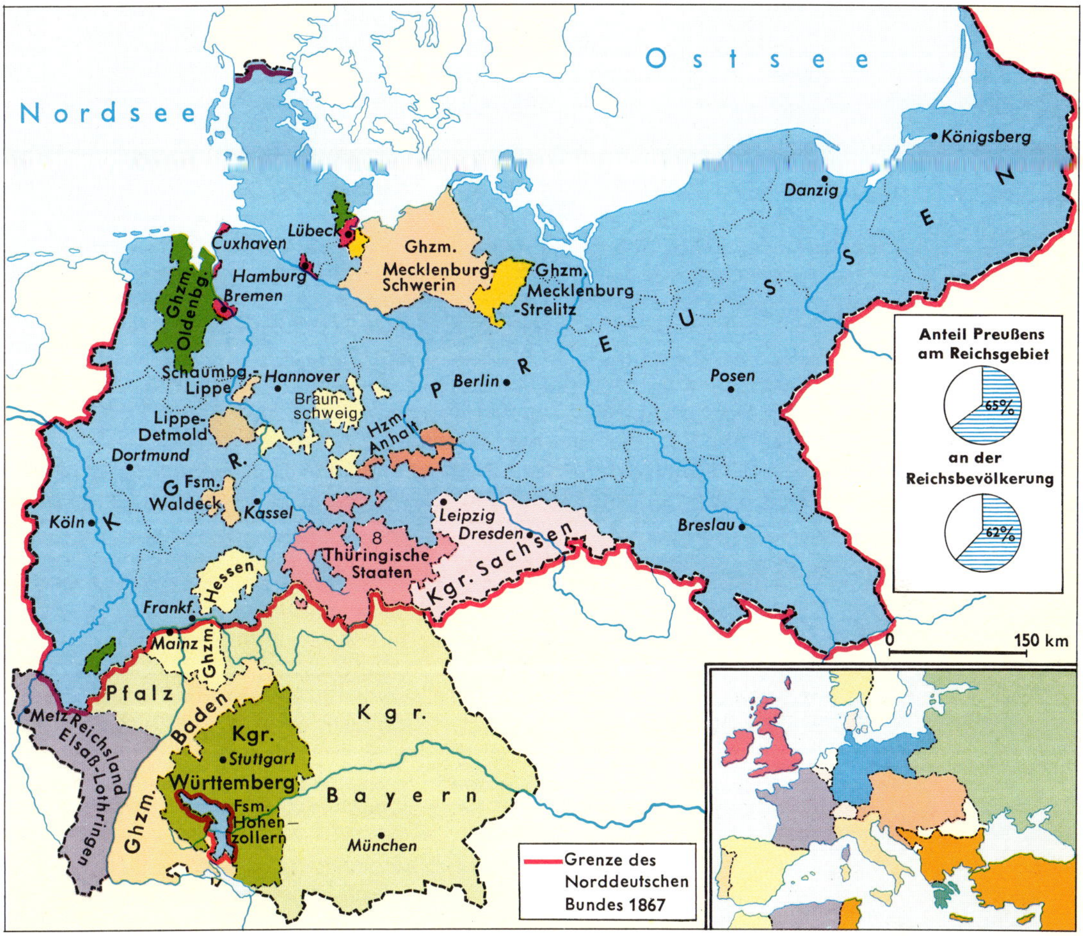

171.1 Deutschland nach 1866 und das Deutsche Reich von 1871

dern konnte. Das Reich wurde von der preußischen Hauptstadt aus regiert. Mittelpunkt des Reiches mußte Berlin erst noch werden.

Die Einheit eines Deutschen Reiches wurde vor allem im Deutschen Reichstag sichtbar. Der Reichstag war jedoch kein rein deutsches Parlament. Trotz der kleindeutschen Lösung bekannten sich längst nicht alle 397 Abgeordneten zu diesem Reich. 80000 Dänen in Schleswig-Holstein, sehr viele Elsaß-Lothringer und 2,5 Millionen Polen strebten aus dem Reich heraus. Andererseits wohnten etwa 15 Millionen Deutsche in der Doppelmonarchie Österreich-Ungarn. Mit den Wahlen zum Reichstag war die politische Mitbestimmung für alle Deutschen in einem Reich nur zum Teil verwirklicht worden.

1. Wurde im Reichstag der demokratische Gedanke verwirklicht?
2. Wie wurde die Selbständigkeit der Bundesstaaten gesichert?
3. Wer erfüllte die Aufgaben einer Reichsregierung?
4. Vergleicht den Reichskanzler mit unserem Bundeskanzler.

Bismarck und die politischen Kräfte im Deutschen Kaiserreich

Welche parteipolitischen Kräfte den Reichstag bestimmten

Die Bedeutung der Parteien und der Kulturkampf

Erstmals in der Geschichte des Deutschen Reiches war im Deutschen Reichstag eine handlungsfähige Volksvertretung entstanden. Jedes Reichsgesetz benötigte ihre Zustimmung. Die neuen Reichsaufgaben konzentrierten sich zunächst auf das Militär, auf Post, Eisenbahn und Zollfragen, den Außenhandel, die Vereinheitlichung des Rechts, der Münzen, Maße und Gewichte. Bis 1871 hatte es z. B. auf dem Gebiet des Deutschen Reiches noch sieben verschiedene Währungen gegeben. Erst von 1878 an galt nur noch die Reichsmark. Ein Bürgerliches Gesetzbuch für alle Deutschen trat erst am 1. Januar 1900 in Kraft. Die rasche wirtschaftliche und soziale Entwicklung drängte zur Vereinheitlichung und schaffte zunehmend neue Reichsaufgaben. Deshalb wurden 1878/79 mehrere Reichsämter mit Staatssekretären an der Spitze gebildet. Auf diese Weise entstand allmählich eine Reichsregierung. Im Reichstag wurde um die Reichspolitik gerungen. Deswegen festigte sich auch hier das Nationalbewußtsein.

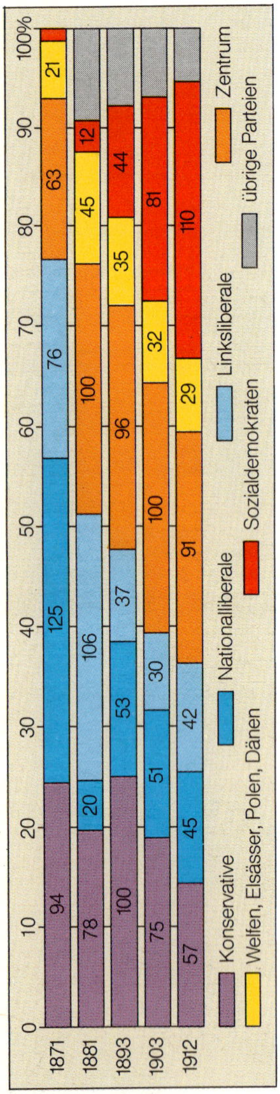

172.1 Ausgewählte Ergebnisse der Reichstagswahlen (Abgeordnetensitze) 1871–1912

In der Politik hatten sich die verschiedenen politischen Richtungen inzwischen zu Parteien weiterentwickelt. Sie stellten für die Wahlen ihre Kandidaten auf, so daß die Abgeordneten zunehmend als Vertreter politischer Parteien gewählt wurden. Die Abgeordneten lernten die Interessen ihrer Wähler zu vertreten und sie bei der Gesetzgebung durchzusetzen. Durch ihre parteipolitisch orientierten Zeitungen und die alle drei, später alle fünf Jahre stattfindenden Reichstagswahlen bewirkten sie eine Politisierung der Bevölkerung. Die Wahlbeteiligung betrug 1871 nur 50,8%, 1912 aber bereits 84,5%.

Wir können die Abgeordneten des Reichstags in fünf Parteirichtungen einteilen. Auf der „Rechten" saßen im Reichstag die „Konservativen". Diese politische Richtung vertrat in ihren zwei Parteien vornehmlich Gutsbesitzer, Großbauern, höhere Beamte und Offiziere und war stark an die protestantische Kirche gebunden. Die preußischen Konservativen verhielten sich zunächst ablehnend, stützten dann aber mit der Freikonservativen Partei die Politik Bismarcks. Die stärksten Träger der Reichspolitik Bismarcks waren aber bis 1879 die Nationalliberalen. Ihre Wähler waren vor allem protestantische und wohlhabende Bürger, u. a. die Unternehmer in der sich rasch ausdehnenden Industrie. Mit den Konservativen stützten sie die Monarchie und die bestehende Reichsverfassung. Die anderen nach „links" neigenden liberalen Gruppen, z. B. die Fortschrittspartei, stimmten zwar mit der nationalen Politik überein, verlangten aber eine stärkere Demokratisierung im Reich und Einfluß des Reichstags auf die Regierung. Ihre Wähler kamen aus fast allen Schichten der Bevölkerung, auch aus der Arbeiterschaft. Auf der „Linken" saßen die Sozialdemokraten. Sie vertraten die sozialistisch denkenden Arbeiter und Handwerker, die sich politisch auf die Ideen von Marx und Engels stützten (vgl. S. 140/141). Die „Mitte" bildete die Partei der Katholiken, die sich bei ihrer Gründung 1870 bewußt den Namen „Zentrum" (= Mittelpunkt) gegeben hatte. Ihre Anhänger kamen aus allen sozialen Schichten. Sie kann daher als die erste „Volkspartei" in der deutschen Parteiengeschichte bezeichnet werden.

Warum es zum Konflikt zwischen Bismarck und der katholischen Kirche kam

Für Bismarck und die liberalen Parteien war das Zentrum eine „ungeheuerliche" politische Erscheinung und „eine Mobilmachung" gegen den Staat. Als sich das Zentrum für die polnischen Abgeordneten, die „Welfen" und die Elsaß-Lothringer einsetzte, sah Bismarck darin eine reichsfeindliche Gesinnung. Nach dem Ausbruch von Gegensätzen um die Stellung des Papstes nach dem Vatikanischen Konzil 1869/70 kam es zu erbitterten Auseinandersetzungen des Zentrums und der katholischen Kirche mit Bismarck und den liberalen Parteien. Diese hatten schon 1864 in der päpstlichen Verurteilung des Liberalismus einen Angriff auf die „Kultur" gesehen. Daher nannten sie diese Auseinandersetzung auch „Kulturkampf". Das Reich und die einzelnen Bundesstaaten erließen unterschiedlich harte Gesetze. So wurde den Kirchen die Schulaufsicht entzogen, die Kritik staatlicher Politik auf der Kanzel untersagt, der Jesuitenorden verboten und vor der kirchlichen Trauung die Zivilehe auf dem Standesamt vorgeschrieben. Bischöfe und Geistliche, die sich widersetzten, wurden zu Gefängnis verurteilt oder mußten das Land verlassen. 1876 war in Preußen kein katholischer Bischof mehr im Amt. Die Zahl der Zentrumsabgeordneten aber stieg zwischen 1871 und 1878 von 63 auf 94. 1878 sah Bismarck ein, daß der Staat diesen Kampf nicht gewinnen konnte. Als er wegen der Wirtschaftspolitik in zunehmenden Gegensatz zu den Liberalen geriet, verhandelte er mit dem neuen Papst Leo XIII., der ihm entgegenkam. Nach und nach wurden die antikirchlichen Gesetze zurückgenommen. Bestehen blieben die staatliche Schulaufsicht und die Zivilehe. Das Zentrum aber wurde eine zuverlässige Stütze des Kaiserreiches.

Welfen:
Antipreußisch eingestellte Abgeordnete aus dem ehemaligen Kurfürstentum Hannover, das Preußen 1866 annektiert hatte.

1. Versuche in einem Schaubild die heutige politische Zusammensetzung des Bundestags darzustellen. Vergleiche sie mit 1912.
2. Warum konnte Bismarck den Kulturkampf nicht gewinnen?

173.1 *Das Reichstagsgebäude in Berlin*

Welche Innenpolitik Bismarck betrieb

Wirtschafts- und gesellschaftspolitische Gegensätze im Kaiserreich
In dem politisch geeinten Deutschen Reich begann 1871 eine starke Beschleunigung der industriellen Entwicklung. Diese wurde gefördert durch die schnelle Zahlung der französischen Kriegsentschädigung von 5 Mrd Francs. Allein zwischen 1871 und 1874 wurden 850 neue Aktiengesellschaften gegründet. Als 1873/74 durch Überproduktion eine weltweite Wirtschaftskrise auch über Deutschland hereinbrach, gingen viele der neuen Firmen zugrunde. Viele Geldgeber und Unternehmer verloren ihr Kapital.

Berufe der Abgeordneten im Deutschen Reichstag 1881

Landwirte	*30,6 %*
Kaufleute, Industrielle, Gewerbetreibende	*12,9 %*
Staatsbeamte und Offiziere	*16,1 %*
Lehrer/Professoren	*6,5 %*
Justizbeamte	*6,6 %*
Kath. Geistliche	*5,2 %*
Ev. Geistliche	*0,5 %*
Handwerker, Angestellte, Arbeiter	*0,8 %*

In dieser bedrohlichen Situation forderten Industrielle und Arbeiter Schutz vor billigen ausländischen Einfuhren durch Einfuhrzölle. Da Getreide vom Ausland billig eingeführt wurde, riefen auch die Bauernverbände und besonders die konservativen Gutsbesitzer nach Schutzzöllen für ihre Produkte. Diesem Bündnis zwischen „Roggen und Stahl", wie es damals genannt wurde, schloß sich die Zentrumspartei an, denn sie hatte hohe Wähleranteile bei den katholischen Arbeitern und Bauern. Aus Einsicht und unter politischem Druck gab Bismarck 1879 die liberale Freihandelspolitik auf. Er sah zugleich die Möglichkeit, durch die Schutzzölle die Einnahmen des Reiches zu erhöhen und endlich die erstrebte Zusammenarbeit mit allen Konservativen zu erreichen. Durch die Konservativen und das Zentrum bekam Bismarck für seine Politik eine neue Mehrheit im Reichstag. Die liberalen Parteien wollten dagegen als Verfechter eines freien Handels diese Wende in der Wirtschafts- und Innenpolitik nicht mitmachen. Nur der konservative Flügel in der Nationalliberalen Partei unterstützte weiterhin Bismarck. Unter dem Schutz der neuen Zölle und mit der Überwindung der Gründerkrise begann schließlich ein über Jahre andauernder wirtschaftlicher Aufschwung.

Noch vor dem Ende des Kulturkampfes begann Bismarck die dritte Auseinandersetzung in der Innenpolitik. Bis zu der Reichstagswahl von 1878 war die Sozialistische Arbeiterpartei Deutschlands stark angewachsen und stellte jetzt zwölf Abgeordnete. Diese Partei war 1875 aus der Vereinigung des Allgemeinen Deutschen Arbeitervereins von 1863 und der Sozialdemokratischen Arbeiterpartei von 1869 entstanden. Erst 1890 gab sie sich den Namen SPD. Sie bekannte sich zu den revolutionären Ideen des Marxismus und damit zu einer internationalen sozialistischen Revolution. In der praktischen Politik verfolgte sie jedoch zunehmend in enger Zusammenarbeit mit den Gewerkschaften die Veränderung der wirtschaftlichen, sozialen und politischen Verhältnisse auf demokratischem Weg. Trotzdem waren viele Abgeordnete der politischen Rechten und Mitte, z. B. im Zentrum, sehr beunruhigt. Wie Bismarck sahen sie in dieser sozialistischen Partei, die die Religion und die bestehende Gesellschaftsordnung ablehnte, eine zunehmende Bedrohung. 1874 und 1875 hatte Bismarck trotzdem für seine geforderten Ausnahmegesetze noch keine Mehrheit gefunden, denn die liberalen Parteien und das Zentrum lehnten zunächst ab. Erst als 1878 politische Extremisten zwei Attentate auf den Kaiser verübten, sah Bismarck eine neue Möglichkeit. Ohne Prüfung und zu Unrecht machte er die Sozialistische Arbeiterpartei für die Anschläge verantwortlich und erreichte beim Kaiser die Auflösung des Reichstages. Nach den Neuwahlen erhielt Bismarck die gewünschte Mehrheit für ein „Gesetz

***174.1** August Bebel (1840–1913)*

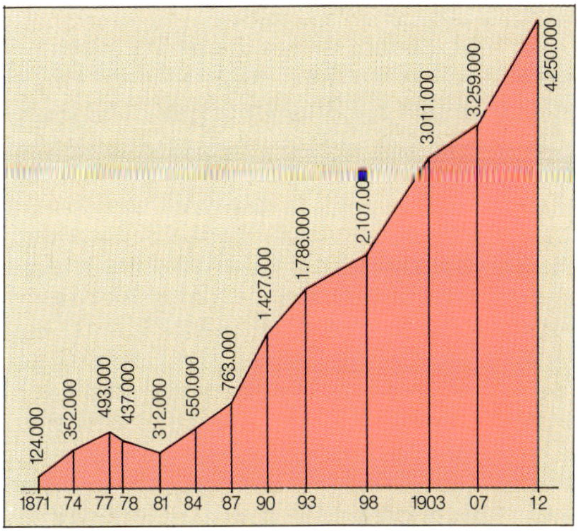

175.1 SPD-Stimmen bei Reichstagswahlen

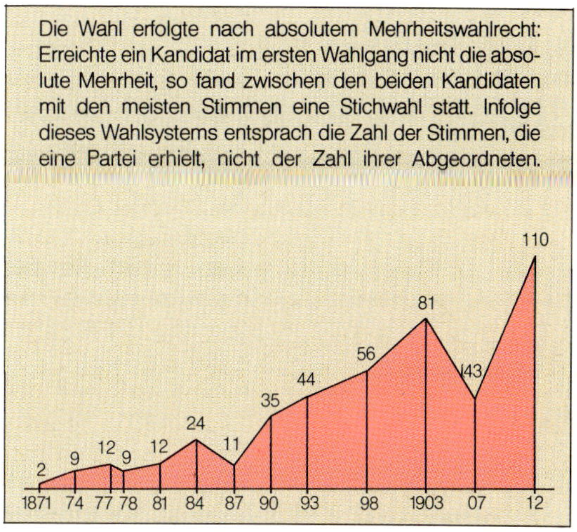

175.2 Anzahl der SPD-Abgeordneten im Reichstag

wider die gemeingefährlichen Bestrebungen der Sozialdemokratie". In diesem sogenannten „Sozialistengesetz" vom 28.10.1878 wurde bestimmt, daß Vereine, welche den Umsturz der bestehenden Staats- oder Gesellschaftsordnung bezweckten, zu verbieten seien. Versammlungen, auf denen solche staatsgefährdenden Bestrebungen erkennbar seien, sollten aufgelöst werden. Andere Paragraphen dieses Gesetzes betrafen z. B. das Verbot von Druckschriften, Aufenthaltsverbote und die Bestrafung von Buchdruckern und Buchhändlern, soweit Bestrebungen zum Umsturz der Staats- und Gesellschaftsordnung vorhanden seien. Diese unklaren Begründungen bewirkten viel Unrecht und Verbitterung. Wie das Schaubild zeigt, konnte das Sozialistengesetz jedoch den Anstieg der sozialdemokratischen Wählerstimmen nicht verhindern. Wahrscheinlich hat es das Anwachsen der SPD im Kaiserreich eher gefördert, wie es durch den Kulturkampf auch mit der Zentrumspartei geschehen war. Der sozialdemokratische Reichstagsabgeordnete August Bebel berichtet über diese schwere Zeit:

Die Einteilung der Wahlkreise blieb von 1871–1918 unverändert, obwohl sich durch das Wachsen der Städte die Einwohnerzahlen in ihnen erheblich veränderten. So hatte die Stadt Bochum 1871 24514 und 1912 162992 Wahlberechtigte. Durch diese Beibehaltung der Wahlkreise wurde besonders die SPD benachteiligt, da sich ihre Wähler in den Industriestädten konzentrierten.

... Hunderte und wieder Hunderte von Genossen wurden brotlos. Wir wurden wie räudige Hunde aus der Heimat hinausgetrieben ... das vergesse ich mein Leben nicht. Die fortgesetzten Ausweisungen und die Schikanen durch die Polizei hatten aber einen Erfolg, den unsere Staatsretter nicht vorausgesehen. Durch die Verfolgungen aufs äußerste erbittert, zogen die Sozialdemokraten von Stadt zu Stadt, suchten überall die Parteigenossen auf, die sie mit offenen Armen aufnahmen und übertrugen jetzt ihren Zorn und ihre Erbitterung auf ihre Gastgeber, die sie zum Zusammenschluß und zum Handeln anfeuerten. Dadurch wurde eine Menge örtlicher geheimer Verbindungen geschaffen, die ohne die Agitation der Ausgewiesenen kaum entstanden wären.

(Materialien für den Geschichtsunterricht, Bd. V., Frankfurt 1965, S. 85)

1. Erkläre die Vor- und Nachteile einer Schutzzollpolitik.
2. Warum war die Wirkung des Sozialistengesetzes gering?
3. Diskutiert das Verbot einer Partei in einem demokratischen Staat.

Wie das Deutsche Reich begann, durch staatliche Gesetze die soziale Not zu beseitigen

Anfänge der deutschen Sozialpolitik unter Bismarck

Durch die Fabrikarbeit und das Leben in den neuen Großstädten veränderten sich auch die sozialen Verhältnisse. Die ärmlichen Lebensumstände der Arbeiterfamilien wurden nur langsam erkannt. Der größte Teil der übrigen Bevölkerung war überdies der Auffassung, daß die sozialen Verhältnisse der Arbeiter ihn nichts angehe. Es hieß, mit Wohnungsnot und Krankheiten müsse jeder selbst fertig werden. Die rasche Zunahme der in die Städte strömenden Fabrikarbeiter zwang jedoch zum Nachdenken. Bei Krankheit, Unfall und im Alter blieben diese mittellosen Arbeiter mit ihren Familien auf die Almosen angewiesen, die die Städte nach den Armengesetzen austeilten. Bismarck war einer der ersten, der hier eine allgemeine Verpflichtung des Staates sah, diesen Menschen zu helfen. In der kaiserlichen Botschaft vom 17.11.1881, die Bismarck geschrieben hatte, wurde darauf hingewiesen, daß die sozialen Schäden als Folgen der Industrialisierung die Bekämpfung der SPD sehr erschwerten. Die Arbeiter müßten dort angesprochen werden, wo ihre Nöte seien. 1884 erklärte Bismarck in einer Rede:

Geben Sie dem Arbeiter das Recht auf Arbeit, solange er gesund ist, geben Sie ihm Arbeit, solange er gesund ist, sichern Sie ihm Pflege, wenn er krank ist, sichern Sie ihm Versorgung, wenn er alt ist – wenn Sie das tun und die Opfer nicht scheuen und nicht über Staatssozialismus schreien, sobald jemand das Wort ‚Altersversorgung' ausspricht, wenn der Staat etwas mehr christliche Fürsorge für den Arbeiter zeigt, dann glaube ich, daß ... der Zulauf zur SPD sich sehr vermindern wird, sobald die Arbeiter sehen, daß es den Regierungen und den gesetzgebenden Körperschaften mit der Sorge für ihr Wohl ernst ist.

(Gesammelte Werke, Friedrichsruher Ausg., Bd. Reden, S. 319 f.)

Diese Gedanken waren für viele Politiker neu, und es dauerte zwei Jahre, bis das erste Gesetz zur Krankenversicherung 1883 verabschiedet werden konnte. Es legte fest, daß die ärztliche Behandlung und die Arzneimittel von einer Versicherung übernommen würden und ein Krankengeld bei Arbeitsunfähigkeit für 13 Wochen gezahlt werde. Die notwendigen Beiträge sollten sich Arbeiter und Unternehmer teilen. 1884 folgte die Unfallversicherung, die Heilungskosten, eine Erwerbsunfähigkeitsrente und eine Rente für die Hinterbliebenen bei einem tödlichen Unfall zum Inhalt hatte. 1889 wurde durch Gesetz die erste Rentenversicherung der Welt geschaffen. Dieses Gesetz wurde nur mit einer knappen Mehrheit verabschiedet, auch die SPD stimmte damals dagegen. Bei ihr war diese Ablehnung jedoch umstritten. Von einer Rede eines SPD-Mitglieds gegen diese Ablehnung der Alters- und Invalidenversicherung wird uns berichtet:

Aufwendungen der Krankenversicherung für ärztliche Hilfe und Medikamente

1885	*18 Mio*
1913	*171 Mio*

Leistungen (insgesamt) der Krankenversicherung

1913	*426 Mio*
1983	*100,5 Mrd*

Sie gipfelte in der doppelten Behauptung, daß das Gesetz in der Tat vielfach noch mangelhaft sei und daß es jedenfalls nicht die durchgreifende Hilfe für die Arbeiterschaft und die Lösung der sozialen Probleme sei, daß man sich dennoch nicht abschrecken lassen dürfte, sondern zunächst einmal das Angebotene annehmen, aber zugleich wacker an der allmählichen Verbesserung dieses Gesetzes mitarbeiten sollte. Man sollte, so schloß er, endlich einmal mit dem ganz überflüssigen Nörgeln und Schnauzen aufhören.

(Nach: Geschichte in Quellen, Das bürgerliche Zeitalter, S. 447 f.)

177.1 Informationsplakat der deutschen Sozialversicherung 1913

	1892	1970	1984
Arbeitszeit pro Woche	60 Stunden	41,5 Stunden	38–40 Stunden
Durchschnittlicher Monatslohn	70,– Mark	1820,– DM	2902,– DM
Beitragssatz zur Altersrente (Arbeitgeber und -nehmer je 50%)	1,7%	17%	18,5%
Monatsbeitrag zur Rentenversicherung (Arbeitnehmeranteil)	0,60 Mark	98,– DM	268,– DM
Beginn der Altersrente	70. Lebensjahr	65. Lebensjahr	65. Lebensjahr; auch 63. bzw. 60.
Altersrente (monatl. Durchschnitt) % des letzten Nettoverdienstes	15,– Mark ca. 20%	500,– DM ca. 50%	1260,– DM ca. 64%

177.2 Arbeitszeit, Monatslohn, Beiträge zur Rentenversicherung und Durchschnittsrente im Vergleich

1891 und 1911 folgten weitere Gesetze zum Arbeiterschutz und zur Angestelltenversicherung. Diese staatliche Sozialpolitik bildet bis heute die Grundlage unserer sozialen Sicherheit. Sie ist immer stärker ausgebaut worden. Manche sagen heute, wir lebten in einem „Wohlfahrtsstaat".

1. Aus welchen unterschiedlichen Gründen lehnten Teile des Bürgertums und der Sozialdemokratie diese Sozialgesetze ab?

Wie Bismarck versuchte, das Deutsche Kaiserreich vor Frankreich zu sichern

Die Außenpolitik Bismarcks

Durch die Gründung des Deutschen Reiches hatten sich die Machtverhältnisse in Europa erheblich verändert, denn diese neue Großmacht war mächtiger als Frankreich und als Österreich-Ungarn. Der britische konservative Politiker Disraeli erklärte 1871, das Gleichgewicht der europäischen Mächte untereinander sei durch die nationale „deutsche Revolution" völlig zerstört worden. Um das Mißtrauen der anderen europäischen Mächte zu zerstreuen, erklärte Bismarck immer wieder, daß Deutschland keine Gebietserweiterung erstrebe und keinen anderen Staat bedrohe. Trotzdem blieb die Gegnerschaft Frankreichs, da es auf die an Deutschland verlorenen Gebiete Elsaß und Lothringen nicht verzichten wollte. Bismarck mußte darum verhindern, daß Frankreich Bundesgenossen in Europa fand. Vor allem sollte kein Bündnis mit Österreich-Ungarn oder Rußland zustande kommen. Da das Deutsche Reich an diese Staaten grenzte, hätte in einem Krieg an zwei Fronten gekämpft werden müssen. England wollte sich nicht an Deutschland binden. Aus diesen Gründen bemühte sich Bismarck immer wieder um sichere Bündnisse mit Rußland und Österreich-Ungarn. 1873 kam es zum Dreikaiserabkommen.

Dieses Bündnis wurde jedoch durch wachsende Gegensätze zwischen Rußland und Österreich-Ungarn auf dem Balkan belastet. Beide Mächte wollten ihren Einfluß in Südosteuropa ausdehnen. Dabei geriet Österreich-Ungarn aber in Gegensatz zu den slawischen Bevölkerungsgruppen, die mit Hilfe Rußlands ihre nationale Unabhängigkeit durchsetzen wollten. Rußland unterstützte daher den 1875 beginnenden Aufstand der Slawen im türkischen Reich. Als die russischen Truppen 1878 die Türkei besiegt und zum Frieden gezwungen hatten, sollten mehrere von

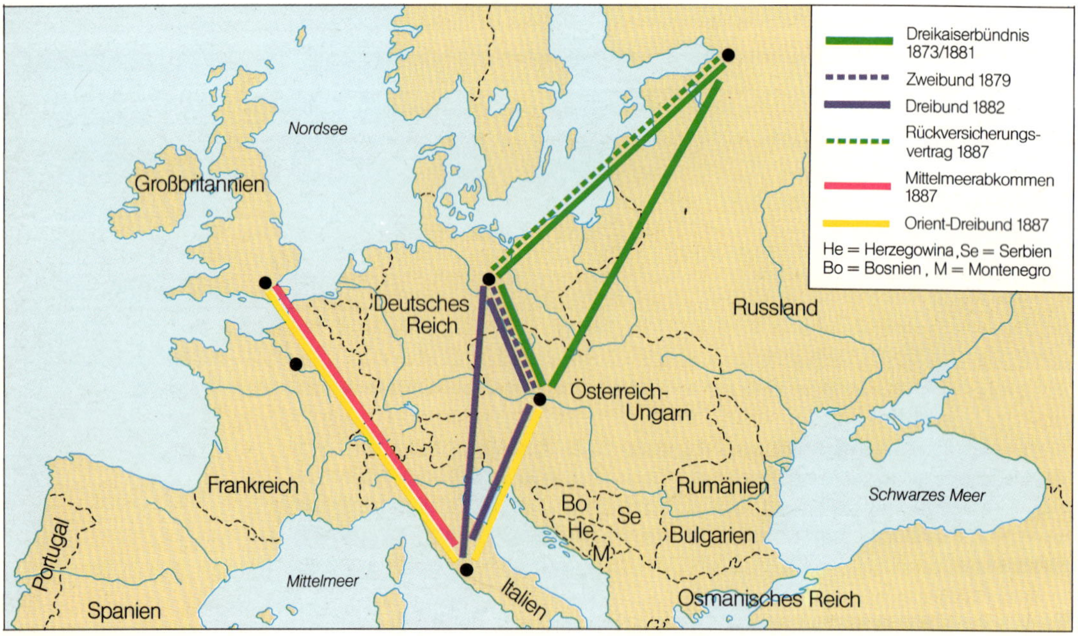

***178.1** Bismarcks Bündnissystem*

Rußland abhängige Staaten entstehen. Dieser Machtausdehnung Rußlands als „Mutterland aller Slawen“ auf dem Balkan wollten aber weder Österreich-Ungarn noch England zustimmen. Es drohte ein Krieg europäischer Staaten mit Rußland. Bismarck vermittelte als „ehrlicher Makler“ auf dem Berliner Kongreß 1878. Es gelang ihm zwar der Ausgleich zwischen den Großmächten, aber Rußland fühlte sich von Deutschland im Stich gelassen, als es einige „befreite“ Gebiete an die Türkei zurückgeben mußte. Wegen dieses Gegensatzes zu Rußland schlossen Deutschland und Österreich-Ungarn 1879 den Zweibund, mit Italien entstand daraus 1882 ein Dreibund. Nach der Verbesserung der Beziehungen zwischen Deutschland und Rußland sicherte Bismarck 1887 das Reich zusätzlich durch einen geheimen Rückversicherungsvertrag. Falls Österreich Rußland angreife, sollte Deutschland neutral bleiben; falls Frankreich Deutschland den Krieg erkläre, sollte Rußland neutral bleiben. Als sich auch noch England im Mittelmeer mit Italien verständigte, schien der Friede für Deutschland und Europa auf lange Zeit gesichert zu sein.

179.1 *Bismarck als Weichensteller. (Karikatur aus der englischen Zeitschrift „Punch“ vom 4. März 1878)*

Eine englische Zeitung schrieb Mitte 1882 über die Machtstellung des Deutschen Reiches:

Deutschland nimmt jetzt jene gebietende Stellung in Europa ein, welche Frankreich zu erlangen stets bemüht war und auch eine kurze Zeit innehatte. Mit jedem Jahr ist unter Bismarcks wachsamer Führung die Stellung Deutschlands fester und sicherer geworden. Das Bündnis mit Österreich-Ungarn, ... legt ... in die Hände des Fürsten Bismarck eine Macht, die so groß ist, daß keine denkbare Kombination anderer Staaten dieselbe erschüttern kann ... Es ist merkwürdig, ... wie, wenn immer irgendeine Schwierigkeit in Europa entsteht, die Augen aller Leute auf Bismarck gerichtet sind. Wie denkt er über die Sache? ... Berlin ist somit der Mittelpunkt des diplomatischen Verkehrs geworden ... Die Macht Deutschlands und das Verbleiben Bismarcks an der Spitze der deutschen Angelegenheiten bilden die beste Sicherheit, welche Europa für die friedliche Lösung der vielen schwierigen Fragen hat.

(H. v. Poschinger, Fürst Bismarck und die Diplomaten, Hamburg 1900, S. 450)

Der englische Historiker Gooch urteilte demgegenüber 1954:

Für ihn war Europa bloß ein geographischer Begriff. Die Vision ... einer auf freiwilliger Partnerschaft ... beruhenden internationalen Ordnung ging über seinen Gesichtskreis hinaus. Die Voraussetzung aller nützlichen politischen und wirtschaftlichen Planung ist das Festhalten an der Idee der Einheit der Zivilisation; zur Vorbereitung des menschlichen Geistes auf dieses größte aller Abenteuer hat Bismarck nichts beigetragen. Er arbeitete ausschließlich für seine Landsleute – erst für Preußen und dann für ein verpreußtes Reich – und gab sich mit deren Beifall zufrieden. Mit einem Wort, er ist überholt, ...

(L. Gall, Hrsg., Das Bismarck-Problem ..., Köln 1971, S. 217)

1. Warum war Deutschland durch die Gegensätze auf dem Balkan bedroht?
2. Worauf beruhte der starke Einfluß Bismarcks in der Außenpolitik?
3. Welche Gefahr will der „Weichensteller“ auf dem Bild vermeiden?

Rußland, eine europäische Großmacht auf dem Weg zur Revolution

Worin Macht und Rückständigkeit Rußlands im 19. Jh. bestanden

Macht und Schwäche Rußlands im 19. Jahrhundert

Seit dem Wiener Kongreß bestimmte das Kaiserreich Rußland mit den anderen Großmächten die Politik in Europa (vgl. S. 149). Dabei hatte es fast immer ein besonders gutes Verhältnis zu Preußen und später zunächst auch zu Deutschland. Der Aufstieg Rußlands zur Großmacht war gekennzeichnet durch eine ständige Ausweitung des Staatsgebietes (vgl. Karte 43.1). Im Westen grenzte es nach den Teilungen Polens an Preußen und Österreich-Ungarn, im Süden reichten seine Grenzen bis Persien und Afghanistan. Im Osten dehnte es seine Herrschaft bis zum Pazifik aus und gründete 1860 den Hafen Wladiwostok (beherrsche den Osten). Dieser wurde nach dem Bau der Transsibirischen Eisenbahn 1891–1904 mit Zentralrußland verbunden. Im Zuge dieser Ausdehnung trat auch China unter Druck Gebiete an Rußland ab. Noch heute bezeichnen die Chinesen diese Verträge als ungleiche (ungerechte). Weite Gebiete im asiatischen Raum, vor allem Sibiriens, blieben jedoch bis ins 20. Jh. weitgehend unerschlossen und nur dünn besiedelt.

Politisch war Rußland ein rückständiger Staat geblieben. Noch Ende des 19. Jahrhunderts war der russische Zar Alleinherrscher, ohne Bindung an ein Parlament oder eine Verfassung. Die Geheimpolizei verfolgte die Menschen, die Forderungen nach politischer Freiheit und sozialer Reform stellten. Obwohl Rußland um 1880 das größte und bevölkerungsreichste europäische Land war, hatte es noch kaum Industrie

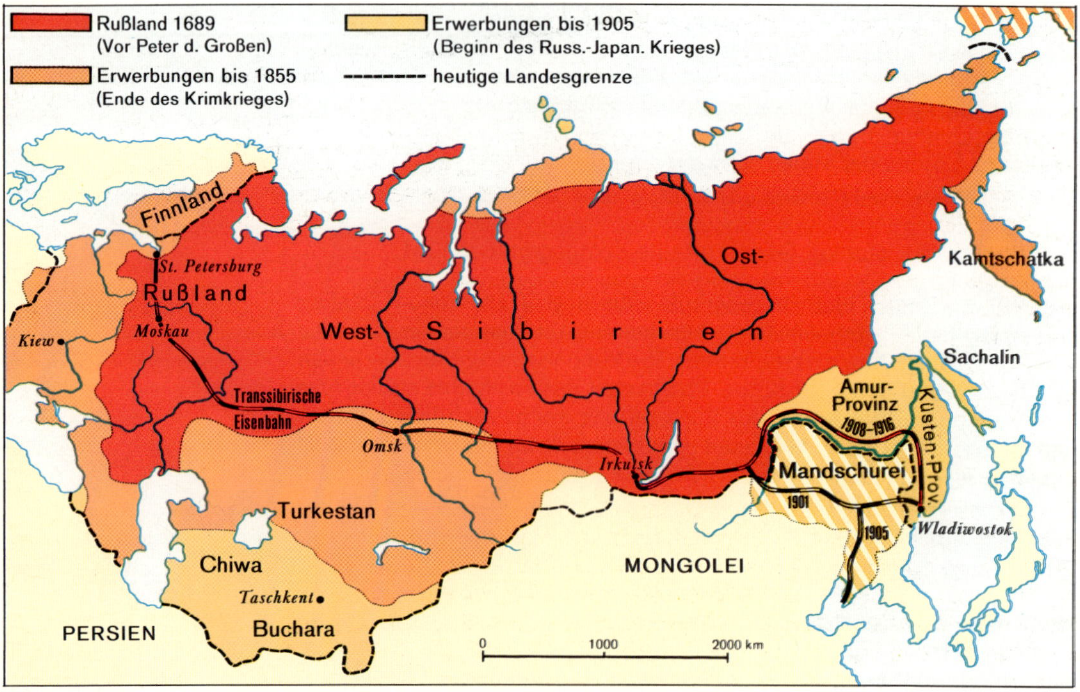

180.1 Ausdehnung des russischen Reiches seit dem 17. Jh.

181.1 Die russische Gesellschaft.(Flugblatt, um 1900)

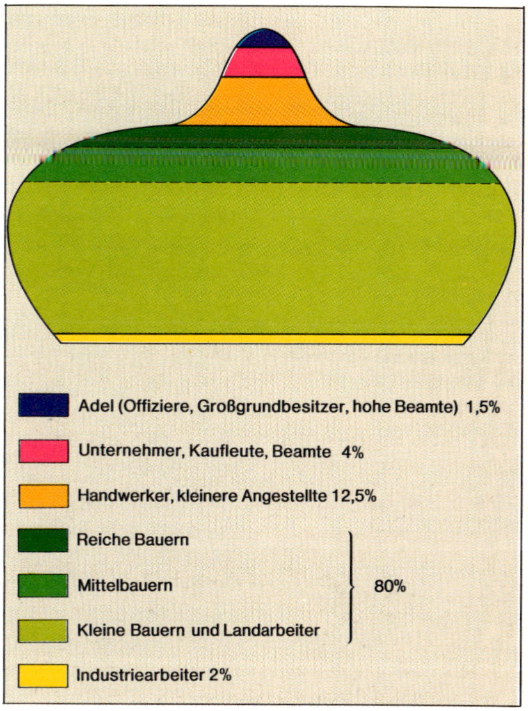

181.2 Aufbau der russischen Gesellschaft, 1913

und war erst durch wenige Straßen und Eisenbahnen erschlossen. Die Lage der etwa 25 Millionen leibeigenen Fronbauern beschreibt der russische Dichter Turgenjew:

Ihre Hauptverpflichtung ist es, drei Tage in der Woche für den Herrn zu arbeiten ... Zu der Fronarbeit liefert der Bauer dem Herrn jährlich einen Hammel, manchmal eine Gans oder ein Huhn. Die Bauersfrau webt, außer der dreitägigen Arbeit im Sommer, im Winter für den Herrn Linnen. Außerdem wird pro Haushalt ein oder zwei Arschin (0,711 m) einfaches, bäuerliches Tuch im Jahr entrichtet. Obendrein sind je Haushalt in festgesetzter Menge Pilze, Beeren, manchmal Nüsse beizubringen. Die Bauernkinder beiderlei Geschlechts arbeiten ebenfalls drei Tage in der Woche für den Herrn ...

(B. Krapp, Bauernnot in Rußland ..., Stuttgart 1973, S. 10/11, vereinfacht)

Die Inschriften auf dem nicht beschnittenen Flugblatt lauten (von oben): „Wir herrschen über euch.“ (über dem Adler) – „Wir regieren euch.“ – „Wir betrügen euch.“ – „Wir schießen auf euch.“ – „Wir essen für euch.“ – „Wir arbeiten für euch.“ – „Wir ernähren euch.“ Auf der Fahne: „Leben in Freiheit, Sterben im Kampf.“

Manche Grundherren ließen ihre Bauern auch 6 und 7 Tage auf ihren Feldern arbeiten, verpachteten sie an Fabriken oder zum Bau von Straßen und Kanälen. Sie durften weder den Ort verlassen, noch ohne Erlaubnis des Gutsherrn einen anderen Beruf wählen, noch heiraten. Die zunehmende Kritik an diesen Lebensbedingungen bewirkte, daß der Zar 1861 die Leibeigenschaft aufhob. Dadurch konnte der Gutsherr zwar nicht mehr beliebig über sie verfügen, aber das bisher von ihnen bewirtschaftete Land erhielten sie nicht als Eigentum.

1. Vergleicht heutige Kolchosen mit der Gutsherrschaft von vor 1861.

Die soziale Entwicklung bis zur Revolution von 1905

Wie die Verhältnisse sich entwickelten

Die Befreiung aus der Leibeigenschaft verbesserte für den größten Teil der Bauern kaum ihre Lebensverhältnisse. Sie wurden zwar freie Dorfbewohner, das Land aber blieb Gemeinbesitz der Dorfgemeinschaft. Wenn sie versuchten, es zu den gesetzlich vorgeschriebenen Preisen als persönliches Eigentum zu erwerben, gerieten sie in große Verschuldung. Die schlimmsten Folgen aber entstanden durch die nun einsetzende starke Bevölkerungsvermehrung. Da es wegen der Bindung an die Dörfer kaum zur Abwanderung in die Städte kam, mußten immer mehr Menschen von dem jährlich auf die Dorfbevölkerung verteilten Boden leben.

Im Durchschnitt erhielten die einzelnen Bauern bei der jährlichen Bodenzuweisung

1860	*5,2 ha*
1880	*3,8 ha*
1900	*2,8 ha*

Bevölkerung in Rußland

um 1650		*10–12 Mio*
1860	*ca.*	*50 Mio*
1913	*ca.*	*160 Mio*

Anteil der Stadtbevölkerung in Rußland und Deutschland

1870	*12,3 %*	*37,2 %*
1900	*12,8 %*	*56,0 %*
1910	*14,3 %*	*61,5 %*

Die Zahl der Fabrikarbeiter in Rußland

1861	*523000*
1913	*3,6 Mio*

In den Bürger- und Arbeiterfamilien der Städte breitete sich neben der sozialen auch politische Unzufriedenheit aus. Sie wollten politische Freiheiten wie in West- und Mitteleuropa. Studenten aus bürgerlichen, ja wohlhabenden Familien und selbst junge Adlige und Arbeiter begannen, die politischen und sozialen Zustände zu diskutieren. Mit dem Wahlspruch „Land und Freiheit" gingen sie auf das Land, um die Bauern zum Nachdenken über ihre Lage zu bringen. Sie nannten sich Narodniki, d. h. Volksfreunde. Einigen unter ihnen genügte die politische Propaganda bald nicht mehr. Sie verübten Anschläge gegen Regierungsgebäude und töteten hohe Beamte. 1881 fiel Zar Alexander II. dem lange vorbereiteten Bombenanschlag dieser Volksfreunde zum Opfer.

Die Industrie in den Städten entwickelte sich nur langsam. Die Lage der Arbeiter um das Jahr 1900 entsprach derjenigen in England und Deutschland in der ersten Hälfte des 19. Jh. 1882 wurde zwar die Beschäftigung von Kindern unter zwölf Jahren und 1885 in einigen Industrien die Nachtarbeit für Frauen und Jugendliche verboten, doch diese Vorschriften wurden wegen der seltenen Kontrollen kaum eingehalten. Besonders groß war die Wohnungsnot der Arbeiterfamilien, von denen sich in der Regel mehrere ein Zimmer teilen mußten.

Aus solchen Lebensverhältnissen erwuchs eine revolutionäre Entschlossenheit, die politischen und sozialen Verhältnisse gewaltsam zu verändern. Diese wird verständlich im Bericht über eine Gerichtsverhandlung von 1877. P. Alexejew war angeklagt worden, Privateigentum, Religion und Staat als Lebensprinzipien geleugnet zu haben:

Wenn wir als neunjährige Knaben zur Fabrikarbeit getrieben werden, was erwartet uns da?... Aufseher prügeln uns mit Ruten und mit Fäusten, um uns an die schwere Arbeit zu gewöhnen; wir werden unzureichend ernährt, wir ersticken in Staub und verdorbener Luft, wir schlafen auf dem nackten Boden, ohne Kissen, ohne Decke, eingehüllt in wenige Lumpen, von zahllosem Ungeziefer geplagt. Unter solchen Verhältnissen werden die in der Kindheit anerzogenen sittlichen Maßstäbe für immer zerbrochen ... Wie sollten wir den Kapitalisten gegenüber etwas anderes empfinden als Haß...? Von der Regierungsgewalt... erwarten wir nichts mehr für uns ... [Die] Bauernreform des 19. Februar 1861 ... sichert die elementarsten Bedürfnisse des Bauern keineswegs. ... Die junge Intelligenz allein ... hat geantwortet ... Unzertrennlich wird sie mit uns marschieren, bis ... die wuchtige Faust des nach Millionen zählenden Arbeitervolkes ... sich eines Tages erhebt und das von Bajonetten geschützte Joch der Tyrannei in Staub zerfällt!"

(V. Gitermann, Geschichte Rußlands, Bd. 3, Darmstadt 1965, S. 605 ff.).

Der Textilarbeiter wurde zu zehn Jahren Zwangsarbeit verurteilt und starb 1891 in Sibirien. Das Elend der Bauern, die Not der Arbeiter und die mangelhafte Lebensmittelversorgung in den Großstädten führten 1905 während des russisch-japanischen Krieges zu einem Ausbruch der aufgestauten Spannungen. Streikende Arbeiter, Frauen und Kinder zogen in einer großen Prozession zum Palast des Zaren, um ihm eine Bittschrift zu überreichen. Die Soldaten eröffneten jedoch das Feuer, und mehr als 1000 Tote blieben zurück. Erst nachdem diese Revolution von 1905 niedergeschlagen worden war, wurde dem Volk die Einrichtung eines Parlaments (Duma) versprochen. Bürgerliche Grundrechte sollten gesichert, ein Wahlrecht geschaffen und eine Landreform durchgeführt werden. Soziale Not und politische Unmündigkeit aber blieben. Eine große Revolution schien unvermeidbar. Der russische Ministerpräsident Witte warnte den Zaren 1905 eindringlich:

Der ... Fortschritt ist unaufhaltsam. Entweder wird die bürgerliche Freiheit durch Reformen verwirklicht oder durch eine Revolution. Die russische Revolution, sinnlos und erbarmungslos, wird alles wegfegen, alles in Trümmer schlagen ... Die Staatsgewalt muß sich an die Spitze der Freiheitsbewegung stellen. Es bleibt keine andere Wahl.

(W. von Korostowetz, Graf Witte, Berlin 1928, S. 16)

1. Warum leugnete P. Alexejew Familie, Eigentum, Religion und Staat?
2. Warum fürchtete Ministerpräsident Witte eine Revolution?

183.1 *Demonstranten ziehen in Petersburg zum Winterpalast, 1905*

183.2 *Hinrichtung des russischen Terroristen Suchanow*

Die USA werden eine Weltmacht

Das Land der unbegrenzten Möglichkeiten

Wie die Amerikaner einen Kontinent eroberten und besiedelten

Nach einer Reise durch die USA schrieb der französische Schriftsteller A. de Tocqueville 1832:

Es gibt heute auf der Erde zwei große Völker, die von verschiedenen Punkten ausgehend, zum selben Ziel vorzurücken scheinen: die Russen und die Anglo-Amerikaner. Alle anderen Völker scheinen etwa die Grenzen erreicht zu haben, die ihnen von Natur gezogen sind, und scheinen diese nur noch wahren zu wollen. Rußland aber und Amerika wachsen . . . Ihr Ausgangspunkt ist verschieden, verschieden ist ihr Weg; und doch . . . scheint jeder von ihnen berufen, dereinst die Geschicke der halben Welt zu lenken.

(Die Demokratie in Amerika, hrsg. von J. P. Mayer, Stuttgart 1956, S. 125 f.)

Der Anstieg der Bevölkerung

1700	*1,0 Mio*
1776	*2,2 Mio*
1790	*3,9 Mio*
1830	*10,5 Mio*
1850	*23,2 Mio*
1880	*50,0 Mio*
1910	*92,0 Mio*
1985	*238,0 Mio*

Nach der Gründung der Vereinigten Staaten von Amerika 1776 (vgl. S. 90 ff.) wurde das Land von einer ständig steigenden Einwanderungswelle überschwemmt. Von 1820–1920 wanderten 34 Mio ein, davon 30 Mio aus Europa. Wie in einem riesigen „Schmelztiegel“ formte das Land die Einwanderer zu einem neuen Volk der Amerikaner. Die aus der wirtschaftlichen und politischen Enge Europas kommenden Bauernfamilien, Handwerker, Geschäftsleute und Arbeiter sahen ein unbe-

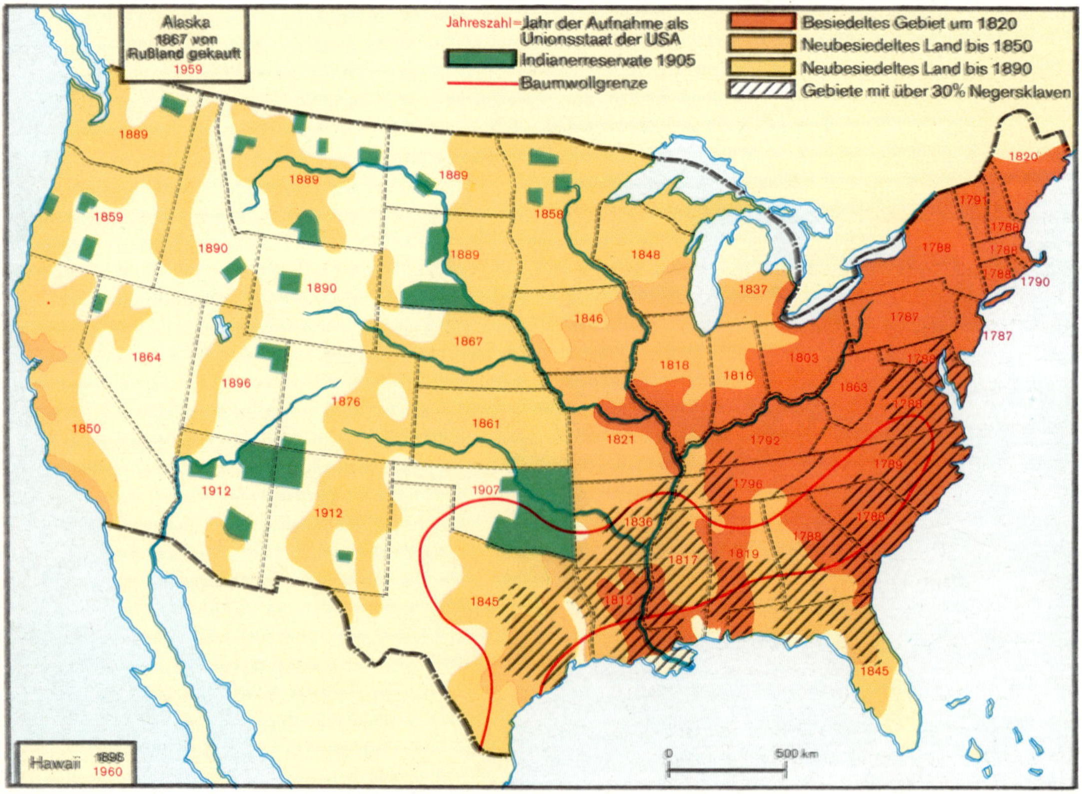

184.1 Die Besiedlung der USA im 19. und zu Beginn des 20. Jahrhunderts

grenztes Land vor sich. Der Traum von der politischen, wirtschaftlichen und religiösen Freiheit der Menschen schien hier bereits verwirklicht zu sein. Immer weiter zogen die landsuchenden Pioniere, von der Ostküste kommend, in den „wilden Westen“ hinein und gründeten Siedlungen, Dörfer und Städte. Zunächst war es meist eine einfache Besitzergreifung, doch bald wurde der Boden von der Regierung gegen geringe Bezahlung oder umsonst zugeteilt. Den Farmern folgten die Handwerker, Kaufleute, Ärzte, Lehrer, Gastwirte und Geldverleiher. In der täglichen Auseinandersetzung mit der Natur, mit Indianern, mit Banditen und Spekulanten hatten die Starken, die Tüchtigen und die Rücksichtslosen den größten Erfolg. Wen ein Unglück traf, wer schwach und arm war, wurde an den Rand gedrängt. Für soziale Fürsorge blieb wenig Zeit und Geld. Die verbreitete Meinung lautete, daß Gott nur den Fleißigen und Mutigen durch Erfolg belohne.

Anstieg der Einwanderer in die USA

1830	*24837*
1850	*315334*
1870	*386336*
1890	*448634*

Vor der Ankunft der weißen Einwanderer bewohnten etwa 1 Mio Indianer mit ihren Stämmen das Gebiet der heutigen USA (vgl. dazu S. 96). Sie hatten stets von dem leben können, was die Natur zur Verfügung stellte. Jetzt kamen die Europäer, die alles veränderten und sie rücksichtslos aus ihren Wohn- und Jagdgebieten verdrängten. In über 30 Indianerkriegen, durch Vertreibung, Alkohol und eingeschleppte Krankheiten schrumpfte die indianische Bevölkerung auf etwa 200000 im Jahre 1890. Fast immer wurden die Verträge der Indianer mit den weißen Siedlern durch die nachdrängenden Einwanderer wieder gebrochen. Schließlich garantierte ihnen die Regierung etwa 200000 km^2 Land als Lebensräume, „Reservate“ genannt. Heute leben noch etwa 800000 Indianer, die Hälfte davon außerhalb der Reservate in den Städten.

Als im Gebiet der Cherokees Gold entdeckt wurde, enteignete der Staat Georgia das Land der Indianer. Auf Grund des Umsiedlungsgesetzes von 1830 wurde der Stamm gezwungen, 7 Mill. acres zu verkaufen, die ihm noch verblieben waren. Der Preis betrug 4,5 Mill. Dollar, wurde aber nicht ausbezahlt, sondern als Guthaben im Schatzamt der Regierung hinterlegt. 1838 erchienen 7000 Mann US-Truppen und vertrieben den ganzen Stamm, plünderten die bewegliche Habe und verbrannten die Häuser. Von den 14000 Indianern, die mitten im Winter den langen Marsch nach Westen antreten mußten, kamen unterwegs etwa 4000 um. Die Kosten der Umsiedlungsaktion wurden vom Guthaben der Cherokees abgezogen.

(Nach: Fragen an die Geschichte 3, Hrsg. H. D. Schmid, Ffm. 1976, S. 111)

Zwischen 1831 und 1940 kamen insgesamt 38 Mio Einwanderer in die USA, davon aus

Die Weißen haben immer versucht, die Indianer dazu zu bringen, ihre Lebensweise aufzugeben und wie Weiße zu leben – eine Farm zu betreiben, hart zu arbeiten und zu tun, was die Weißen taten – und die Indianer wußten nicht, wie man das macht, und wollten es auch gar nicht ... Hätten die Indianer versucht, ihre Lebensweise den Weißen aufzuzwingen, so hätten die Weißen sich dagegen gewehrt.

(D. Brown, Bury my Heart at Wounded Knee, London 1971, S. 38)

1. Warum glaubte Tocqueville schon 1832, daß Rußland und die USA die beiden kommenden Weltmächte sein würden?
2. Aus wievielen Bundesstaaten bestanden die USA 1790, 1860, 1890?
3. Warum ließen sich die Indianer nicht mit den Europäern zu einem neuen Volk der Amerikaner verschmelzen?

Wie es in den USA zum Bürgerkrieg zwischen Nord- und Südstaaten kam

Wirtschaftliche Entwicklung und Bürgerkrieg

Die steigende Zahl der Einwanderer war eine ideale Voraussetzung für ein schnelles wirtschaftliches Wachstum. Den größten Teil der Landfläche haben die USA von anderen Ländern gekauft oder durch Krieg erworben. 1803 hatte der Amerikaner Jefferson das bis zu 1500 km nach Westen reichende Gebiet Louisiana westlich des Mississippi für 15000000 Dollar von Napoleon erhalten. Dadurch verdoppelten die USA ihr Staatsgebiet und erhielten den wichtigen Hafen New Orleans. 1819 verkauften ihnen die Spanier die Halbinsel Florida für 5 Mio Dollar. 1836 erklärten die nach Texas eingewanderten Siedler gegenüber dem Staat Mexiko ihre Unabhängigkeit. In dem folgenden siegreichen Krieg der USA gegen Mexiko mußte dieses auf Texas verzichten. Für 15000000 Dollar verkaufte außerdem Mexiko das Gebiet Neu-Mexiko und Kalifornien an die USA. 1853 kauften die USA Süd-Arizona von Mexiko und 1867 Alaska für 7000000 von Rußland. Um die Mitte des 19. Jh. hatten die Einwanderer die Pazifikküste erreicht.

Landzuwachs der USA

1790	*2,3 Mio km²*
1820	*4,64 Mio km²*
1850	*7,77 Mio km²*
1880	*7,83 Mio km²*
seit 1960	*9,36 Mio km²*

Große Teile des sehr fruchtbaren Mittelwesten und der Westküste wurden zum größten Nahrungsmittelproduzenten der Welt, vor allem für Weizen, Mais, Rinder und Schweine. Schon früh wurden auf den großen Farmen moderne landwirtschaftliche Maschinen eingesetzt, die auch in den USA gebaut wurden. Rinderherden mit Tausenden von schlachtreifen Tieren wurden über weite Strecken von Cowboys zu den Sammelplätzen an den Eisenbahnlinien getrieben. Von dort wurden die Rinder in die Industrie- und Großstädte an der Ostküste transportiert und zu Fleisch verarbeitet. Selbst Europa konnte von hier mit preisgünstigem Getreide und Fleisch beliefert werden.

Produktion der Baumwolle

1790	*4000 Ballen*
1830	*732000 Ballen*
1850	*2100000 Ballen*
1860	*5400000 Ballen*

***186.1** Sklavenauktion in den Südstaaten Anfang des 19. Jh. (Zeichnung in der Leipziger Illustrierten, 1853)*

Nach der Erfindung der Spinn- und Webmaschinen entstand in den USA bei der schnell wachsenden Bevölkerung ein ebensolcher Bedarf an Baumwolle. Damit ging der Aufbau einer eigenen Textilindustrie einher. Ein erheblicher Teil der in den Südstaaten geernteten Baumwolle wurde nach Europa exportiert, um 1850 war dies bereits etwa die Hälfte des amerikanischen Exports. Deshalb wurden ständig Arbeitskräfte für die sich ausdehnenden Baumwollplantagen gesucht, und auf die billigen Negersklaven wollte kein Besitzer verzichten. Auf diesen Plantagen und Farmen der Südstaaten arbeiteten um 1860 etwa 4 Mio Negersklaven, die keine politischen Rechte besaßen und wie eine Sache behandelt werden konnten (vgl. dazu auch Bd. 5/6, S. 92/93). Sie wurden auf den Märkten wie eine Ware angeboten und verkauft. Seit etwa 1820 verschärfte sich die Frage, ob der Besitz von Sklaven nicht im Widerspruch zur Erklärung der Menschenrechte und zur christlichen Religion stehe. Nach und nach wurde in den Staaten des Nordens die Sklaverei verboten. Immer häufiger forderten Politiker, Zeitungen und Kirchen das Sklavenverbot in den gesamten USA. Diese Sklaverei wurde in einem Buch von 1854 so begründet:

... Der Neger ist nur ein erwachsenes Kind und muß als Kind beherrscht werden ... Der Herr nimmt ihm gegenüber die Stelle des Vaters oder Vormunds ein ... Zum zweiten ist der Neger ohne Voraussicht; er wird nicht im Sommer für die Bedürfnisse des Winters zurücklegen; er wird nicht in der Jugend für die Not des Alters ansammeln. Er würde zu einer unerträglichen Last für die Gesellschaft. Die Gesellschaft hat ein

Recht, dies zu verhindern, und kann das nur, indem sie ihn der Sklaverei unterwirft. Letztlich, die Negerrasse ist minderwertig gegenüber der weißen, und die Neger, wenn sie inmitten der Weißen leben, würden in der Hetze der freien Konkurrenz bei weitem überholt oder überlistet. Allmähliche, aber sichere Vernichtung wäre ihr Los.

(G. Fitzhugh, Sociology for the South, 1854)

187.1 *Abraham Lincoln (1809–1865)*

Der Bürgerkrieg entstand jedoch nicht allein aus der Sklavenfrage. Der politische Grund war, daß der Norden bundesstaatlich-zentralistisch, der Süden staatenbündlerisch-föderalistisch dachte. Wichtig waren aber auch die wirtschaftlichen Unterschiede. Durch die Entwicklung einer starken Industrie waren die Nordstaaten an einer Schutzzollpolitik interessiert, der exportierende Süden verlangte dagegen die Beibehaltung der Freihandelspolitik. Abraham Lincoln, ein entschiedener Gegner der Sklaverei und Anhänger der Schutzzollpolitik, wurde 1860 zum Präsidenten gewählt. Als von ihm ein allgemeines Verbot der Sklaverei drohte, gründeten 11 Südstaaten die „Konföderierten Staaten von Amerika". Lincoln jedoch verbot den Südstaaten den Austritt aus dem Bundesstaat. Es kam zu einem blutigen Bürgerkrieg von 1861 bis 1865, der 620000 Menschen das Leben kostete. Obwohl die Südstaaten die bessere Armee besaßen, wurden sie doch von den Nordstaaten besiegt. Diese besaßen eine viermal so große Bevölkerung, eine leistungsfähige Industrie und insbesondere eine große Rüstungsindustrie. Die Verhinderung des Baumwollexports durch die Seeblockade und der Nahrungsmittelmangel zwangen die Südstaaten zur Kapitulation. Weite Landstriche waren verwüstet, und Haß herrschte zwischen dem Süden und dem Norden. 5 Tage nach der Kapitulation wurde Präsident Lincoln von einem Mann aus den Südstaaten ermordet. Seit 1865 sind alle Sklaven frei. Die volle gesellschaftliche Gleichstellung aber konnte bis heute kein Gesetz schaffen.

1. Warum bildete sich in den USA im Gegensatz zu Rußland eine breite, selbständige bäuerliche Bevölkerung?
2. Überlegt, warum trotz der Erklärung der Menschenrechte 1776 die Sklaverei erst 1865 beendet wurde.

187.2 *New York, Broadway, um 1880*

187.3 *Verladung von Baumwolle in New Orleans*

Die USA auf dem Weg zur Weltmacht

Wie sich die USA zur industriellen und politischen Vormacht entwickelten

Die Erschließung des weiten Landes durch Straßen, Eisenbahnlinien und Kanäle geschah in einem unvorstellbaren Tempo. Allein zwischen 1850 und 1860 wurden in der USA 35000 km Eisenbahnlinien gebaut. Das bewirkte u. a. einen schnellen Aufschwung der Eisen- und Stahlindustrie, und hier fanden wiederum die Einwanderer neue Arbeitsmöglichkeiten. Aufgrund reicher Kohle-, Erz- und Öllagerstätten entstanden große Industriezentren, namentlich an den Großen Seen. Aus Siedlungen und Kleinstädten der Kolonisten entwickelten sich in wenigen Jahrzehnten riesige Städte. Bald strömte auch die nachwachsende Landbevölkerung in die Stadt. Nicht alle fanden sofort Arbeit, denn die industrielle Entwicklung verlief nicht ungebrochen. Als sich die europäischen Staaten in der Wirtschaftskrise von 1873 gegen die billigen Einfuhren aus den USA sperrten, war hohe Arbeitslosigkeit auch in den USA die Folge. Der Regierung gelang es aber, mit Schutzzöllen, billigen Krediten und einer starken Geldvermehrung die Produktion bald wieder zu steigern.

Tüchtige Unternehmer, wagemutige Kaufleute, aber auch geschickte Spekulanten fanden in diesem Land unbegrenzte Möglichkeiten. In harten Konkurrenzkämpfen wurden Firmen ruiniert und dann von größeren aufgekauft. Wenigen Familien gelang es in wenigen Jahrzehnten riesige Reichtümer zu erwerben. Dazu gehörten John D. Rockefeller, der Petroleumkönig, die Familie Carnegie, Morgan und Henry Ford, der Autokönig. Ford gründete 1903 seine Autofabrik, die bald die größte der Welt war. Hier arbeitete 1911 das erste Fließband, wodurch Henry Ford konkurrenzlos billig produzieren konnte, bei gleichzeitig wesentlich höheren Löhnen. Die großen Unternehmen versuchten, durch den Erwerb weiterer Fabriken die Produktion und den Absatz in einzelnen Wirtschaftszweigen möglichst vollständig in die Hand zu nehmen. Die United States Steel Company kontrollierte 1901 70% der amerikanischen Eisenerzeugung. 1904 hatten 319 dieser Monopolunternehmen mehr als 5300 selbständige Unternehmen in sich vereinigt. Über eines dieser marktbeherrschenden Unternehmen, die „Standard Oil Company" J. D. Rockefellers, schrieb ein Untersuchungsausschuß:

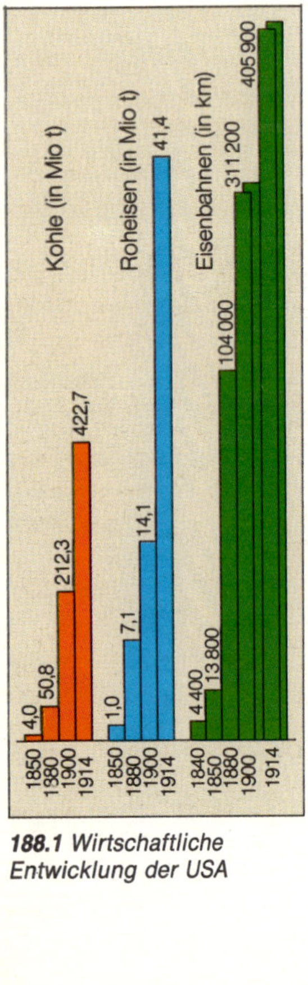

188.1 *Wirtschaftliche Entwicklung der USA*

Diese Gesellschaft besitzt und kontrolliert die Röhrenleitungen, die die Produktionsgebiete mit den Eisenbahnen verbinden. Sie kontrolliert auch die Eisenbahnen an beiden Enden. Sie versendet 95% des gesamten Öls. Sie diktiert den Eisenbahnen Frachtbedingungen und die Rabatte. Sie hat im ganzen Land Raffinerien aufgekauft und stillgelegt. Mittels der überlegenen Transportmöglichkeiten, die ihr zur Verfügung stehen, kann sie jedes Angebot in den Produktionsgebieten über- und die Weltmarktpreise unterbieten. So hat sie sämtliche Konkurrenten ausgeschaltet und aufgekauft, bis sie dieses große Geschäft ganz monopolisiert hatte.

(O. Zierer, Weltgeschichte, Bd. 26, Gütersloh, . . ., S. 63)

Die Erschließung des Landes war um 1880 weitgehend abgeschlossen. Jetzt blickten Unternehmer, Banken und Politiker über die Grenzen hinaus nach Westen in den Pazifik und nach Mittel- und Südamerika. 1887 bauten die USA im Pazifik auf der Inselgruppe Hawaii in Pearl Harbour einen Kriegshafen und erklärten die Insel 1898 als ihr Staatsgebiet; 1889 folgte ein Flottenstützpunkt auf den Samoa-

Inseln. Nach der Niederlage Spaniens im Krieg um Kuba mußte es nicht nur diese Insel, sondern auch Puerto Rico, die Guam-Inseln und die Philippinen an die USA abtreten. Durch ihren wirtschaftlichen Einfluß auf Kolumbien erzwangen die USA 1903 die Abtretung des Panamagebietes. Dort erbauten sie unter hohen Menschenverlusten den bis heute wichtigen Panamakanal. Der Geldreichtum der großen amerikanischen Banken und die großen Wirtschaftsunternehmen durchdrangen nach und nach die noch kaum industriell entwickelten Staaten in Mittel- und Südamerika. Die amerikanischen Firmen entdeckten und förderten wichtige Rohstoffe, ihre Nahrungsmittelkonzerne bekamen entscheidenden Einfluß auf die Erzeugung von Nahrungsmitteln, Kaffee und Südfrüchten. Das Interesse europäischer Mächte an Mittel- und Südamerika im 19. Jh., wie auch im 20. Jh., haben die USA mit aller Entschiedenheit mit der Monroe-Doktrin (1823) zurückgewiesen. Sie beinhaltet, daß die USA ein natürliches Interesse an diesem Gebiet habe und verteidigt. Sie ließ auch keinen Zweifel darüber, daß bei Nichtbeachtung die USA mit Waffengewalt eingegriffen hätten.

Mit dem wirtschaftlichen Einfluß wuchs der politische, der als „Dollar-Imperialismus" oder „Dollar-Diplomatie" bezeichnet wurde. Dieser Einfluß ist bis heute bestehen geblieben. Die Wirtschaft der meisten Länder Mittelamerikas basiert auf der Produktion weniger Rohstoffe, wie z. B. Bananen. Eine politische Selbständigkeit ist nur mit Hilfe oder Zustimmung der USA möglich.

1. Welche Bedingungen führten dazu, daß die USA bereits um 1900 die stärkste Industriemacht der Welt geworden waren?
2. Stelle fest, welche Bedeutung die Flottenstützpunkte Pearl Harbour, Samoa und Guam für die USA haben?
3. Warum versuchte die Bundesrepublik, durch staatliche Gesetze die Bildung von Monopolgesellschaften zu verhindern?

189.1 Die Monroe-Doktrin. (Argentinische Karikatur des 20. Jh.)

189.2 Endmontage bei den Fordwerken um 1920: Auf das fertige Fahrgestell wird die Karosserie aufgesetzt.

Die Europäisierung der Erde

Von Nationalstaaten zu Imperien

Wie europäische Staaten ihre Herrschaft über andere Völker rechtfertigten

Im Zeitalter der großen Entdeckungen hatten zuerst die Spanier und Portugiesen in Mittel- und Südamerika große Gebiete unter ihre Herrschaft gebracht. Danach schufen sich die Engländer, Franzosen und Niederländer große Einflußbereiche, vor allem in Nordamerika und Südasien. Diese nannten sie Kolonien. Rußland hatte bei seiner ständigen Ausdehnung in Asien im 19. Jahrhundert den Pazifik erreicht. Im 18. und 19. Jh. verloren die europäischen Staaten den größten Teil ihrer Kolonien auf dem amerikanischen Kontinent. In Afrika und Asien eigneten sie sich jedoch ständig neue Einflußgebiete an, die z. T. bisher nicht einmal erforscht waren. Der Erwerb fremder Gebiete wurde von vielen Politikern in Europa zunächst als finanzielle Belastung empfunden oder sogar abgelehnt. Andere suchten gewinnbringenden Handel, billige Rohstoffe und Platz für Auswanderer.

Imperialismus (lat. imperium): Oberbefehl, Herrschaft, Weltreich, engl. empire

Nach 1870 entstand die Auffassung, zu einem mächtigen Nationalstaat gehörten auch viele Kolonien. Wer sich nicht an der Aufteilung der Welt beteiligte, verliere in Zukunft Macht und Ansehen. So entstand ein Wettlauf, bei dem einige Staaten zu Weltreichen wurden. Diesen Vorgang und diese Zeit nennen wir daher Imperialismus. Zwischen 1875 und 1914 teilten europäische Staaten etwa ein Fünftel der Erdoberfläche unter sich auf, vor allem in Afrika. Große Teile der Bevölkerung unterstützten diese Politik. Viele Europäer vertraten ein Sendungsbewußtsein der weißen Rasse oder ihrer Nation. Cecil Rhodes, der in Afrika weite Gebiete unter englische Herrschaft brachte, erklärte:

Imperialistische Staaten und ihre Besitzungen 1899

Großbritannien
38 Mio Einwohner
314 000 km²
abhängige Gebiete
347 Mio Einwohner
27 781 000 km²

Frankreich
38 Mio Einwohner
536 000 km²
abhängige Gebiete
44 Mio Einwohner
9 792 000 km²

Deutsches Reich
54 Mio Einwohner
540 000 km²
abhängige Gebiete
9 Mio Einwohner
2 600 000 km²

Ich behaupte, daß wir die erste Rasse in der Welt sind und daß es um so besser für die menschliche Rasse ist, je mehr von der Welt wir bewohnen ... Da Gott ... die englischsprechende Rasse zu seinem auserwählten Werkzeug geformt hat, muß er ... wünschen, daß ich tue, was ich kann, um soviel von der Karte Afrikas britisch rot zu malen wie möglich.

(W. Grütter/H. Brandt, Imperialismus, Paderborn 1972, S. 25)

Ähnlich sagte es der französische Außenminister Hanotaux 1901:

Es geht nicht allein um ... Eroberungen; es geht auch nicht um die Vergrößerung des ... Reichtums; es geht darum, über die Meere hinweg in gestern noch unzivilisierten Ländern die Prinzipien einer Zivilisation auszubreiten, ... so viele neue Frankreichs zu schaffen wie möglich ... inmitten der stürmischen Konkurrenz der andren Rassen, ... unsere Sprache, unsere Sitten, unser Ideal, den Ruf Frankreichs zu bewahren.

(erinnern und urteilen, Bd III, S. 175)

1. Wie wurde der Imperialismus europäischer Staaten begründet?
2. Stelle die Zugehörigkeit der Gebiete Afrikas im Jahre 1912 fest. Welche selbständigen Staaten sind es heute?
3. Mit welchen Schwierigkeiten haben diese Staaten heute zu kämpfen? Beachte die Tagespresse.

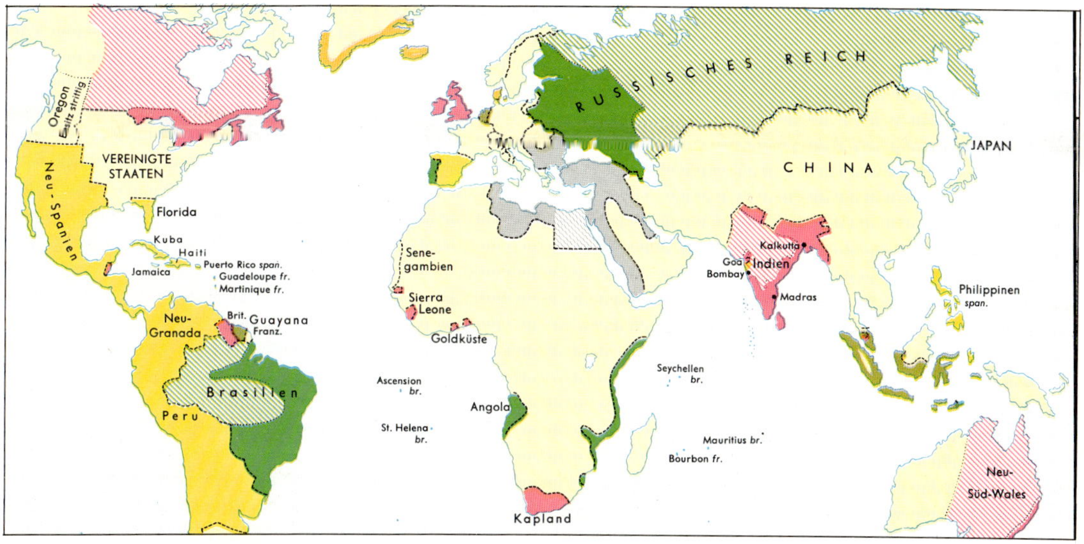

191.1 *Koloniale Besitzungen europäischer Staaten um 1815*

191.2 *Besitzungen der imperialistischen Mächte um 1912*

Warum die Nationalstaaten aus wirtschaftlichen Gründen die Welt aufteilten

Industrialisierung und Imperialismus

Durch die Industrialisierung wurden in Europa, den USA und Japan die Nationalstaaten zu wirtschaftlichen Großmächten. Der Einsatz immer neuer Techniken steigerte in diesen modernen Industrienationen die Herstellung von Waren bis zur Überproduktion. Mit Hilfe der modernen Verkehrstechnik wurden Rohstoffe und Industriegüter in immer kürzerer Zeit durch Kontinente und über die Weltmeere transportiert. Seit 1869 waren Lissabon und Moskau mit der Eisenbahn verbunden, ebenso New York mit San Franzisko, zwischen 1891 und 1901 bauten die Russen die Transsibirische Eisenbahn bis zum Pazifik. 1882 durchfuhren bereits etwa 3000 Schiffe den neuerbauten Suezkanal, der erst 1869 eröffnet worden war. Immer schneller fuhren die Schiffe, noch schneller liefen die Nachrichten. Seit 1872 konnten Londoner Kaufleute mit Tokio, Sidney und Kalkutta telegraphieren. Auf diese Weise waren Weltmarkt und Welthandel entstanden. England war damals noch die größte Wirtschaftsmacht. 1900 beförderten britische Schiffe 45% der Güter, die nach Frankreich geliefert wurden und sogar 55% der Güter in die USA. So hatte es auch mit Abstand die größte Flotte. Doch andere Industrienationen erhöhten ihre Produktion in noch schnellerem Tempo und drängten auf dem Weltmarkt nach vorn. Sie benötigten immer mehr Rohstoffe und auch Absatzmärkte. Der Wettbewerb unter den Industrieländern wurde immer härter. Durch die gewinnbringende Produktion sammelte sich so viel Kapital an, daß neue Anlagemöglichkeiten gefunden werden mußten. In vielen Staaten suchte man für die rasch wachsende Bevölkerung neue Auswanderungsmöglichkeiten. Alle diese Probleme glaubten die Industrienationen durch den Erwerb von Gebieten in anderen Erdteilen lösen zu können. Der amerikanische Afrikaforscher Stanley erklärte vor der Handelskammer in Manchester:

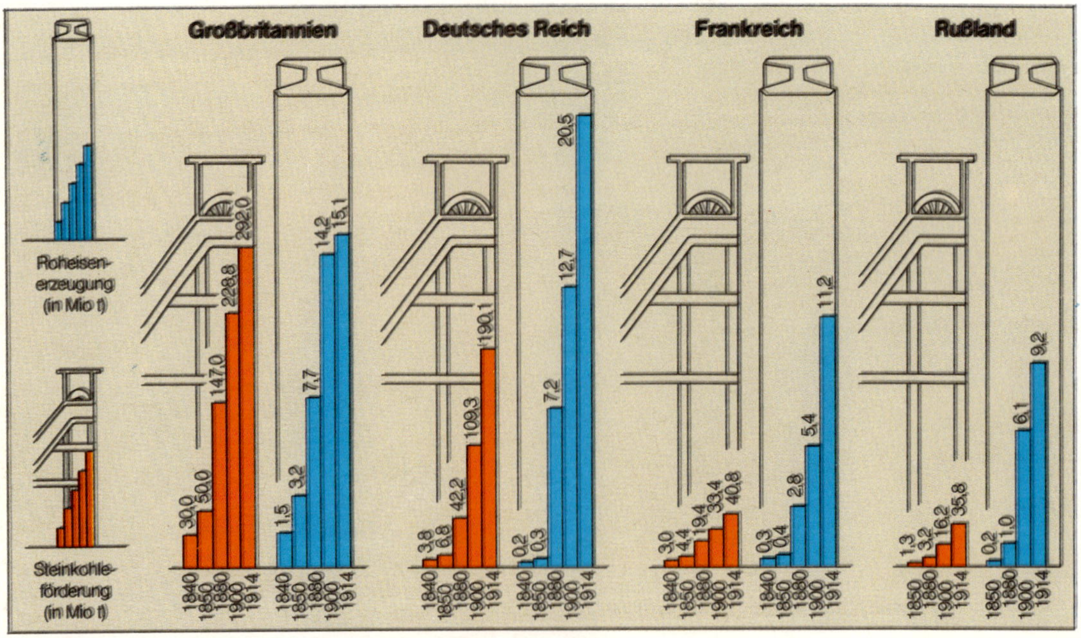

192.1 Steinkohlenförderung und Roheisenerzeugung 1840–1914

Es gibt 40 Millionen Menschen ... [im Kongogebiet], und die Baumwollspinner in Manchester warten nur darauf, sie einzukleiden; in den Eisenhütten von Birmingham glüht schon das rote Metall, das bald zu Eisenwaren für sie geschmiedet werden wird und zu wertlosem Tand, der die dunklen Körper schmücken soll.

(Nach: Zeiten und Menschen, C 4, S. 5)

Der Deutsche Carl Peters argumentierte:

Ich erkannte in England ... was Deutschland verliert, dadurch, daß es seinen Kaffee, seinen Tee, seinen Reis, seinen Tabak, seine Gewürze, kurz alle seine Kolonialartikel, von fremden Völkern sich kaufen muß.

(C. Peters, Wie Deutsch-Ostafrika entstand, Leipzig 1940, S. 8)

In Wirklichkeit aber, so haben heutige Geschichtsforscher herausgefunden, liefen die entscheidenden Handelsströme zwischen den großen Industrienationen. Alle deutschen Kolonien blieben z. B. große Zuschußgebiete des Reiches, nur Togo konnte sich unmittelbar vor dem Ersten Weltkrieg finanziell selbst tragen. Außerdem konnten die Politiker so von den innenpolitischen Problemen ablenken.

1. Welche Erwartungen verbanden die europäischen Nationalstaaten mit dem Erwerb von Kolonien?
2. Wurden die Erwartungen in bezug auf die Absatzmöglichkeiten erfüllt?
3. Wer steht heute in der Weltproduktion auf den ersten vier Plätzen?
4. Wir sprechen heute von einem Nord-Süd-Konflikt. Begründe, ob man dabei von einem Wirtschaftsimperialismus reden kann.

Ein- und Ausfuhr des Deutschen Reiches im Jahr 1913

Einfuhr 10,3 Mrd RM
Ausfuhr 10,0 Mrd RM

davon Handel mit Kolonien

Einfuhr 53 Mio RM
Ausfuhr 57 Mio RM

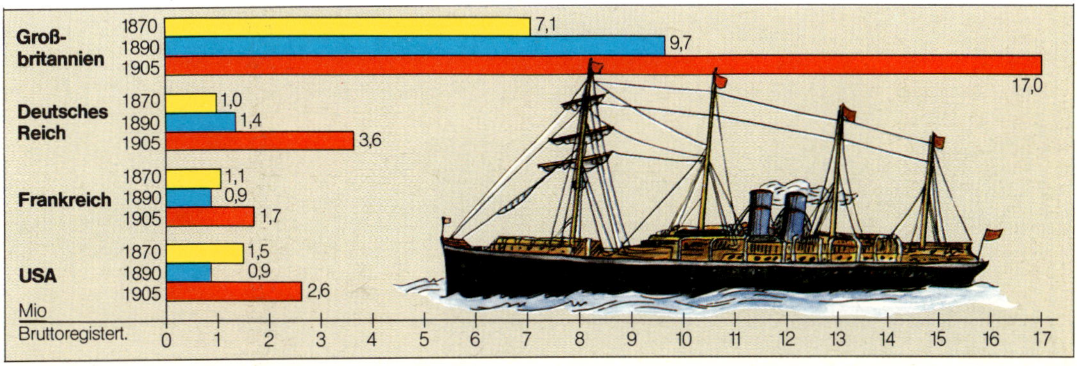

	um 1860	1870	1880	1890	1900
an 1. Stelle	Großbritannien	Großbritannien	USA	USA	USA
an 2. Stelle	Frankreich	USA	Großbritannien	Großbritannien	Deutsches Reich
an 3. Stelle	USA	Frankreich	Deutsches Reich	Deutsches Reich	Großbritannien
an 4. Stelle	Deutsches Reich	Deutsches Reich	Frankreich	Frankreich	Frankreich

***193.1** Größe der Handelsflotten 1870–1905 und Stellung der Wirtschaftsmächte (gesamte Produktion)*

Wie die Europäer in Afrika Kolonien gründeten

Europäische Herrschaft in Afrika

Da die europäischen Mächte ihre Grenzen nicht wie Rußland oder die USA auf ihrem Kontinent ausdehnen konnten, blieb nur der Wettlauf um Kolonien außerhalb Europas. Das betraf vor allem das um 1870 noch kaum erforschte Afrika. 1876 befanden sich etwa 10% Afrikas in europäischer Hand, 1900 waren es 90%. An dem Wettlauf um die Aufteilung Afrikas waren vor allem England, Frankreich, Deutschland und Portugal beteiligt. 1871 begann Frankreich im Gebiet des heutigen Tunesien und der afrikanischen Westküste mit dem Aufbau eines großen Kolonialreiches vom Atlantischen Ozean bis zum Roten Meer. 1883 erreichten französische Expeditionen den heutigen Sudan, den England jedoch ebenfalls beanspruchte. Frankreichs Interesse war aber vor allem auf den Rückerwerb von Elsaß-Lothringen gerichtet. Deshalb wollte es England als Bundesgenossen gegen Deutschland gewinnen. Die Franzosen zogen sich aus dem Sudan zurück und begnügten sich mit ihrem Kolonialreich in Nord- und Westafrika. Nach der Besetzung Madagaskars und großer Gebiete in Südostasien war Frankreich um 1900 die zweitgrößte Kolonialmacht der Welt. Die Engländer strebten von Ägypten aus nach Süden. Ihr Ziel war, ein zusammenhängendes Imperium von Kapstadt bis Kairo aufzubauen. Mit den afrikanischen Besitzungen, Indien, Kanada, Australien und Neuseeland beherrschte England um 1900 ein Weltreich von etwa ¼ der Erdoberfläche mit ¼ der Weltbevölkerung. Für die afrikanischen Naturvölker war das rasche

194.1 *Der Premierminister der englischen Kapkolonie, C. Rhodes, überspannt den afrikanischen Kontinent. (Karikatur, 1892)*

194.2 *Englische Offiziere fordern den französischen Major Marchand bei Faschoda auf, sich mit den Truppen zurückzuziehen.*

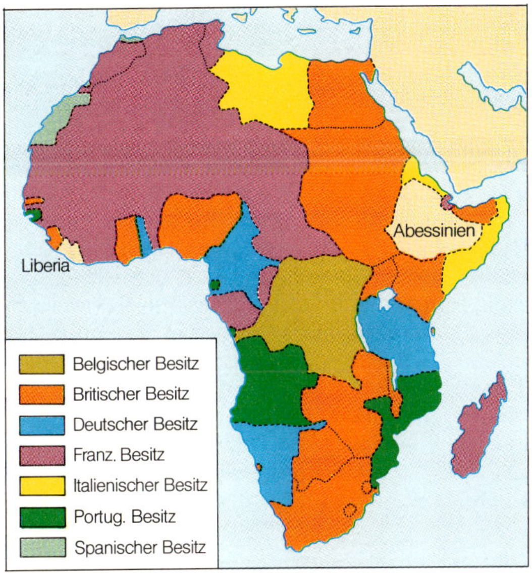

195.1 *Afrika um 1914*

195.2 *Gefangene Hottentotten im Aufstand 1904*

Eindringen europäischer Mächte und die technisch orientierte europäische Lebensform eine große Bedrohung. Die Europäer blickten auf die Naturvölker mit ihren anderen Gewohnheiten herab und fanden deren Kleidung, Eßgewohnheiten, Gebräuche, Religionen und sonstigen Lebensformen primitiv. Die Eingeborenen waren zur Gegenwehr unfähig. In ihrer Unwissenheit ließen sie sich für wertlose Perlen, bunte Stoffe und Gegenstände aus Eisen das nur z. T. menschenleere Land nehmen und stellten sich unter den Schutz der mächtigen weißen Herren. Heute müssen die Europäer dafür aus dem Mund vieler Afrikaner die Anklage hören:

Unsere Väter lebten behaglich in der Lualaba-Ebene. Sie hatten Vieh und Ackerfrüchte; sie hatten Salzbecken und Bananenbäume. Plötzlich erblickten sie ein großes Schiff auf der See. Es hatte weiße Segel, die wie Messer blitzten. Weiße Männer kamen aus dem Wasser, die sprachen in einer Weise, die niemand verstand. Unsere Ahnen fürchteten sich, sie sagten, das seien Vumbi: Geister, die zur Erde zurückkämen. Sie trieben sie mit Pfeilschauern in die See zurück. Aber die Vumbi spien mit Donnergetöse Feuer. Sehr viele Menschen wurden getötet . . . Das große Schiff kam zurück, und wieder erschienen weiße Männer. Sie brachten . . . Messer und Beile, Erdnüsse und Tabak. Von dieser Zeit bis heute haben die Weißen uns nichts als Krieg und Elend gebracht.

(F. Ansprenger, Kolonisierung in Afrika, Stuttgart 1979, S. 7)

1. Diskutiert, welche Vorteile das Eindringen der Europäer den Afrikanern brachte.
2. Warum ist es so schwierig, in den Ländern der Dritten Welt eine moderne Industrie aufzubauen?
3. Warum werden die meist nur Rohstoffe liefernden Länder der Dritten Welt immer ärmer? Vergleiche mit den Industrienationen.

Erwerb deutscher Kolonien

1884 Deutsch-Südwestafrika (heute Namibia)
Togo
Kamerun
1885 Deutsch-Ostafrika (heute Tansania)
1886 Bismarck-Archipel
Kaiser-Wilhelm-Land
Marshall-Inseln

1899 waren dies insgesamt 2,6 Mio km² mit 9 Mio Einwohnern (Größe des Deutschen Reiches: 540000 km²)

Deutschlands Streben nach Kolonien

Warum Deutschland einen „Platz an der Sonne" haben wollte

Deutsche Kaufleute gründeten in Afrika Handelsniederlassungen und schlossen Verträge mit Eingeborenenstämmen. Bismarck wollte jedoch zunächst diese Gebiete nicht zu Schutzgebieten des Deutschen Reiches erklären. Er hielt daran fest, daß sich Deutschland zusätzliche Konflikte in der Welt nicht leisten könne. Ein Afrikaforscher empfahl weitere Gebiete in Afrika als deutsche Kolonien. Mit Blick auf die Karte sagte Bismarck, die Karte sei ja sehr schön, aber seine Afrikakarte liege in Europa. Hier liege Deutschland in der Mitte zwischen Rußland und Frankreich. Warum Bismarck dennoch in den Jahren 1884/85 Kolonialpolitik betrieb, lag, wie ein deutscher Historiker meint, einmal im Streben nach Absatzmärkten für die Industrie, hatte aber auch noch einen anderen Grund:

Der Reichskanzler erkannte ... daß der Imperialismus ein neues „Hoffnungsbild" ... einen „neuen, weiteren Inhalt des Lebens" ... schaffen ... „den Deutschen ein neues Ziel ... setzen [konnte], für das sie sich begeistern könnten, nachdem ... die Popularität der Regierung zu verblassen angefangen hatte", von den zahlreichen inneren Problemen hoffte er „die Deutschen auf neue Bahnen" nach außen „zu lenken".

(H. U. Wehler, Hrsg., Imperialismus, Köln 1972, S. 274)

Als der junge Kaiser Wilhelm II. Bismarck entlassen hatte, wandelte sich die deutsche Politik. Er wollte ein deutsches Imperium, wie es die Engländer und die Franzosen besaßen. Der deutschen Industrie wollte er eigene Rohstoffquellen und neue Absatzmärkte schaffen. Der Staatssekretär im Auswärtigen Amt und spätere Reichskanzler von Bülow erklärte 1898 zur Erwerbung des chinesischen Hafens Kiautschou:

Wir betrachten es als eine unserer vornehmsten Aufgaben, gerade in Ostasien die Interessen unserer Schiffahrt, unseres Handels und unserer Industrie zu fördern und zu pflegen ... Wir sind endlich gern bereit, in Ostasien den Interessen anderer Großmächte Rechnung zu tragen in der sicheren Voraussetzung, daß unsere eigenen Interessen gleichfalls die ihnen gebührende Würdigung finden. Mit einem Worte: „Wir wollen niemand in den Schatten stellen, aber wir verlangen auch unsern Platz an der Sonne." In Ostasien wie in Westindien werden wir bestrebt sein, ohne unnötige Schärfe, aber auch ohne Schwäche unsere Rechte und Interessen zu wahren.

(L. Zimmermann, Der Imperialismus, Stuttgart 1971, S. 36)

196.1 *Wilhelm II. (1859–1941), deutscher Kaiser (1888–1918)*

Der Historiker Delbrück drängte 1899 aus anderen Gründen zur Eile:

Die Welt darf weder einmal vollständig englisch noch russisch werden ... Wäre aber einmal die außereuropäische Welt völlig an eine oder zwei Sprachen ... aufgeteilt, so wäre es unmöglich, daß die unbeteiligten europäischen Völker sich gegen solche Riesenmächte auf die Dauer behaupten. Das ist der Grund, warum Deutschland notwendig eine Kolonialpolitik im großen Stile treiben muß ... Es muß große außereuropäische Gebiete schaffen, in denen die deutsche Nationalität, die deutsche Sprache und das deutsche Geistesleben die Möglichkeit weiterer Entfaltung haben ...

(L. Zimmermann, Der Imperialismus, S. 37)

197.1 Plakat des „Deutschen Flottenvereins" für Flottenaufrüstung, 1901. Schlachtschiffe folgen in Kiellinie der kaiserlichen Jacht

197.2 Flottenwettrüsten, Karikatur in der Zeitschrift „Simplizissimus", 1912: „Wie sollen wir uns da die Hand geben?"

Eine bedeutende Rolle haben die deutschen Kolonien weder als Rohstofflieferant noch als Absatzgebiet, noch als Siedlungsland für deutsche Auswanderer gespielt. Eine beschränkte Besiedlung war wegen des gemäßigten Klimas nur in Deutsch-Südwestafrika möglich. Hier errichteten Deutsche ihre Farmen, es entstand eine Bergbauindustrie, die Kupfer und Diamanten förderte. Aber die Deutschen verdrängten auch die Ovambos, die Hereros und Hottentotten mit ihren Herden aus ihren Gebieten. Die Eingeborenen waren Hilfskräfte auf den Farmen und im Bergbau und wurden teilweise wie Sklaven behandelt. Schließlich erhoben sich die Hereros 1904. Sie unterbrachen die Eisenbahn- und Telegrafenlinien und überfielen deutsche Farmen und Militärstationen. Nach Verstärkung der Truppen wurden die Aufständischen besiegt. Von etwa 80000 Hereros blieben nur 20000 am Leben. Das führte in Deutschland zu erregten Diskussionen über die Rechtmäßigkeit einer solchen Kolonialpolitik. Der SPD-Abgeordnete Bebel erklärte 1911:

Daß das unterdrückte, ausgebeutete, geknechtete Volk zur Empörung griff, war sein gutes Recht. Es war ihr Heimatland, ihr Vaterland, das die Hereros gegen die fremden Eroberer zu verteidigen suchten, und was man uns als die höchste Ehre anpreist, die Verteidigung des Vaterlandes, das wurde jenen als Verbrechen angerechnet.

(Protokoll über die Verhandlungen des Parteitages, Jena 1911, S. 334)

1. Welche Gründe für den deutschen Imperialismus erkennst du?
2. Vergleiche die Lage der Eingeborenen in Deutsch-Südwestafrika mit der der Schwarzen in Südafrika heute.
3. Stell die Abb. 197.1/197.2 den Zahlen auf S. 198/199 gegenüber.

Deutsche Besiedlung der Kolonialgebiete bis 1913
(in Tausend)

Togo	*368*
Kamerun	*1871*
Deutsch-Ostafrika	*5363*
Deutsch-Südwestafrika	*14830*

Auf dem Weg in den Weltkrieg

Wie die europäischen Großmächte ihre Rüstung steigerten und sich durch Bündnisse auf einen Krieg vorbereiteten

Die Bündnis- und Rüstungspolitik der Großmächte

Nachdem 1888 der 29jährige Wilhelm II. Kaiser geworden war, glaubte er wie zahlreiche seiner Berater an die Fortdauer der Spannungen zwischen England, Frankreich und Rußland. Der Kaiser verzichtete daher auf die von Rußland gewünschte Fortsetzung des Bündnisses mit Deutschland. Rußland aber war verärgert, wurde mißtrauisch und suchte einen neuen Verbündeten. Der war schnell gefunden, denn Frankreich kam Rußland sofort entgegen. 1892 wurden bereits militärische Absprachen getroffen, die 1894 zu einem französisch-russischen Bündnis führten. Wegen seiner Konflikte mit Frankreich und Rußland in Afrika und Asien suchte jetzt auch Großbritannien die politische Unterstützung durch andere Staaten. Es wandte sich zunächst an Deutschland. Als jedoch die deutsche Regierung ein Militärbündnis gegen Frankreich und Rußland verlangte, lehnte England eine so weitgehende Bindung ab. Deutschland begnügte sich auch nicht mit der angebotenen Vereinbarung über eine gemeinsame Politik. Gleichzeitig begann das Reich sogar mit dem Aufbau einer großen Kriegsflotte.

Der Kaiser war der Auffassung, daß zu der angestrebten deutschen Weltgeltung auch eine starke Kriegsflotte gehöre. Im ersten Flottengesetz von 1898 wurde der Bau von 16 großen Kriegsschiffen beschlossen, im zweiten von 1900 der von 36 Großkampfschiffen, 22 schweren und 38 kleinen Kreuzern. Das Gesetz wurde im Reichstag so begründet:

Unter den gegebenen Umständen gibt es nur ein Mittel, um Deutschlands Handel und Kolonien zu schützen: [Es] muß eine Flotte von solcher Stärke haben, daß selbst für die größte Flotte ein Krieg mit ihm ein solches Risiko [wäre], daß ihre eigene Überlegenheit gefährdet wäre . . .

(Nach: Geschichte in Quellen, Das bürgerliche Zeitalter, S. 606)

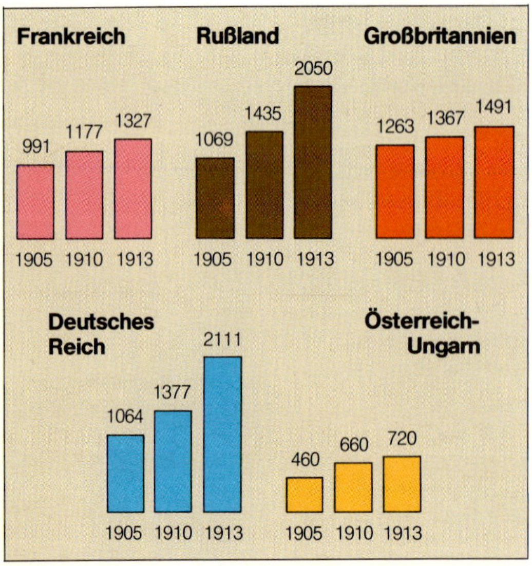

***198.1** Rüstungsausgaben europ. Mächte (in Mrd Mark)*

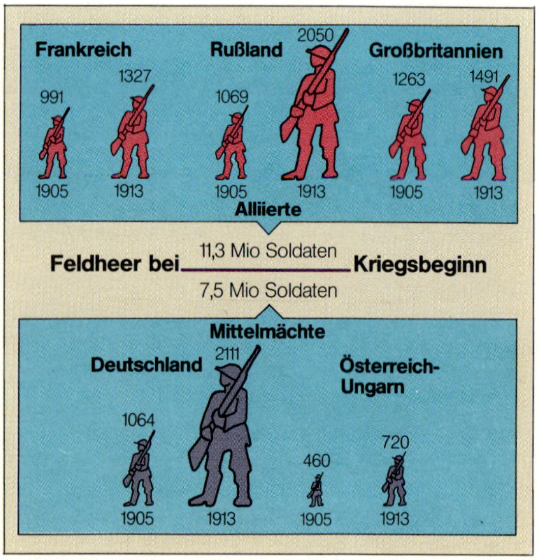

***198.2** Heeresstärken europ. Mächte (in Tausend)*

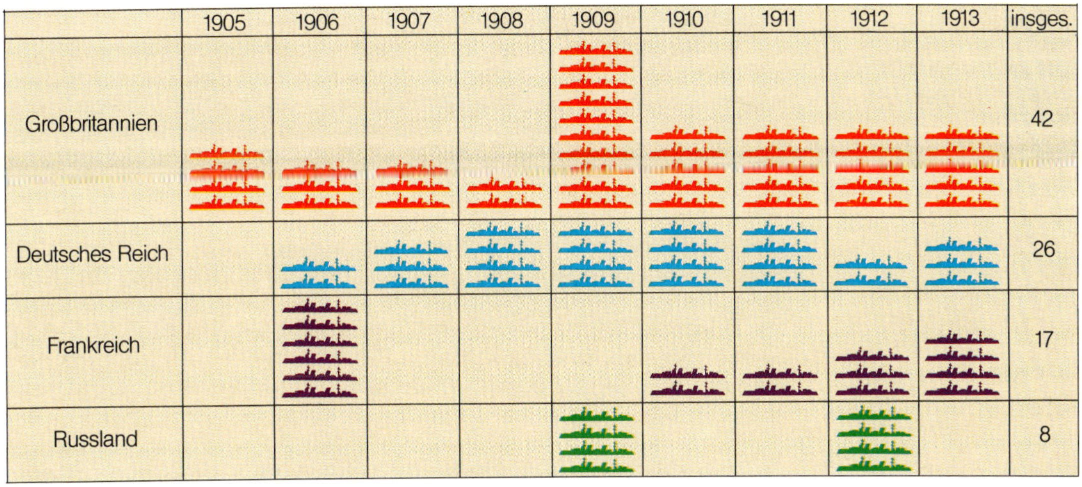

***199.1** Bau von Großkampfschiffen in Europa*

Die Engländer sahen dies Flottenprogramm anders, sie fühlten sich bedroht. Der deutsche Botschafter schrieb 1908 aus London nach Berlin:

Niemand wird imstande sein, den Engländern beizubringen, daß die deutsche Flotte von 38 Linienschiffen, 20 Panzerkreuzern und 38 kleinen geschützten Kreuzern mit entsprechenden Torpedobooten und Unterseebooten [geplanter Bestand für 1920] für sie eine belanglose Sache ist. Was wir zur Rechtfertigung dieses Tempos . . . vorbringen, macht die Engländer nur noch mißtrauischer . . .

(B. v. Bülow, Denkwürdigkeiten, Berlin 1930, Bd. 2, S. 231)

Die deutsch-britischen Verhandlungen hatten sich zerschlagen, und Deutschland war auch dem britischen Wunsch, den Flottenbau zu verlangsamen, nicht nachgekommen. Deshalb richtete Großbritannien seine Politik anders aus. Es schloß 1904 mit Frankreich die Entente cordiale (herzliches Einvernehmen). Darin wurden alle kolonialen Streitfragen bereinigt. Nach der Niederlage im Krieg gegen Japan war auch Rußland bereit, sich mit England über Persien, Afghanistan und Tibet zu einigen. 1907 kam es zu einer entsprechenden Verständigung. Bald wurden zwischen Großbritannien und Frankreich, wie schon lange zwischen Frankreich und Rußland, auch gemeinsame militärische Pläne für den Fall eines Krieges besprochen. Es sah so aus, als ob Deutschland, Österreich, Ungarn und Italien eingekreist würden. Ein deutscher Historiker unserer Zeit hat dagegen gesagt, Deutschland habe sich selbst ausgekreist. Alle großen Mächte in Europa glaubten an eine zunehmende Bedrohung und verstärkten ihre Heere und ihre Flotten. Auf die modernen deutschen Schlachtschiffe antworteten die Engländer mit noch größeren „Dreadnoughts" (fürchte nichts). Alle Versuche scheiterten, die Rüstungsausgaben zu vermindern.

1. Warum kam es nicht zu einer Verständigung zwischen Großbritannien und dem Deutschen Reich?
2. Wurde das Reich eingekreist oder hat es sich selbst ausgekreist?

Wie versucht wurde, internationale Streitfälle durch Völkerrecht zu schlichten

Friedensbewegungen und Friedenskonferenzen
Im amerikanischen Bürgerkrieg (1861–65) und im deutsch-französischen Krieg (1870/71) hatte sich bereits gezeigt, welche ungeheuren Menschenverluste durch den Einsatz neuer technischer Waffen eintreten würden. So erhoben sich zunehmend warnende Stimmen, ein Krieg zwischen den europäischen Großmächten müsse zu unvorstellbaren Zerstörungen, zu riesiger Material- und Geldverschwendung und durch die Zerstörung schließlich zu Elend und Hungersnot führen. Seit Beginn des 19. Jh. gab es Friedensbewegungen und Friedenskongresse. Das ursprüngliche Ziel war die Schaffung von Schiedsgerichten zur Regelung von Streitigkeiten zwischen den Staaten, wie es sie auch im Leben der Bürger gibt. Eine zweite Forderung war die gleichmäßige Abrüstung in allen Staaten. Drittens sollte ein Bund europäischer Völker mit dem Namen „Vereinigte Staaten von Europa" geschaffen werden, denn nur dadurch könne der Frieden erzwungen werden.

Seit der Mitte des 19. Jahrhunderts rüsteten die europäischen Staaten immer stärker auf, die dafür erforderlichen Kosten waren unvorstellbar. Deshalb war besonders ein so armes Land wie Rußland daran interessiert, das Wettrüsten einzugrenzen. Dieses Bewußtsein und seine persönliche Einstellung bewegten den Zaren Nikolaus II., sich für die Einberufung von Friedenskongressen einzusetzen.

Die österreichische Schriftstellerin Bertha von Suttner hat ihr ganzes Leben der Idee der Friedensbewegung gewidmet, blieb aber lange ungehört. Ihre Bemühungen und die des russischen Zaren Nikolaus II. führten zur ersten Haager Friedenskonferenz von 1899, an der 26 Staaten teilnahmen. Es wurde ein Abkommen zur friedlichen Beilegung internationaler Streitigkeiten geschlossen und ein ständiger internationaler Schiedsgerichtshof geschaffen. Auch auf der zweiten Haager Friedenskonferenz mit 44 Staaten im Jahre 1907 konnte aber ein Zwang zum Schiedsgerichtsverfahren noch nicht erreicht werden. Deutschland setzte hingegen durch, daß alle Fragen von „lebenswichtigem Interesse" ausgenommen wurden. Die meisten Staaten waren noch nicht bereit, ihre Streitigkeiten der Entscheidung eines internationalen Gerichtshofes zu unterwerfen. Wie Bemühungen, Fragen des Friedens auf einer internationalen Tagung zu diskutieren, beurteilt wurden, zeigt ein Brief des deutschen Kaisers Wilhelm II. an den Reichskanzler von Bülow:

Im ganzen halte ich die Sache für Blech! Aber ich habe nichts dagegen, wenn der Quatsch bei uns losgelassen wird. Unter einer Bedingung jedoch! Daß sich die Quatschköppe vorher verbürgen, daß nichts über und gegen die preußische Armee oder die deutsche Marine und unser Militärsystem geschimpft wird. Sonst gibt's sofort was auf den Kragen.

(Nach: H. Herbers, Friede durch Gewalt . . ., Essen 1959, S. 125)

Immerhin einigte man sich auf eine Landkriegsordnung, in der die Behandlung von Kriegsgefangenen, Verwundeten und die weitgehende Schonung von religiösen und kulturellen Einrichtungen und der Schutz der Zivilbevölkerung vereinbart und Giftgas verboten wurden. Dies war ein erster Anfang. Das Ziel Abrüstung wurde auf beiden Konferenzen nicht erreicht.

***201.1** Moloch Krieg, Karikatur. Titelblatt der Zeitschrift „Wahrer Jacob" zum Ergebnis der Friedenskonferenz von 1899*

***201.2** Bertha von Suttner (1843–1914) gründete 1891 die Österreichische Gesellschaft der Friedensfreunde. Sie empfahl dem Erfinder des Dynamits und damit reich gewordenen Industriellen, Alfred Nobel, die Stiftung des Nobelpreises.*

1905 hatte Bertha von Suttner für ihren 1889 veröffentlichten Roman, „Die Waffen nieder", und für ihre Bemühungen bei dem ersten internationalen Friedenskongreß in Den Haag den Nobelpreis erhalten. In ihrem Roman erhob sie leidenschaftlich Anklage gegen den Krieg:

Friedensnobelpreis: Geldpreis für Aktivitäten und Forschungen, die dem Frieden dienen. 1901 zum erstenmal an den Gründer des Roten Kreuzes, Henry Dunant, vergeben.

Eine Macht will die andere an Heeresstärke überbieten, und endlich gäbe es keine Armeen mehr, sondern nur bewaffnete Völker. Immer mehr Leute würden zum Dienst herangezogen, immer länger würde die Dauer der Dienstzeit, immer größer die Kriegssteuerkosten, die Bewaffnungskosten ... Ohne miteinander zu fechten, würden sich die Nationen durch Kriegsbereitschaft selber zugrunde richten ... Wie dann, wenn, nachdem die größten Massen und die äußersten Altersgrenzen erreicht sind, es einer Nation einfiele, auch Regimenter von Frauen aufzustellen? Die anderen müßten es nachahmen. Oder Kinderbataillone? Die anderen müßten es nachahmen. Und in der Bewaffnung – in den Zerstörungsmitteln – wo wäre da die Grenze? O dieses wilde, blinde In-den-Abgrund-Rennen!

(B. v. Suttner, Die Waffen nieder!, Dresden 1905, S. 242)

1. Welche Einrichtungen beraten heute bei internationalen Konflikten?
2. Vergleiche die Voraussagen B. v. Suttners mit der Gegenwart.
3. Warum ist die Europäische Gemeinschaft ein Beitrag zum Frieden?

Der Ausbruch des Ersten Weltkrieges

Warum die Ermordung des österreichischen Erzherzogs Franz Ferdinand zum Krieg führen konnte

Das Anwachsen der Kriegsgefahr bis zur Julikrise 1914

Trotz der zunehmenden Konflikte zwischen den Großmächten gelang es in dem Jahrzehnt vor 1914, durch Verhandlungen den drohenden Ausbruch von Gewalt zu verhindern.

Als 1905 französische Truppen wegen Grenzstreitigkeiten von Algerien nach Marokko einrückten, fürchtete Deutschland um seinen Einfluß. Frankreich wollte dieses Gebiet in Absprache mit England zu seinem alleinigen Einflußraum machen. Der deutsche Kaiser landete darauf in Tanger und begrüßte den Sultan demonstrativ als unabhängigen Herrscher. Auf einer Konferenz konnten die Spannungen aber noch einmal beigelegt werden. Die Franzosen verfolgten ihre Politik jedoch weiter und verschafften sich einen immer größeren wirtschaftlichen Einfluß. Dabei beeinträchtigten sie auch deutsche Industrieunternehmen. Als Frankreich 1911 bei Unruhen die marokkanische Hauptstadt Fes besetzte, schickte das Deutsche Reich demonstrativ ein Kriegsschiff in den marokkanischen Hafen Agadir. In den nachfolgenden Verhandlungen stellte sich England deutlich auf die Seite Frankreichs und zwang so das Reich zum Nachgeben. Anschließend kam es zu einer militärischen Übereinkunft zwischen England und Frankreich über den Einsatz ihrer Flotten im Fall eines Krieges mit Deutschland.

Nach dem Bündnis mit Frankreich und der Verständigung mit England hatte sich Rußland wieder verstärkt dem Balkan zugewandt. Es unterstützte das Streben der slawischen Völker nach Unabhängigkeit von der Türkei. Als diese in einem Krieg von Italien besiegt worden war, das sich auf diese Weise die noch türkischen Besitzungen in Nordafrika aneignete, erhoben sich erneut die Serben, Bulgaren und Griechen. Die Spannungen dieser Völker untereinander waren jedoch so groß, daß sie sich nach dem Sieg über die Türken im ersten Balkankrieg 1912

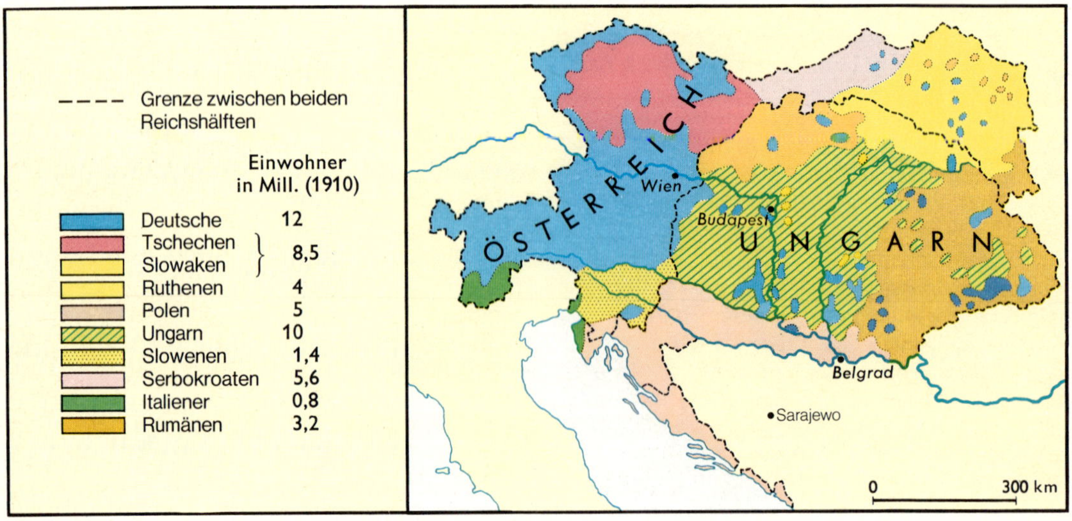

202.1 *Die Nationalitäten Österreich-Ungarns 1910*

203.1 Das Attentat von Sarajewo

Gratis! **3. Extra-Blatt.** Gratis!

Vossische Zeitung

Königlich privilegirte Berlinische Zeitung von Staats- und gelehrten Sachen.

Haupt-Geschäftsstelle Breite Str. 8 9, Berlin C.

Der österreichische Thronfolger und seine Gattin ermordet.

Einer grauenvollen Bluttat sind der Erzherzog-Thronfolger Franz Ferdinand von Oesterreich-Ungarn, und seine Gattin, die Herzogin von Hohenberg, zum Opfer gefallen. Durch Schüsse serbischer Fanatiker wurden sie ermordet, nachdem sie einem Bombenattentat, durch das einige Offiziere aus ihrem Gefolge und einige Personen aus dem Publikum verwundet wurden, entgangen waren. Ueber das furchtbare Ereignis wird uns telegraphiert:

Sarajewo, 28. Juni. (Telegramm unseres Korrespondenten.) Als der Erzherzog-Thronfolger Franz Ferdinand und seine Gattin, die Herzogin von Hohenberg, sich heute Vormittag zum Empfange in das hiesige Rathaus begaben, wurde gegen das erzherzogliche Automobil eine Bombe geschleudert, die jedoch explodierte, als das Automobil des Thronfolgers die Stelle bereits passiert hatte. In dem darauffolgenden Wagen wurde der Major Graf Boos-Waldeck von der Militärkanzlei des Thronfolgers und Oberstleutnant Merizzi, der Personaladjutant des Landeshauptmanns von Bosnien, erheblich verwundet. Sechs Personen aus dem Publikum wurden schwer verletzt. Die Bombe war von einem Typographen namens Cabrinowitsch geschleudert worden. Der Täter wurde sofort verhaftet. Nach dem festlichen Empfang im Rathause setzte das Thronfolgerpaar die Rundfahrt durch die Straßen der Stadt fort. Unweit des Regierungsgebäudes schoß ein Gymnasiast der achten Klasse (Primaner) namens Prinzip aus Grabow aus einem Browning mehrere Schüsse gegen das Thronfolgerpaar ab. Der Erzherzog wurde im Gesicht, die Herzogin im Unterleib getroffen. Beide verschieden, kurz nachdem sie in dem Regierungskonak gebracht worden waren, an den erlittenen Wunden. Auch der zweite Attentäter wurde verhaftet, die erbitterte Menge hat die beiden Attentäter nahezu gelyncht.

203.2 Ein Zeitungsbericht vom 28. Juni 1914

nicht auf die neuen Grenzen einigen konnten. In einem zweiten Balkankrieg besiegten daraufhin Serbien und Griechenland 1913 ihren ehemaligen Verbündeten Bulgarien. Mit Unterstützung Rußlands wollten die Serben nun ein großes slawisches Reich schaffen. Da aber drohte Österreich mit Krieg, der nur durch die Vermittlung Englands und Deutschlands verhindert werden konnte.

Der Balkan blieb ein Pulverfaß, und das Streben der Völker nach eigenen Staaten bedrohte den Vielvölkerstaat Österreich-Ungarn. Besonders die Serben in Bosnien und der Herzegowina suchten den Anschluß an das Königreich Serbien. Der österreichische Thronfolger Erzherzog Ferdinand erkannte die Sprengkraft dieser nationalen Wünsche. Er verfolgte deshalb den Plan, den Slowenen und Serben innerhalb der Doppelmonarchie größere Selbständigkeit zu geben. Das aber störte die Pläne der Serben, ein großes südslawisches Reich zu bilden. Als der Thronfolger mit seiner Frau in Sarajewo, der Hauptstadt Bosniens, weilte, um seine Ziele zu erörtern, wurden beide am 28. Juni 1914 von einem Mitglied der großserbischen Geheimorganisation „Schwarze Hand“ ermordet. Die Empörung richtete sich vor allem gegen das Königreich Serbien. Der Führung unterstellte man, von diesen Attentatsplänen gewußt und sie nicht verhindert zu haben. Österreich zögerte aber mit einer Strafaktion aus Sorge um ein Eingreifen Rußlands, obwohl der deutsche Kaiser erklärte, das Reich werde treu an Österreichs Seite stehen.

203.3 Englische Karikatur „Der kochende Kessel“, 1908

1. Wie hätte das Deutsche Reich die Kriegsgefahr vermindern können?

Der Kriegsausbruch und die Kriegsschuldfrage

Warum der Krieg nicht verhindert werden konnte

Nach dem Attentat von Sarajewo überlegten die Regierungen jeder europäischen Großmacht, welche Schritte ergriffen werden müßten, damit die möglichen militärischen Gegner keine Vorteile erlangten. Da Österreich um den Bestand seines Staates fürchtete, entschied es sich für eine harte Bestrafung Serbiens. Des deutschen Beistandes gewiß, hoffte es, daß die Serben keine Unterstützung durch Rußland erhalten würden. In Rußland wollte man jedoch den Einfluß auf dem Balkan nicht verlieren. Außerdem glaubte der Zar, durch außenpolitische Erfolge seine unsicher gewordene Herrschaft festigen zu können. In Deutschland wußte man, daß im Ernstfall mit einem Zweifrontenkrieg zu rechnen war. Dennoch gab es in der deutschen Regierung und der deutschen Armee eine verbreitete Auffassung, daß der Krieg mit Rußland und Frankreich auf die Dauer unvermeidbar sei. Es sei daher besser, jetzt zu kämpfen, solange Rußland seine Aufrüstung noch nicht abgeschlossen habe. Für die Westfront gab es bereits seit 1905 einen Aufmarschplan. Die Franzosen sahen in einem gemeinsamen Krieg mit Rußland gegen Deutschland eine günstige Gelegenheit, endlich Elsaß-Lothringen zurückzugewinnen. Großbritannien glaubte sich in seiner Entscheidung noch relativ frei, obwohl es sich seit 1906 auch militärisch immer stärker an Frankreich gebunden hatte und weder eine russische noch eine deutsche Machtausweitung auf dem Kontinent dulden wollte.

Ultimatum: Anfrage, auf die eine eindeutige Antwort in bestimmter Frist verlangt wird.

Erst am 23. Juli 1914 schickte die Regierung in Wien ein Ultimatum an Serbien, in dem sehr harte Forderungen gestellt wurden. Obwohl Serbien ihnen zum größten Teil entsprach, erklärte ihm Österreich-Ungarn am 28. Juli den Krieg. Der deutsche Reichskanzler von Bethmann Hollweg versuchte in Übereinstimmung mit England, Österreich noch zurückzuhalten. Er telegraphierte am 30. Juli an den deutschen Botschafter in Wien:

204.1 *Deutsche Soldaten 1914*

204.2 *Die Opfer*

Wir können Österreich-Ungarn nicht zumuten, mit Serbien zu verhandeln, mit dem es im Kriegszustand begriffen ist. Die Verweigerung jeden Meinungsaustausches mit Petersburg aber würde ein schwerer Fehler sein, da er kriegerisches Eingreifen Rußlands geradezu provoziert, das zu vermeiden Österreich-Ungarn in erster Linie interessiert ist. Wir sind zwar bereit, unsere Bündnispflicht zu erfüllen, müssen es aber ablehnen, uns von Wien leichtfertig und ohne Beachtung unserer Ratschläge in einen Weltbrand hineinziehen zu lassen . . .

(W. Ripper, Weltgeschichte im Aufriß, Bd. III, 1, Ffm 1976, S. 29)

Am gleichen Tag schickte aber auch der Chef des deutschen Generalstabes, Graf v. Moltke, ohne Wissen des Reichskanzlers ein Telegramm an den Chef des österreichischen Generalstabs. Darin forderte er die Österreicher dazu auf, vor der russischen Mobilmachung nicht zurückzuweichen und ebenfalls mobil zu machen. Auch Deutschland werde seine Truppen mobilisieren.

Der Zar befahl am gleichen 30. Juli auf Drängen seiner Generäle die Mobilmachung der gesamten Armee. Als ein deutsches Ultimatum auf Rücknahme dieser Anordnung unbeantwortet blieb, erklärte Deutschland am 1. August Rußland den Krieg. Da ebenfalls Frankreich seine Truppen mobilisierte, erfolgte die gleiche Maßnahme am 3. August auch gegenüber Frankreich. Um von dort aus nach Nordfrankreich vorzustoßen, marschierten deutsche Truppen in Belgien ein. Dieses Vorgehen konnte England als Garantiemacht der belgischen Neutralität nicht hinnehmen und erklärte am 4. August Deutschland den Krieg.

Jede Großmacht in Europa hatte sich schließlich bedroht gefühlt. Der spätere britische Premierminister Lloyd George sagte, kein führender europäischer Staatsmann habe den Krieg wirklich gewollt, sie seien hineingeglitten und hineingestolpert, vielleicht aus Torheit, weil sie die Gefahren des Krieges nicht sahen. In allen kriegführenden Ländern wurden aber zu Beginn des Krieges Kriegszielprogramme aufgestellt. Ein deutscher Historiker, Fritz Fischer, vertritt seit 1961 die Auffassung, es sei vor allem der deutsche „Griff nach der Weltmacht" gewesen, der den Krieg herausgefordert habe. Einer seiner Schüler schrieb:

Den europäischen Krieg . . . hielten im Reich immer weitere Kreise für unvermeidlich und bevorstehend. In den deutschen Köpfen hatte sich, genährt von führenden deutschen Historikern, die Vorstellung festgesetzt, daß Deutschland angesichts des sich herausbildenden Weltstaatensystems nur die Wahl habe, entweder zu stagnieren und damit sogar seinen Rang als europäische Großmacht zu verlieren oder selbst zur gleichberechtigten Weltmacht aufzusteigen. [Es war ein Denken, das] eine rationale Friedensordnung der Welt als angeblich unmöglich . . . ablehnte und statt dessen den Kampf aller gegen alle setzte. Gewiß spukten auch in anderen Ländern solche Ideen . . . Nur in Deutschland waren sie auch bis in die politische Machtspitze vorgedrungen.

(I. Geiss, Juli 1914 . . ., München 1965, S. 16)

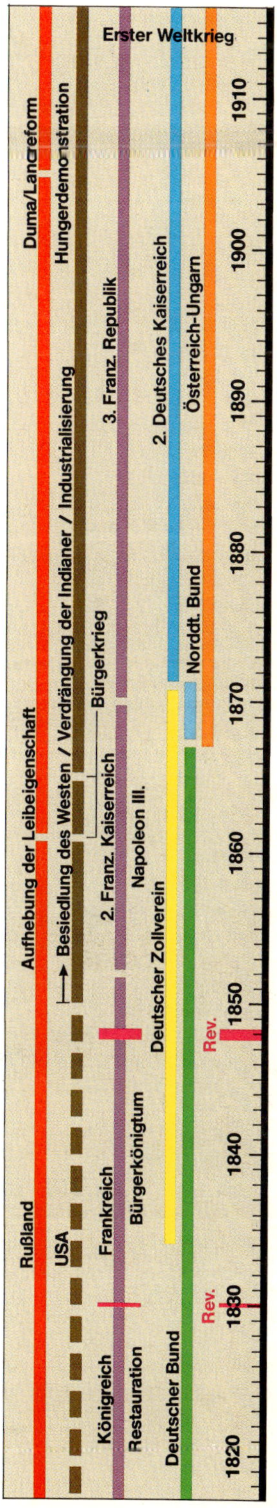

1. Welche Vorteile erwarteten Rußland, Frankreich und Deutschland von dem Ausbruch des Krieges?
2. Wer trägt die Schuld am Ersten Weltkrieg?

Personen- und Sachverzeichnis

Bildquellenverzeichnis

J. Kinkelin, Worms: 5.1; Österr. Nationalbibliothek, Wien: 5.2; Mansell Collection, London: 6.1; Archiv für Kunst u. Geschichte; Berlin: 7.1, 28.1, 31.1, 32.1, 74.1, 3, 75.1, 2, 89.1, 110.1, 127.1, 135.2, 173.1; Bildarchiv preußischer Kulturbesitz, Berlin: 16.2, 17.2, 44.1, 67.1, 70.1, 2, 71.1, 72.1, 93.1, 105.1, 111.1, 3, 135.1, 158.1, 161.1, 173.1; H. Wessel-Schulze, Hannover: 16.3, 133.2; Kunsthistor. Museum, Wien: 24.1; Stadtmuseum Düsseldorf: 50.1; L. Kaster, Haan: 51.1; Stadtmuseum Münster: 35.1; O. Kamphues, Senden: 35.2; Frauen-Kloster St. Klara, Stans: 38.1; Archiv Gerstenberg, Wietze: 55.1, 66.1, 67.2, 82.1, 83.1, 85.1, 86.1, 87.1, 2, 97.1. 104.1, 126.1, 141.2, 149.2, 164.1, 165.1, 167.2, 174.1, 177.1, 183.1, 187.2, 3, 189.2, 196.1, 201.1; Photographie Giraudon, Paris: 58.1; Dt. Werkzeugmus. u. Heimatmuseum Remscheid: 64.1, 2; Rijksmuseum-Stichting, Amsterdam: 65.1; Dt. Schiffahrtsmuseum, Bremerhaven: 91.1; Süddt. Verlag, München: 103,1, 123.1, 168.1; Bibliothèque Nationale, Paris: 106.2; CVK + Schroedel, Hannover: 123.1, 134.1, 147.1, 2; Stadtmuseum Ratingen: 124.1, 125.2; Histor. Zentrum, Museum f. Frühindustrialisierung, Wuppertal: 125.1, 137.2; Fa. Schlafhorst, Mönchengladbach: 125.3; Verkehrsmuseum Nürnberg: 129.1; Stadtarchiv Bochum: 131.1; Bayer AG, Leverkusen: 132.1, 2; Dt. Museum, München: 134.2; Daimler-Benz AG, Stuttgart: 134.3; Kl. P. Huttel, Wuppertal: 137.3; Archiv der sozialen Demokratie, Bonn: 139.1, 144.2; v. Bodelschwinghsche Anstalten, Bethel: 142.3, 143.1; Kolpingwerk, Köln: 142.1, 2; Bundesverband der dt. Volksbanken u. Raiffeisenbanken, Bonn: 144.1; Archiv Artothek, Planegg: 155.1; Kunstmuseum Düsseldorf: 159.1;
Karten: A. Raasch, Hannover: 10.2, 19.1, 21.3, 32.2, 41.2, 42.2, 45.1, 49.1, 107.1–3, 116.1, 119.1, 2, 192.1 sowie alle Grafiken.
Alle übrigen Abbildungen: Archiv Schroedel/Schöningh.